Lune siamoise

Patrick Boulin

Lune siamoise
Roman

LE LYS BLEU
ÉDITIONS

À mes êtres chers :
Mon épouse,
Mes filles,
Mon fils,
Ma petite-fille.

Mes remerciements à Philippe Guillaume
pour sa relecture attentive.

L'histoire de ce roman est inspirée de faits réels. Cependant, tous les personnages cités sont entièrement imaginaires.

Extrait du Bangkok Post
Édition du 10 février 2020

UN AUTRE DRAME HORRIBLE SECOUE LA THAÏLANDE !

Hua Hin
Quelques heures à peine après la fin de la tuerie de Korat, dont le bilan provisoire à l'heure de boucler cette édition s'élève à trente morts, le Royaume de Thaïlande a de nouveau été cruellement frappé ce dimanche par un événement sanglant. Un homme armé a abattu deux personnes lors d'une fête de mariage qui se tenait sur la plage de Pran Buri, à vingt kilomètres de la station balnéaire de Hua Hin (Province de Prachuap Khiri Khan). Le meurtrier s'est ensuite donné la mort.

Les faits sont particulièrement sordides. Il était environ dix-sept heures dimanche quand un individu lourdement armé a fait irruption dans une cérémonie de mariage qui avait lieu sur la plage de l'hôtel Aleenta à Pran Buri (Prachuap Khiri Khan). L'homme a ouvert le feu sur les participants à la cérémonie. Deux personnes seraient mortes sur le coup. L'identité des victimes et du meurtrier n'est pas encore connue. Le meurtrier a ensuite retourné son arme contre lui. Il est également décédé.

Il semblerait que le tueur ait agi seul. Il n'y aurait pas d'autres victimes à déplorer selon les premières informations. Quelques heures après le drame, la plage de l'hôtel Aleenta offre un spectacle de morne désolation, chaises renversées, verres brisés, voiles déchirés battant au vent de l'océan, bouquets de fleurs gisant sur le sable et une mare de sang sombre qui ruisselle lentement vers la mer. Les invités au mariage, sous le choc, peinent à parler. Les motivations du tueur ne sont pas encore connues à l'heure où nous mettons sous presse. Le capitaine Damrongsak Thongngamkrokal, chef adjoint de la police provinciale, a indiqué qu'à ce stade de l'enquête, la piste terroriste était écartée. Une conférence de presse se tiendra, ce lundi, pour communiquer plus de détails sur les circonstances du drame. Nos lecteurs trouveront de plus amples informations dans nos prochaines éditions.

I
Rupture non consommée

11 novembre 2011

La pleine lune brille avec éclat dans le ciel étoilé, se délectant de sa liberté retrouvée après plusieurs semaines de mousson. Dix-neuf heures passées, la nuit recouvre les faubourgs de Bangkok. À travers le pare-brise poussiéreux de la *Toyota Corolla* familiale, Moon considère évasivement l'agitation tranquille de la station-service *Petroleum of Thailand* nichée sur la route encombrée qui plonge bruyamment vers le sud. S'étale devant ses yeux impavides le kaléidoscope de la Thaïlande urbaine. Le va-et-vient incessant des portes coulissantes de la supérette *7 – Eleven* laisse échapper sans répit un flot informe de silhouettes furtives, femmes, hommes, de tout âge, les mains entortillées de sacs plastiques, traînant leurs tongs sur le pavement défoncé. Parfois s'y mêle la robe safran d'un moine ventru au crâne rasé, que les clients laissent passer avec déférence. Plus loin, des adolescents, arborant fièrement les maillots bigarrés de leurs clubs de foot préférés, sirotent, assis sur leurs talons, un thé glacé devant l'*Amazon Café*, les yeux rivés sur leur téléphone portable. En uniforme, robe plissée bleu marine et chemisier blanc, des écolières s'agglutinent auprès

13

d'étals de nourriture éclairés par des néons bleutés. Brochettes, saucisses, pilons de poulet grillent côte à côte. Des calamars séchés, pendus comme du linge sur un fil, semblent retrouver un soupçon de vie sous l'effet d'une légère brise. Affublé d'un casier en bois rempli de billets de loterie, un marchand déambule parmi les petites tables en bois. Claudiquant avec peine, une vieille femme se fraye un chemin entre les voitures garées en tendant des colliers de fleurs. À la sortie du parking, devant les distributeurs multicolores de billets, une grappe d'hommes revêtus d'un gilet orange et le bonnet noir enfoncé sur la tête attendent les derniers clients, assis sur leur motocyclette. Au loin, des chiens galeux errent sans maître et aboient sans raison.

Bien à l'abri de la moiteur ambiante dans le cocon réfrigéré de la voiture, Moon, les sourcils froncés et la bouche serrée, patiente, songeuse. L'autoradio diffuse un discours de Yingluck Shinawatra, la Première ministre qui a remporté haut la main les récentes élections du mois de juillet. Fervents supporters, ses parents avaient alors fêté joyeusement la victoire de la sœur de l'ancien Premier ministre Taksin Shinawatra[1]. Moon était restée indifférente à la liesse familiale. Bien sûr, comme beaucoup de Thaïlandais, elle éprouvait du respect pour Taksin qui, il y a dix ans déjà, avait permis à tous ses compatriotes de disposer d'une esquisse de sécurité sociale. Mais elle ne pouvait s'empêcher de penser que le plus grand dénominateur commun de tous les politiciens de son pays, tous partis confondus, était la corruption. Cela coupait court à son intérêt, et partant à son

---

[1] Taksin Shinawatra a été Premier ministre de Thaïlande de 2001 à 2006. Il jouit alors d'une grande popularité dans les milieux défavorisés grâce à sa politique plutôt d'inspiration sociale. Il est cependant aussi sous le coup d'accusations de collusion avec les milieux d'affaires. Il sera finalement déposé par un coup d'État, jugé coupable de corruption et banni du pays.

14

enthousiasme pour la politique. Moon diminue le volume de la radio qui parasite son dialogue intérieur. Les mêmes questions tournent en boucle dans sa tête. Pourquoi n'a-t-elle pas osé parler à Toy ? Pourquoi les mots ne sont-ils pas venus comme à l'entraînement devant le miroir de sa salle de bain ? Pourquoi cette soirée ne se passait-elle pas comme prévu ? Pendant plusieurs jours auparavant, Toy avait assiégé son téléphone, la bombardant de messages, insistant pour la voir, pour manger ensemble, pour parler, pour être à ses côtés. Toy était amoureux de Moon. Amoureux fou, amoureux et fou. Elle avait finalement accepté son invitation. Parce que, pensait-elle, elle allait, elle devait, elle pouvait lui dire.

Moon était partie le chercher chez son père, peu avant dix-huit heures, avec la vieille *Toyota* blanche striée de rouille de sa mère. Elle lui avait ensuite cédé le volant, préférant se plonger dans son fil d'actualité *Facebook* sur le siège passager. Ils s'étaient rendus dans une petite gargote qui fleurait bon le poulet frit et les effluves de curry. Sur l'écran de télévision posté au fond du restaurant, la chorégraphie de Takkatan Chollada[2] (℗)[3] semblait rythmée par les coups de klaxon énervés de la rue toute proche. Attablée au restaurant, pendant que Toy trempait ses boulettes de riz gluant dans son *Lab Moo*[4] rougissant de piment, elle l'avait lentement dévisagé. Moon s'était sentie tout à coup morose. Toy était beau gosse. De grande taille à l'aune des standards locaux, le visage élancé comme un James Dean siamois, la peau lisse sans acné d'une blancheur nette, le sourire

---

[2] Star de la Pop thaïe.
[3] L'icône ℗ renvoie à la bande originale en fin de livre, décor musical de la *Lune siamoise*.
[4] Émincé de porc à la menthe et au citron vert.

désarmant les reproches, la coupe de cheveux un brin négligée, la dégaine nonchalante... Toy faisait fureur auprès des filles. Mais il l'avait choisi, elle, Moon. Âgés tous deux de vingt ans, ils étaient « en couple » depuis près de deux années. Elle entamait maintenant sa deuxième année en faculté de droit à l'université de Thon Buri, la ville miroir de Bangkok de l'autre côté du fleuve Chao Phraya. Toy était resté à quai, enchaînant les petits boulots et les coups foireux. Ils se voyaient trois, quatre fois par semaine. Il était toujours fauché comme les blés. Moon payait de bon cœur ses restos, ses bières et ses cigarettes. Ils couchaient ensemble. Plutôt par convenance que par quête de volupté en ce qui la concernait. Elle s'était bien sentie avec lui, en tout cas au début. Mais elle n'avait jamais éprouvé les frissons du désir, les étreintes charnelles et encore moins la montée en puissance de l'orgasme. Lors des moments de froide lucidité, elle comprenait qu'elle restait avec lui pour le plaisir de s'exhiber avec le plus beau gars du coin. C'était pure futilité, elle s'en rendait bien compte. Cela ne pesait pas lourd dans la balance de ses sentiments. Pas assez pour la retenir auprès de lui. Mais il y avait aussi la pitié qu'elle ressentait pour Toy, orphelin éternel d'amour maternel. Le jeune homme vivait avec son père, un militaire de carrière, austère et sévère. Il souffrait de ce manque d'affection et cette fragilité le rendait parfois attendrissant. Mais à d'autres moments, Toy se montrait insupportable, enchaînant les crises de susceptibilité et les scènes de jalousie. Moon s'efforçait alors à la patience et finissait par s'apitoyer lorsque plus tard Toy fondait en larmes d'excuses. Mais compassion n'est pas raison d'aimer. Elle rêvait d'un homme qui puisse lui apporter stabilité et une fondation solide pour bâtir sa vie. Il y a quelques semaines, sur le conseil de Nam, son amie d'université, Moon avait entrepris d'espacer les rencontres avec Toy, prétextant ses cours et le petit job d'étudiant qu'elle avait décroché pour un salaire de six mille bahts par mois, de quoi payer ses sorties. Nan ne comprenait pas pourquoi Moon s'obstinait à rester avec Toy. Moon ne manquait pas de prétendants, autrement plus respectueux et mieux éduqués que Toy pour faire son bonheur. Elle devait arrêter de le voir pour en être quitte le plus vite possible. Moon avait donc suivi le conseil de Nam et mis de la distance entre elle et le jeune homme. Elle avait espéré ainsi refroidir ses ardeurs, mais en pure perte. Il ne se passait pas un jour sans que Toy ne la harcèle de messages et de coups de téléphone jusqu'à ce qu'elle accepte de le voir.

Moon retient un frisson. Elle tapote sur le volant, en signe d'agacement. « Mais qu'est-ce qu'il fabrique ? » se demande-t-elle. « Taï yen yen ![5] » murmure-t-elle pour elle-même. « Toy ne va pas tarder maintenant ». Elle tripote fébrilement le bouton de l'autoradio et, après plusieurs essais infructueux, elle parvient enfin à dénicher *FM90*, la station dédiée au *Luk Thung* [6](ℂ). Contre toute attente, sa musique préférée peine à la rasséréner. Ses yeux restent rivés sur le bâtiment blanchâtre des toilettes de la station-service. Cela fait un moment déjà que Toy, après que Moon ait garé la *Toyota* sur le parking de station, avait poussé la porte du bâtiment. Pendant le repas, Toy avait eu le temps d'avaler goulûment trois cannettes de bière *Leo* et sur le chemin du retour, il avait insisté pour qu'ils fassent une halte urgente à la station-service. Il était sorti de la voiture, se

---

[5] Calme-toi !
[6] À l'origine, le *Luk Thung* pourrait être décrite comme la musique *country* de la région d'Issan. Par la suite, le Luk Thung a subi des influences diverses, notamment de musiques de films américains. Au fil du temps, Le *Luk Thung* a fusionné avec la pop thaïe et reste la musique la plus populaire dans tout le pays.

dandinant, mi-mannequin, mi-rebelle, se retournant pour lancer un regard complice à Moon, restée dans la voiture. Regard qu'elle évita comme coupable. Le temps subitement lui paraît long, trop long. Peut-être, Toy avait-il prétexté ce passage aux toilettes pour prendre une dose de *meth*, pense-t-elle. Il lui avait assuré avoir décroché, mais ce n'était pas crédible. Toy, tout entier n'était pas crédible. Il ressemblait à un chien fou, errant, avec pour seule laisse l'amour qu'il portait à Moon. Mais elle n'en peut plus. Les crises à répétition de Toy, son instabilité chronique, sa jalousie, son côté immature, l'absence d'avenir à offrir... Tout cela donnait raison à son père, à sa mère, à Nam, elle doit le quitter (et encore elle ne leur racontait pas tout, et certainement pas l'épisode où il l'avait menacée d'un révolver)... Mais c'est déchirant. Déchirant de lui dire, car elle le sait : sans elle, sans son affection, son amour, son soutien, Toy sombrera corps et âme dans le néant des laissés pour compte du rêve siamois. Tout d'un coup, elle est résolue. Il va sortir des sanitaires, marcher vers la voiture, avec son aisance nonchalante habituelle, son sourire séducteur, rentrer dans la voiture et poser la main sur elle. Et elle lui dira d'une traite : « Toy, je dois te parler, je suis triste de te dire cela, mais nous, c'est fini, je ne t'aime plus, je veux être seule, je suis désolée de te faire du mal, mais ma décision est prise ». Elle se sent déjà plus légère.

Moon tire sans conviction sur son short blanc pour tenter de recouvrir quelque peu ses cuisses. Elle avait évité avec soin, au vu des circonstances, toute tenue provocatrice, mais avait néanmoins opté pour un short, ne pouvant s'abstenir de dévoiler ses jolies fines jambes couleur miel. Sa silhouette épousait une géométrie parfaite, les courbes s'enchaînaient avec harmonie, le visage s'enveloppait dans un écrin de longs cheveux noirs. Mais ce qui frappait instantanément chez elle, c'était son regard. Deux grands yeux d'ébène débridés qui donnaient à ses expressions une intensité souveraine. Ses yeux parlaient, appâtaient, caressaient, contrôlaient, commandaient, punissaient ou récompensaient au gré de ses désirs. Moon se délectait à abuser de ce sortilège. La découverte de ce pouvoir de séduction au sortir de l'adolescence avait été une véritable révélation. Elle adorait affrioler les garçons, les sentir tomber sous son charme, échanger des messages ambigus, accepter leur rendez-vous pour donner l'illusion qu'elle pourrait se donner, et quand, après le repas en tête à tête et quelques regards appuyés, l'affaire paraissait dans le sac (du moins aux yeux de la pauvre victime), elle se dérobait abruptement, lassée que ce soit si aisé. Moon, pourtant tellement badine, n'avait jamais trompé Toy. Il était son premier petit ami, celui à qui elle avait offert sa virginité et elle n'avait pas le goût du corps d'un autre homme. En elle, séduire ressortissait à une pulsion irrépressible, mais en définitive platonique. Tous ces manèges galants se passaient à l'insu de Toy. D'une jalousie acérée, il était capable du pire s'il percevait le moindre clignement d'œil provocateur adressé à un autre mâle. Un soir, Toy avait surpris les regards croisés entre Moon et un garçon dans une discothèque. Il était devenu fou de rage, l'avait entraîné de force de dehors et poussé dans la voiture. Là, il avait sorti un révolver et l'avait pointé sur le cœur de Moon, proférant d'un ton glacial : « si tu me trompes, je te tue ! ». Plus tard, il avait affirmé que ce n'était qu'un jeu pour l'impressionner et qu'il serait incapable de lui faire du mal. Elle lui avait pardonné une fois de plus.

Moon ne se sent plus d'humeur compatissante à présent. Elle a perdu patience. Elle éprouve le besoin de continuer seule son chemin. À cette fin, il lui faut mettre un terme à sa relation avec Toy dont le feu est consumé. Elle doit prendre la première décision difficile de sa jeune existence. Et cette perspective la rend nerveuse. Jusqu'à présent, sa vie goûtait le bonheur simple et le devoir accompli. Elle avait passé une enfance radieuse et insouciante dans la campagne d'Issan où elle était née un jour de pleine lune. Ses parents lui avaient dès lors donné le surnom de Moon, sans doute aussi en réminiscence du nom de la rivière toute proche. À ses trois ans, après la naissance de son frère Pod, ses parents, paysans sans terre, avaient quitté cette région pauvre du nord-est de la Thaïlande pour déménager dans la banlieue de Bangkok dans l'espoir d'y trouver un travail plus rémunérateur. Ils avaient confié l'éducation de Moon et de son frère à ses grands-parents. Sa grand-mère tenait une ferme dans la région de Buriram. C'était une femme austère, maigre, au visage creusé et aux genoux cagneux à force de travailler dans les champs. Elle ne rechignait jamais à la tâche et se montrait sévère avec elle-même comme avec les autres. Mais elle aimait sa petite-fille comme la prunelle de ses yeux et sa petite-fille l'adorait. Moon garde de cette enfance à la campagne d'épars souvenirs riches en émotions... La fierté matinée de crainte de conduire les buffles tellement impressionnants au champ dans la brume du matin, l'indolente langueur après une éreintante journée de cueillette de pomelos, le bonheur de se baigner dans la rivière *Moon* au soleil couchant, la frousse d'une rencontre nocturne avec un fantôme sur le sentier menant au cabanon des toilettes dans le jardin... Son grand-père, lui, était un dur à cuire. Il avait passé sa vie à sillonner le pays au volant de son camion-citerne de la *Petroleum of Thailand*. Et quand, harassé, il rentrait en Issan, c'était pour faire la fête. Moon le voit encore, assis en tailleur avec ses amis autour d'une bouteille de *Mékong,* chanter de vieilles chansons *Luk Thung* sous la paillote devant la maison (ℂ). Teigneux et colérique, ce n'était pas un homme facile. Il avait l'alcool mauvais. Parfois, le soir, Moon, blottie dans son lit de peur, entendait de sa chambre des éclats de voix, le bruit d'objets qui volaient par terre, les cris de sa grand-mère, des portes qui claquaient et puis beaucoup plus tard un puissant et sonore ronflement qui marquait la fin des hostilités. Sa grand-mère avait fini par le jeter dehors. Moon avait appris sa mort, il y a huit ans lors d'une opération antidrogue de la police qui avait mal tourné. Accompagnée de son frère Pod, Moon avait, à l'âge de six ans, rejoint sa famille à Bangkok. Ses parents désiraient ardemment la placer dans une bonne école de la capitale en préparation de l'université. Malgré son caractère effronté, Moon s'était révélée une élève studieuse, affichant les meilleurs points de la classe. Dans la foulée, elle avait terminé sa première année d'université sans encombre. Dans ses temps libres, elle s'adonnait aux plaisirs simples et frivoles de la jeunesse. Son passe-temps favori consistait à sillonner les centres commerciaux à l'affût d'articles démarqués, de soldes, de promotions pour dénicher le vêtement qui lui siérait le mieux dans les limites d'un budget plutôt étriqué. À quinze ans, elle avait enfin été libérée de l'obligation scolaire de porter l'uniforme et les cheveux courts. Elle découvrit alors le bonheur de contempler sa chevelure se déployer mois après mois. Ses cheveux noirs lui tombaient maintenant dans le dos. Elle s'essaya à toutes les nuances de rouge à lèvres et de maquillage autrefois interdits par le règlement strict de l'école. Coquette, elle prenait soin à choisir des tenues qui mettaient en valeur sa silhouette. Elle se sentait jolie et les regards des hommes confortaient ce sentiment. Entourée de ses amies, elle adorait faire la fête, s'enivrer gentiment ou jouer aux cartes pour quelques bahts. Le samedi soir, elle avait coutume de rendre dans un bar karaoké avec Toy. Elle se trémoussait et se déhanchait à la façon des stars de hip-hop thaï tout en mimant les paroles de sa chanson préférée d'alors *Ta Lueng*[7] (C) de Thaitanium.

Le dimanche était réservé à la famille. Ils partaient alors tous ensemble déjeuner dans une gargote nichée dans un bras de la rivière Tha Chin. Un jour, à ses dix ans, sa mère avait voulu montrer la mer à ses enfants. Ils étaient alors partis tous ensemble, sa mère au volant qui conduisait la voiture avec la même énergie que sa vie. Ils avaient roulé vers le sud pendant près de deux heures pour arriver à Cha-Am, une station balnéaire prisée des Thaïlandais. Ils avaient dégusté des crevettes, des moules et des huîtres sous la tente d'un restaurant de plage. La clientèle était composée exclusivement de famille. Les adultes reposaient dans des transats à l'ombre tandis que les jeunes barbotaient dans l'eau, habillés de pied en cap pour éviter le soleil. L'atmosphère était paisible et bon enfant. La mère était calme à l'unisson. Moon avait prudemment fait trempette, ne s'aventurant dans l'eau qu'à hauteur de genou. Elle ne savait pas nager. Après le repas, Moon et sa famille avaient poussé une pointe vers la ville suivante, Hua-Hin. Le contraste était étonnant. De nombreux hôtels tout en hauteur bordaient le littoral et faisaient de l'ombre aux palmiers. Les touristes occidentaux se promenaient dans les rues en short et maillot de bain au grand dam de Moon. Elle était choquée par le manque de pudeur des femmes occidentales. Elle comprenait encore moins qu'elles ne protégeaient pas leur belle peau blanche des rayons du soleil. En marchant sur la plage en fin de journée, ils

---

[7] Impudent.

étaient tombés nez à nez sur une cérémonie de mariage. Le marié en costume noir était un blanc et Moon fut étonnée de constater que la mariée en robe blanche était une Thaïlandaise. Elle n'imaginerait jamais se marier avec un Occidental ! Cela paraissait tellement saugrenu. Un jour, se dit-elle dans la voiture qui la ramenait ce soir-là à la maison, moi aussi je me marierai sur la plage, mais en costume traditionnel et avec un homme thaïlandais pour sûr ! Le temps venu, dénicher un prince charmant ne sera pas très difficile. Tout lui souriait. Sa vie coulait de source. Moon se délectait du temps présent et l'avenir lui souriait. Quand ses études seraient finies, elle pourrait sans difficulté décrocher un job à Bangkok dans une entreprise. Elle ne voulait en aucun cas dépendre d'un homme pour assurer son confort. Clairement, ce n'était de toute façon pas Toy qui pourrait la supporter financièrement, lui qui traînait déjà la patte au commencement de sa vie d'adulte. Son diplôme en main, elle pourrait envisager un salaire mensuel de vingt-cinq mille bahts, de quoi vivre raisonnablement. Un beau mariage viendrait bien après couronner sa réussite. La rupture imminente avec Toy procédait donc, tout naturellement, de la stratégie à suivre pour réussir son projet de vie. Restait donc à régler ce problème Toy. Il suffisait d'un peu de courage pour mettre un point final à cette relation sans avenir.

Moon s'impatiente. Le temps semble se ralentir autour de la station-service. Que fiche donc Toy si longtemps dans les toilettes ? Elle a hâte de lui parler et de rentrer à la maison. Ses parents seront sûrement déjà au lit, levés à l'aurore, couchés au crépuscule comme toute la classe laborieuse thaïlandaise. Demain, elle les informera de sa rupture avec Toy. Nouvelle qu'ils accueilleront avec soulagement. Sa famille vivait confortablement, mais sans luxe excessif dans une petite maison deux façades qu'elle possède à Nakhom Pathom, dans la banlieue sud-ouest de Bangkok. Moon goûtait avec volupté l'affection que lui portait sa mère, personnalité forte, excessive, lumineuse et ombrageuse à la fois. Homme effacé et discret, sous l'emprise de son épouse, son père était naturellement peu enclin à démontrer ses sentiments. Mais quand il posait les yeux sur elle, son regard disait toute l'affection qu'il portait à sa fille. Les choses étaient plus complexes avec son frère Pod. Ils étaient tellement différents l'un de l'autre. Tout son contraire. Pod était timide, timoré, introverti, s'exprimant avec maladresse, il semblait mal dans sa peau. Moon avait longuement tenté d'établir une connexion avec son frère, mais en vain. Pod s'enterrait dans de longs silences et n'en sortait que pour égrener quelques phrases, le regard rivé vers un interlocuteur imaginaire. Leurs relations avec leurs parents différaient également sensiblement. Moon suscitait de l'intérêt, Pod réclamait de l'attention. Il prenait ombrage du rayonnement de sa sœur, son aînée. Au plus Moon s'épanouissait, au plus Pod se recroquevillait. Moon percevait la frustration grandissante de son frère, mais se sentait impuissante. Décidément, les hommes restaient une chose compliquée. Moon se raidit. Elle sent l'énergie et la détermination monter en elle. Elle passe sa main dans sa chevelure, rajuste légèrement sa coiffure et vérifie dans le miroir du rétroviseur son maquillage. Elle est prête, les yeux fixés sur la sortie des toilettes publiques. Elle a la fugace impression que le temps s'est figé sur la station-service.

Soudain, la lumière bleu électrique d'un gyrophare déchire l'obscurité, le son strident d'une sirène couvre l'agitation de la station-service, suivi d'un crissement de pneus, de bruits de pas bottés, de claquements de portière et un hurlement incompréhensible beuglé par un mégaphone envahit le parking. Des hommes en uniforme marron surgissent d'une voiture toute proche, l'arme au poing. Et Toy apparaît, l'air hagard, les poignets entravés, tenu vigoureusement par deux policiers qui lui tordent les bras dans le dos. Toy grimace de douleur. Un autre homme aussi menotté et encadré les suit. Le cerveau de Moon fonctionne avec saccade, comme débordé par le flot brutal d'informations. Mais d'un coup, la vérité prend forme et une seule pensée envahit alors tous les recoins de son esprit. Le constat la paralyse. Elle comprend que Toy a été pris en flagrant délit de trafic de stupéfiants. La Thaïlande ne badine pas avec la drogue. La police est implacable, la justice, impitoyable. Toy va prendre pour quelques années de prison. Moon réalise que, désormais, elle ne peut plus rompre avec Toy. C'est une question de dignité et de pitié. Elle doit rester à ses côtés. Elle le soutiendra le temps qu'il faut, le consolera, le réconfortera. Elle ira le voir en prison, lui écrira des lettres, lui enverra de l'argent pour améliorer, un tant soit peu, ses pénibles conditions de détention et attendra patiemment sa sortie. Le destin a tranché. Il a choisi, pour elle, la voie de la compassion et du sacrifice, à défaut de celle de la liberté et de l'affranchissement. Alors qu'un policier ouvre la porte de la *Toyota*, Moon éclate en sanglots.

II

Bruxelles, morne plaine

8 février 2013

Un crachin estampillé belge a cédé la place à une nuit froide qui peine à sécher les trottoirs de la capitale. La pleine lune s'échappe de la brume pour donner au ciel sans étoiles un gris intense. Il est dix-neuf heures. Benoît gare sa voiture en face du *Moeder Lambic*, un estaminet dédié aux bières artisanales, niché dans le haut de Saint-Gilles, le quartier *boboïsant* alternatif de Bruxelles. Ce faisant, il prend bien soin de ne pas heurter les vélos chargés de poireaux bios et de tapis de yoga, de peur de s'attirer les foudres de jeunes (re)faiseurs d'un monde meilleur, roulant leur clope en terrasse. Le bar est bondé. Un relent aigre de bière flotte dans l'air condensé. La musique peine à couvrir le brouhaha général. Ah, qu'est-ce que j'aime ça (ℂ), pense Benoît, le sourire béat, cette ambiance de *zwanze* qui vous réchauffe à peine engouffré dans le bistrot, les couleurs des bières, jaune pâlot, orange juteux, brun tourbe ou café noir, les fûts obèses prêts à déverser leur nectar en grande pompe et un ami qui vous attend.

Svelte et élancé, glabre, arborant la coupe de cheveux soignée, Benoît se fraye un passage sur la pointe des pieds, se déplaçant à pas comptés. Son costume cravate fait tache dans ce bar, repère attitré d'ersatz locaux de *Johnny Depp* en goguette. Je n'ai plus goût de jouer au « vieux, mais jeune dans sa tête », a-t-il coutume de se répéter. Cela ne l'empêche pas d'entretenir sa condition physique avec assiduité. En phase d'approche de la cinquantaine, il devient urgent de ne pas vieillir trop vite. Benoît aperçoit Mario qui est parvenu à dénicher un bout de table. Son ami, lui, fait encore de la résistance façon play-boy au stade crépusculaire, avec sa barbe de trois jours et son catogan coiffant ses cheveux couleur poivre et sel. De corpulence massive, des pectoraux qui se disputent un début de panse, Mario fuit les salles de sport et les régimes. « Pas de sport ! C'est mon côté churchillien », assène-t-il, goguenard. Célibataire, sans enfant, Mario est le meilleur ami de Benoît. Pourtant de la même génération, ils n'ont pas été conçus dans le même moule. Benoît, l'héritier des beaux quartiers de la capitale belge, affiche cinquante-deux ans au compteur, cinq années de plus que Mario, le rejeton des quartiers populaires. Contrairement à Mario, Benoît a déjà été marié et a un fils qui termine ses études universitaires de droit comme lui. Benoît est une personne réservée, placide, mesurée, complexe qui s'apprivoise avec le temps et la confiance, tandis que Mario est brut, carré, entier, débonnaire, jovial parfois trivial, mais sincère et fidèle, et d'un enthousiasme truculent. Benoît, économe en geste, s'exprime de manière concise et précise, manie les concepts avec dextérité, excelle dans l'abstraction parfois à l'excès, quand Mario, le titi bruxellois d'adoption, wallon par sa mère et italien par son père, gouaille, tchate, fourmille de détails et illustre son propos de moult mimes et gesticulations. Féru de poésie, un héritage de son adolescence, Benoît est capable de réciter par cœur des vers du magique et maléfique à la fois, Baudelaire. Cela faisait toujours rire Mario. « Tu aurais dû vivre au Moyen-Âge ! » lui disait-il au grand dam de Benoît, offusqué par tant d'inculture. Leur entourage respectif se demande ce que, si mal assortis, ils peuvent se trouver pour être ainsi inséparables. Ils se fréquentent avec assiduité depuis maintenant une dizaine d'années. Mario tient un magasin de disques dans le centre de Bruxelles, qui ne s'achalande plus guère. La musique digitale prend le pouvoir à marche forcée et les clients commencent à se faire plutôt rares. Mario dispose, cependant, d'un bas de laine, un petit héritage que ses parents, tous deux décédés tragiquement lors du braquage de la pizzeria familiale, lui ont laissé. Benoît soupçonne Mario de mener grand train de vie sur un filon pourtant loin d'être inépuisable. Tous les week-ends, munificent, il joue au *Eddy Barclay* local dans les bars et s'avère plutôt prodigue avec ses conquêtes féminines…

Les deux amis partagent le goût des bières spéciales. Pour rien au monde, ils ne boiraient une *Carlsberg* ou une *Heineken*, de la « pisse de chat » ! Ce midi, Mario avait appelé Benoît : « Ça te dirait de *sketter* des pintes ce soir ? ». Benoît avait acquiescé sans hésiter. Il prise ces moments avec Mario, tellement aux antipodes du cadre professionnel dans lequel il évolue. Mario est un véritable chasseur de déprime, toujours prêt à dégainer ou une blague ou une anecdote sur ses dernières aventures. Rien qu'à entendre Mario baragouiner son méli-mélo bruxello-flamando-wallon et à tenter de l'imiter, Benoît avait l'impression de gentiment s'encanailler. À peine installé dans le bar, il hèle le garçon de salle pour commander un *Orval*[8].

— *Il fait soif ici dedans* ! Et toi, tu prends quoi ?

— Une *Saison*[9] !

— Tu n'as pas faim, toi ? Je prendrais bien une portion de fromage de *Herve*.

— *Tcheu*, non dis, pas ce truc qui *stink*[10] ! dit Mario avec une moue de dégoût. Mais *fais à ton aise.* Je n'ai pas trop faim. Je viens juste de m'enfiler une *mitraillette*[11] à la *friture* du coin avant de venir. Et en plus, j'ai avalé un *américain* frites ce midi, confesse Mario en se caressant le ventre rebondi. Mais dis donc *fieu*, je veux rien dire, mais t'es fameusement en retard !

— Oui, *sorry*, j'ai dû d'abord passer au *drink* de la Chambre de Commerce, histoire de montrer ma tête. Difficile de faire l'impasse, beaucoup de mes clients étaient là.

Benoît est avocat d'affaires. Son association d'avocats s'était fait reprendre, il y a quelques années, par des Américains. L'opération s'était révélée lucrative pour les associés bruxellois. Mais revers de la médaille, l'ambiance de travail s'était passablement dégradée. Il fallait suivre à l'avenir les règles, procédures et méthodes édictées par la maison-mère américaine. L'esprit était désormais plus à la compétition, avec les autres bureaux d'avocats, mais aussi entre collègues. La concurrence faisait rage en interne. Benoît sentait dans son dos le souffle de

---

[8] L'Orval est une bière d'abbaye à fermentation mixte à boire idéalement après trois à quatre années d'âge pour apprécier l'optimum entre sucre et acidité.

[9] La Saison est une bière faite de fonds de cuve que l'on donnait jadis aux ouvriers saisonniers travaillant dans les champs de Wallonie.

[10] Expression bruxelloise signifiant « Puer ».

[11] Demi baguette fourrée de viande, sauce et frites.

jeunes avocats aux dents plus blanches et plus acérées. Il fallait démarcher, apporter plus de clients et mieux les rentabiliser. Et pour lui, le senior, la charge devenait plus lourde et son enthousiasme déclinait.

— J'ai fait au plus vite. Ces mondanités commencent à me barber sérieusement ! Qu'est-ce que tu lis ? demande Benoît, désignant du menton le journal déplié sur la table devant Mario.

— Le *Bangkok Post* !

— Ah d'accord ! Je devine avec qui tu as passé la nuit dernière… Il me semblait que tu l'avais envoyée bouler, la Thaïlandaise de l'ambassade ?

— Petite rechute sans conséquence, sans équivoque, sans prise de tête…

Encore une fois tout à l'opposé de Benoît, Mario était ce que l'on appelait vulgairement un homme à femmes. Leurs rapports à la gent féminine se situaient aux antipodes. Benoît était en quête de l'amour apaisé et définitif tandis que Mario recherchait l'extase intense et éphémère à répétition, ne trouvant du plaisir que dans le feu périssable de la passion. La vie de Mario n'était qu'une succession de virages, contre-braquages, slaloms pour éviter toute relation sérieuse. C'était un séducteur amateur d'aventures volontairement sans lendemain. Il voguait de conquête en conquête. Dès que la liaison entrait dans la routine, il fuyait. Gouailleur, toujours de bonne humeur, il offrait à l'élue du moment, une relation dilettante, jalonnée de restaurants en tête à tête, de fêtes jusqu'au bout de la nuit et d'escapades sous le soleil. Quand la demoiselle envisageait de déménager chez lui ou lui demandait distraitement ce qu'il pensait du mariage ou pire encore, lui susurrait à l'oreille qu'elle avait rêvé d'un petit bout qui aurait ses yeux bleus, alors, Mario engageait sans état d'âme le processus de rupture. Aucune femme n'avait pu arrimer le cœur de Mario à ce jour. Mario avait une prédilection pour les femmes asiatiques. Et la dernière en date était Nun, une employée de l'ambassade de Thaïlande à Bruxelles. Benoît comprenait mal l'engouement pour cette jeune femme qui, telle une belle plante exotique, avait mal supporté le voyage vers une contrée plus froide et surtout plus riche en calories. Benoît avait rencontré Nun à l'entremise de Mario. Il n'avait pas été subjugué ni par la beauté ni par le charme de celle-ci. Il avait trouvé particulièrement énervant cette manie de mettre la main devant sa bouche à chaque fois qu'elle esquissait un rire. Quand Benoît en avait fait part à Mario, celui-ci avait répliqué avec une moue réprobatrice que cela témoignait d'une pudeur très respectable dans la culture thaïlandaise. Il trouvait cela au contraire charmant, quasi mignon.

— Le *Bangkok Post* est un excellent journal en langue anglaise pour tout qui s'intéresse à Thaïlande et au monde en général d'ailleurs, déclare Mario d'un ton pontifiant qui ne lui ressemble pas. Tu devrais élargir tes horizons étroits de petit Belge casanier.
— Dis, joue pas au *stoeffer*[12] avec moi ! Franchement Mario, que peux-tu trouver d'intéressant à lire dans ce canard rédigé à dix mille kilomètres d'ici ?

Mario sourit : « Déjà, la météo est plus agréable à lire que dans nos journaux ! Regarde, Bangkok, mercredi 36 degrés, jeudi 35, vendredi 37, samedi 35, pendant qu'ici, ça caille ! »

---

[12] Expression bruxelloise signifiant « Frimeur ».

— 35 degrés, j'appelle ça *pétant de chaud* ! Seuls les cafards et les moustiques peuvent survivre à une fournaise pareille !

— Benoît, ce que j'adore chez toi, c'est cette faculté de toujours voir le bon côté des choses. Détends-toi, ferme les yeux et imagine un paradis, des plages de sable blanc, des rizières à perdre de vue, de la bouffe succulente pour pas cher, des gens qui sourient, et des filles jolies à mourir !

— Eh bien, ce que j'aime chez toi, Mario, c'est cette faculté à occulter la réalité des choses. Moi, je vois des plages jonchées de touristes et de plastique, des serpents – Benoît frissonna en prononçant ce mot, il en avait une frousse bleue – grouillant dans tes vertes rizières, une bouffe tellement épicée qu'elle t'arrache le palais, des gens qui sourient à la vue de ton portefeuille pour oublier qu'ils vivent dans la misère, des filles si jolies qu'on leur pardonnerait de vendre leur corps... ça ressemble plus à l'enfer qu'au paradis ! Ah, oui bien sûr tout est bon marché pour nous les petits blancs, mais ces vacances au soleil ressemblent fort à des « *cheap holidays in other people's misery[13]* ». Très peu pour moi ! Benoît affiche une mine satisfaite à l'issue de sa démonstration ponctuée par cette référence musicale qui ne peut que toucher en plein cœur son ami, véritable sommité du rock.

Mario encaisse le coup en soupirant. Cela fait des années qu'il rêve de partir à l'aventure en Asie. Voyager seul le fait cependant hésiter. Ah, s'il parvenait à convaincre Benoît de l'accompagner... Mais l'embarquement vers les mers chaudes et les filles à la peau hâlée ne semble guère émoustiller son ami.

---

[13] Extrait de « Holidays in the Sun » des Sex Pistols.

— Et à part la météo, qu'y a-t-il d'autre d'intéressant à lire dans ce Bangkok Journal ? Benoît hausse la voix pour couvrir la voix rocailleuse d'Arno (℃) qui s'échappe nerveusement du baffle pendu au-dessus de leur tête.

— *Bangkok Post* ! Eh bien je lisais un article sur… Mario s'interrompt, voyant l'écran de son smartphone s'allumer. Tu m'excuses deux secondes, c'est Stéphanie qui appelle.

Mario file à l'extérieur pour prendre la communication tandis que Benoît se demande qui peut bien être cette Stéphanie. Il subodore une nième conquête féminine de son ami. Cette abondance le laisse admiratif et perplexe à la fois. Sans vraiment jalouser son ami – il n'aurait que faire de passer d'une femme à une autre – il envie néanmoins son aisance à séduire. Depuis sa rupture avec sa seconde femme il y a cinq ans, la vie sentimentale de Benoît s'était rétrécie comme une peau de chagrin. Au début, il s'était inscrit sur *Meetic*, avait téléchargé l'application Tinder, avait rejoint des clubs d'activités pour célibataires, était même parti en vacances dans un *Club Med* réservé aux adultes. Mais en définitive, avec peu de résultats concrets. La cause était connue. Pour le dire simplement, il se sentait vieux et peu séduisant désormais. Il manquait d'assurance. Lui-même s'imaginait mal une femme se sentir attirée par lui. Il se sentait un type normal, trop normal, gris et sans éclat (℃). Les succès féminins de son ami Mario le laissaient donc pantois. Sans pour autant comprendre le plaisir que Mario éprouvait à papillonner tant, sans envisager de s'investir dans une relation sérieuse. Le temps passant, Benoît avait fait son deuil de l'amour et s'était résigné à la vie terne de célibataire.

Le temps de commander une *Guldenberg*, une vraie *triple*, pétillante, maltée, dorée, et religieusement servie dans un verre calice, Mario était de retour, la mine réjouie.

— Qui est cette Stéphanie ? demande Benoît.

— Attends, je t'explique *curieuse neus*[14], mais laisse-moi le temps de commander une autre bière. Je crois que je vais prendre une *Troubadour Magma*. J'adore les *IPA*[15], cet arôme fruité, et toute l'histoire exotique [16] de ce breuvage.

— Et donc Stéphanie ?

— Une cliente du magasin. Jolie, *spittante*, pas pétasse pour un sou. Elle est passée un jour me demander quelques conseils en fonction de ses goûts musicaux. On était dans le traditionnel : Queen, Beatles, Toto... Elle est revenue régulièrement. On a sympathisé, échangé nos numéros, envoyé des SMS, et puis voilà que cet après-midi, je reçois un message de sa part. Elle m'avoue avoir un *boentje* pour moi ! Tout de go, je l'appelle. Elle ne répond pas. Et voilà qu'elle rappelle et me demande si je suis libre fin de soirée pour passer chez elle. Elle est pas belle la vie ?

— Et ?

— Bah, à ton avis ?

— Ne me dis pas que tu as accepté ?

— *Non, peut-être* !

— Mais tu sors à peine du lit de Nun ! Benoît ne peut s'empêcher de lever les yeux au ciel.

— *Je peux rien là-contre fieu* ! Quand une jolie femme veut de moi, je suis jamais *contraire* !

---

[14] Expression bruxelloise signifiant « petit curieux ».
[15] Indian Pale Ale.
[16] Les bières IPA sont nées du temps de l'Empire britannique des Indes. Elles tiennent leur goût particulier de l'ajout de malt et de houblon dans les fûts de bière pour favoriser leur conservation durant le long périple maritime vers les Indes.

— Mario, t'es un vrai gangster d'amour (©) ! Benoît voudrait ajouter « Casanova, sors de ce corps », mais à quoi bon ? Bon, avant que tu ne m'abandonnes pour rejoindre cette Stéphanie, on en reprend une et tu m'expliques enfin ce que tu lisais dans le Bangkok Gazette ?

— *Bangkok Post* ! Tu le fais exprès ? Bon oui, une *Faro* comme dessert.

— Une *Faro*[17] ? Benoît afficha une mine dégoûtée. Cette bière deux fois bue, comme l'appelait Baudelaire !

— Oh, arrête de *ziverer* avec tes poètes. On se croirait reparti au Moyen-Âge ! s'esclaffe Mario. Et toi, tu prends quoi ?

— Une *Rodenbach Grand Cru* ! Une bière qui me ressemble, faite d'un tiers de jeune bière et de deux tiers de vieille bière.

Mario affiche un grand sourire béat. Benoît ignore si c'est dû à son trait d'humour ou, plus probablement, à la perspective de se glisser dans les bras de ladite Stéphanie.

— Donc voilà, reprend Mario. Je lisais cet article dans le *Bangkok Post*. Mario insiste lourdement sur le mot « Post ». Ça parle de la guerre contre la drogue été menée, il y a neuf ans, par le Premier ministre thaïlandais Taksin Shinawatra.

— Hein ?

— Taksin, le milliardaire, celui qui a acheté *Manchester City,* il y a quelques années.

— Ah oui, d'accord ! Quand tu parles foot, je comprends toujours.

Les deux amis sont des fans de football acharnés. Benoît supporte la *Royale Union Saint-Gilloise*, club gentiment bobo et Mario, le *Racing-White Daring de Molenbeek,* club franchement populo. Les deux équipes bruxelloises au passé – relativement – glorieux végétaient à présent à l'ombre de leur

---

[17] Le faro est un lambic dans lequel on a ajouté du sucre candi (ou du caramel).

ennemi juré, le *Sporting d'Anderlecht*, le club phare de la capitale[18].

— Bon, et bien ce même Taksin a été Premier ministre en Thaïlande. Il était très populaire, remportant haut la main, les rares élections organisées dans ce pays régulièrement secoué par des coups d'État et des dictatures militaires. Sa popularité, il la devait à d'importantes réformes dans le domaine social notamment. Donc, a priori, hein, t'es d'accord ? Ce Taksin, c'était un bon gars qui aimait son peuple, Benoît acquiesce du regard. Mario a l'air passionné par son histoire. Mais, l'article en question parle de toute autre chose. Il y a juste dix ans, Taksin décide de déclarer la guerre ! Et pas une petite escarmouche, mais une guerre totale, une blitzkrieg féroce, une guérilla impitoyable, et cette guerre, Taksin va la mener, non pas contre un envahisseur, mais contre les trafiquants et surtout les consommateurs de drogue.

— Ah oui, le fameux Triangle d'or et la guerre de l'opium, j'en ai entendu parler ! *Ô juste, subtil et puissant opium*, dit Benoît, tout heureux de pouvoir glisser son poète favori dans la conversation.

— Oui, enfin, ce sont surtout des pilules de meth qu'ils prennent là-bas. Ils appellent ça le *Yabaa*. Littéralement, la pilule qui rend fou.

— Ah ! Des petites pilules arc-en-ciel pour le bonheur artificiel !

— Baudelaire encore ?

— Raté ! Écoute ! C'est le morceau qui passe maintenant... (©) s'esclaffe Benoît.

---

[18] L'eau a coulé sous les ponts depuis lors et la Royale Union Saint-Gilloise domine à présent le football belge...

— Bon, ça t'intéresse pas mon histoire ? demande Mario, sur le point de se vexer.

— Hum, c'est-à-dire… C'est un peu *pelant[19]*… Non, je rigole. Et, dis-moi, pourquoi les Thaïlandais se sont-ils lancés dans cette guerre ? demande Benoît, de son air le plus concentré possible.

— Taksin Shinawatra a sans doute été mis sous pression par la communauté internationale et les Américains. Et puis, la Thaïlande, plaque tournante du trafic de drogue, cela faisait mauvais genre pour le business et le tourisme… Quoiqu'il en soit, l'affaire avait été préparée de longue date. De longues listes de suspects avaient été établies sur base de renseignements de police, de témoignages de voisins ou de simples rumeurs. C'était la foire à la *raccusette[20]* ! Mario surprend Benoît en train de dodeliner de la tête en rythme avec la chanson. Dis *fieu[21]*, tu m'écoutes ?

— Oui, oui, ce Taksin Chihuahua, ça m'a l'air d'être un drôle de *peï* !

— Taksin Shi-na-wa-tra, c'est pas si compliqué, fais un effort ! Oui, c'est le moins que l'on puisse dire ! La répression a été d'une violence de dingue ! Au premier jour de l'opération, le 1er février 2003, il y avait déjà trois morts. Par la suite, une vingtaine de morts est devenue la routine quotidienne. Tu imagines ? Les flics étaient déchaînés. Faut dire qu'ils étaient motivés, les gars. Ils recevaient une commission pour chaque lot de meth saisi. Cela pouvait se monter jusqu'à quarante pour cent de la drogue saisie. Autant dire que chez les flics et les juges, ça rigolait pas ! Exécution sommaire, peine de mort, justice expéditive, on faisait pas dans le détail. Même des enfants sont

---

[19] Expression belge signifiant « Ennuyeux ».
[20] Expression belge signifiant « Cafardage ».
[21] Expression belge signifiant « Mon gars ».

38

morts de balles perdues. Il ne s'agissait pas être au mauvais endroit au mauvais moment. Fin avril, après trois mois, Taksin a mis fin à l'opération. Le bilan officieux des victimes, c'est plus de deux mille morts ! Un vrai carnage d'état ! Il n'y a vraiment jamais eu d'enquêtes sérieuses sur les circonstances de ces décès. Quelques organisations de défense des droits de l'homme ont bien réclamé que l'on fasse la lumière sur ces violences. Mais tout fut passé au bleu. Et Taksin a crié victoire dans sa lutte contre la drogue. Mais, en réalité, seuls des consommateurs et des petits trafiquants et même des innocents ont été appréhendés ou tués. Les gros bonnets de la drogue, même s'ils ont vu leurs réseaux un peu chamboulés, sont sortis indemnes de cette répression. Et tout le business de la came a repris comme avant…

— Mario, *t'as vraiment pas toutes tes frites dans le même sachet[22]* ! Tu te rends compte de ce que tu me racontes ? Et, sachant tout cela, tu veux aller en Thaïlande ? Tu es amnésique ou quoi ?

— Benoît, calme-toi, *ça ne peut mal[23]* ! C'est du passé. Même si la drogue reste sévèrement réprimée en Thaïlande, on n'en est plus à tirer à vue sur les gens.

— Je ne parle pas de ce qui s'est passé en Thaïlande, je parle de ton passé à toi ! Tu as envie de retourner à l'*Amigo[24]* ? Tu as oublié peut-être ?

Le visage de Mario s'assombrit. C'était il y a plus de vingt ans. Il ne connaissait pas Benoît à l'époque. Il travaillait à l'époque comme serveur dans une boîte de nuit du centre de Bruxelles. Il prenait régulièrement de la *coke*. Ça faisait en

---

[22] Expression belge signifiant « N'avoir pas le gaz à tous les étages ».
[23] Expression belge signifiant « Ce n'est pas grave ».
[24] Cachot de la police au centre de Bruxelles, synonyme de prison.

quelque sorte partie du job. Un soir, son fournisseur lui avait demandé d'écouler la marchandise auprès des clients de la boîte avec commission à la clef. Mario avait accepté et tout s'était bien passé pendant un an. Jusqu'au jour où la brigade des stups avait débarqué dans l'établissement… Le père de Mario avait appel à un avocat renommé et Mario s'en était tiré avec un an de prison avec sursis et dix mille francs belges d'amende. Assez pour le calmer de la came. Un joint de temps en temps, c'était tout ce qu'il se permettait depuis lors.

— Benoît, cela fait longtemps tout cela. Ma drogue maintenant, c'est la bière comme le bon belge que je suis devenu malgré le sang de *ciccio*[25] de la Basilicate qui coule dans mes veines, répond Mario goguenard. Bon, faut que je me casse. Je ne peux pas faire attendre miss Stéphanie. Dis, on se ferait pas *une fois* un resto thaï ? Tu me *dis quoi* ? *Ça va* ?[26] lance-t-il en se levant de table.

Mario parti, Benoît termine, quelque peu morose, sa bière au goût amer. Il jette un coup d'œil dehors par la fenêtre. La lune a disparu pour faire place *un ciel bas et lourd qui pèse comme un couvercle sur l'esprit gémissant en proie aux longs ennuis* comme disait si bien Baudelaire, l'esprit mauvais. Benoît quitte le bar et monte dans sa voiture. Il allume l'autoradio et écoute l'ennui (℃). Sur la route du retour, il croise quelques jeunes fumant en toute sérénité des pétards sur le trottoir, face au commissariat de Saint-Gilles. Ah oui, d'accord, sourit-il en les saluant de la main, ce n'est pas la Thaïlande ici, il n'y a pas de Taksin Shi-na-wa-tra pour vous embêter…

---

[25] Synonyme de rital.
[26] Tu me tiens au courant ? OK ?

40

III
Pomme de concorde

2 juin 2015

1 095 nuits sans lune. Ou plutôt sans voir la lune. Moon avait compté non les jours, mais les nuits. Ici, les journées sont cadencées par une routine implacable qui emprisonne l'esprit et cadenasse le cœur. Une fois la nuit tombée, on ressent crûment la liberté confisquée. Couchée sur une natte étroite, dans le dortoir grand d'une quinzaine de lits, Moon attend le couvre-feu et la fin des rires, cris, pleurs et parfois des hurlements de ses camarades d'infortune pour sans cesse se repasser dans la tête le mauvais film de son histoire…

Les quelques minutes qui ont suivi l'arrestation de Toy sur le parking de la station-service à Nakhom Pathom ne se sont pas déroulées selon le scénario un instant imaginé par Moon. Celle-ci pensait devoir accompagner Toy au commissariat et implorer les flics de le laisser libre, plaider sa cause, témoigner de sa bonne foi. Toy était un bon gars malgré tout et tout le monde a droit à une erreur. Elle savait néanmoins que ce serait peine ardue, sinon perdue d'avance, car on ne badine pas avec la drogue en Thaïlande et toute consommation, même infime, est sévèrement réprimée par une peine de prison. Mais soit, elle s'était résolue à jouer ce rôle puisque le destin en avait décidé ainsi.

Mais la réalité avait été toute autre ! Un policier l'avait sans ménagement sortie de la voiture et l'avait plaquée contre le capot. Une femme policière l'avait fouillée sans ménagement tandis qu'un de ses collègues lui déclarait qu'elle était en état d'arrestation pour complicité de trafic de drogue ! La stupeur la paralysa quelques minutes. Elle n'opposa aucune résistance à la policière qui lui passa les menottes et confisqua son téléphone portable. Elle tenta d'articuler des dénégations cohérentes, mais en vain. Le temps d'embarquer dans à l'arrière d'un véhicule de police, elle retrouva ses esprits. La policière qui l'avait fouillée était assise à côté d'elle. Moon voulut parler, mais sa voisine lui enjoignit de se taire et d'attendre l'interrogatoire au bureau de police. Elle se tint coite durant le rapide trajet d'une demi-heure, la voiture de police fendant, à l'aide de sa sirène, le dense trafic de la métropole thaïlandaise. Moon tremblait de froid. L'air réfrigéré de la voiture glaçait tout son corps.

Arrivée au poste, elle retrouva calme et lucidité. On lui avait enlevé les menottes. C'est déjà un bon signe, pensa-t-elle. Les flics avaient dû faire preuve de célérité lors l'arrestation et, sans doute, ils n'avaient pas eu le temps de faire dans le détail. Maintenant que l'agitation retombait, elle allait pouvoir s'expliquer et son innocence allait bientôt faire jour. Elle se sentit désolée pour Toy, mais maintenant sa préoccupation première était de s'extirper de ce cauchemar.

Elle dut patienter plus d'une heure dans un couloir verdâtre et sale. Assise sur un banc à côté d'elle, une fille de son âge aux cheveux cendrés l'épiait avec curiosité. Elle était habillée plutôt sexy, avec un large décolleté noir et un short en jeans échancré. Moon devina que la fille devait travailler dans un bar des quartiers chauds de Bangkok. Elle avait entendu parler, sans vraiment bien se représenter la chose, de ces quartiers où les hommes du monde entier viennent s'encanailler dans les bras de jeunes Thaïes. Elle eut de la pitié pour la fille et remercia intérieurement ses parents de lui avoir donné une bonne éducation qui lui permettrait plus tard de vivre honnêtement. Elle pensa soudainement à ses parents. Ils devaient être morts d'inquiétude. Impossible de les contacter, sans son portable. Il était 23 heures. Peut-être la fille pouvait-elle l'aider ? « Excuse-moi, je m'appelle Moon. Et toi ? » demanda-t-elle.

— Moi c'est Bee. *Goo mao mak mak...*[27] répondit l'autre sans lever les yeux.
— Pourquoi es-tu là ?
— *Yabaa*, répondit Bee, laconique.
— Moi aussi, mais c'est une erreur, je n'en prends pas, c'est mon copain qui en prend, moi, je...
— Ça change rien, coupa Bee. Dans quel bar travailles-tu ?
— Je ne travaille pas, je suis encore à l'université. Pourquoi dis-tu que cela ne change rien ?
— Tu ne connais pas les flics ? lança Bee, un sourire narquois aux lèvres.

À ce moment, une policière appela Moon et lui ordonna de la suivre. Elles cheminèrent tout au long de couloirs étroits pour

---

[27] Suis complètement bourrée...

arriver dans un local de couleur grisâtre éclairé tristement par la lumière d'un néon en fin de vie. Trois hommes en uniforme brun-kaki s'y trouvaient, deux assis devant une table en métal et un troisième debout, adossé à une fenêtre grillagée. La table était vide hormis quelques feuilles de papier dactylographiées et un stylo-feutre. Elle salua d'un *wai* respectueux les policiers et se dirigea vers la chaise, qui leur faisait face. Le policier devant la fenêtre interrompit son mouvement d'un geste sec et lui ordonna de rester debout tant qu'on ne l'invitait pas à s'asseoir. Le silence s'installa, à peine gêné par le vrombissement de l'air conditionné qui fonctionnait au ralenti. Moon éprouvait un bouillonnement de sentiments, la colère de l'innocent accusé à tort, la honte d'être prise pour une criminelle, la peur de l'inconnu, et puis il y avait le regard pesant des deux hommes assis à hauteur de son ventre, les yeux collés sur le haut de ses cuisses. Moon tira sur son short pour gagner quelques millimètres de vertu. Les deux hommes ne cillèrent pas, lorgnant sans gêne son entrejambe. Ils vont me violer, pensa-t-elle et puis me tuer et faire disparaître le corps. Elle se sentit si vulnérable et misérable. Elle n'avait jamais encore éprouvé une telle violence mentale. Elle avait vécu jusqu'ici dans un cocon, grâce à ses parents.

Après quelques longues minutes, le policier debout, qui semblait être le chef, la fixa dans les yeux et dit : « Khun Jutharan Pornthip[28], vous êtes en état d'arrestation pour possession de drogue. Deux sachets de vingt grammes de cristaux de méthamphétamine ont été retrouvés sous le siège de

---

[28] Les Thaïlandais possèdent un nom et un prénom officiels, souvent longs et compliqués à retenir, mais également un surnom de convenance qui est plus usuellement utilisé.

votre véhicule par la brigade antidrogue du district de Bangkok, ce 11 novembre 2011, à dix-neuf heures trente, à Nakhom Pathom. Nous vous prions de signer la déclaration par laquelle vous reconnaissez les faits. »

Il indiqua du regard les feuilles sur le bureau. « Nous procéderons ensuite à une analyse d'urine et, si les résultats sont négatifs, nous prendrons en compte les circonstances atténuantes que vous nous indiquerez, dans notre dossier pour le juge. Vous pouvez vous asseoir maintenant ».

Moon obtempéra, prit une longue inspiration, et dit :

— La drogue que…

— Appelez-moi « Monsieur l'Inspecteur en chef » ! éructa l'homme en s'avançant vers elle. Moon sursauta et attendit de retrouver son calme avant de reprendre.

— Monsieur l'inspecteur en chef, la drogue que vous avez trouvée dans la voiture ne m'appartient pas. Cela doit être Toy qui l'a mise sous le siège de la voiture. Je ne prends pas de drogue.

— Vous prétendez n'avoir jamais pris de drogue ?

— Jamais, monsieur l'inspecteur en chef !

Pour le coup, elle mentait. Mais, si peu. Elle avait essayé une seule fois le *Yabaa* avec Toy. C'était, il y a près d'un an, lors d'une soirée de délire juvénile. La fête battait son plein dans un hangar transformé en boîte de nuit. L'orchestre reprenait avec entrain les grands hits de la pop thaïlandaise au plus grand plaisir d'une salle comble. À cadence soutenue, des clients enthousiastes venaient offrir des *shots* de tequila aux chanteuses et chanteurs qui se relayaient sur scène dans des duos survoltés. Cela avait le don d'électriser encore plus le show. Moon et Toy avaient réservé une table avec Nam et son petit ami. Le serveur en charge de leur table remplissait ad libitum leurs verres de whisky, jusqu'à ce qu'ivresse s'en suive. Les bouteilles se vidaient à vue d'œil. Moon se dandinait d'abord sur sa chaise, puis se leva pour danser, et l'ivresse aidant, monta sur sa chaise et ensuite sur la table pour se déhancher avec beaucoup de sensualité. Toy la fixait comme si elle était une star sur un podium. Elle pouvait sentir le désir dans son regard. Elle savait déjà qu'il voudrait lui faire l'amour ce soir après leur sortie. Mais avant, elle avait envie d'encore faire la fête. Quand Toy lui demanda d'aller prendre l'air avec lui, elle rechigna. L'orchestre jouait justement une reprise de son chanteur favori, Bird Thongchai, la star ultime de la scène pop thaïlandaise (©). Elle voulait danser encore et encore, mais finit par céder. C'est dans la voiture sur le parking de la discothèque, que Toy lui proposa de prendre sa première pilule rouge de *Yabaa*. D'abord surprise, elle n'avait pas hésité longtemps. Ce soir-là, dans l'effervescence du moment, elle se sentait prête à toutes les découvertes. En substance, l'expérience ne s'était guère avérée concluante. Bien sûr, elle s'était sentie euphorique et son excitation avait été décuplée, au point qu'elle n'avait pas dormi vingt-quatre heures durant. Mais, après-coup, lui restait la désagréable impression d'avoir perdu le contrôle d'elle-même. Et par-dessus tout, Moon aimait garder le contrôle sur les choses, les gens, sa vie. L'expérience ne s'était donc pas révélée concluante. Pour s'amuser, l'alcool faisait parfaitement l'affaire. Elle n'éprouvait aucunement le besoin d'ajouter une autre substance qui, de surcroît, pouvait la mettre en danger. Elle se souvenait que son grand-père prenait régulièrement du *Yabaa*. Son grand-père était routier et comme ses collègues, il utilisait ce stimulant pour pouvoir rester plus longtemps éveillé au volant. Dans les années soixante, on pouvait acheter des pilules de Yabaa dans les stations-service. Mais depuis lors, les choses avaient changé. Le *Yabaa* était devenu illégal. Et la consommation, comme le trafic, était sévèrement réprimée par la justice. Son grand-père en était même mort. Il avait été abattu par la police alors qu'il tentait de fuir lors de la terrible répression antidrogue de 2003. Moon n'avait pas l'intention de prendre de risque un risque qui n'en valait vraiment pas la peine. Elle s'était donc juré de ne plus toucher au *Yabaa*.

« Je vous repose la question : avez-vous précédemment pris de la drogue ? » insista l'officier.

« Non, Monsieur l'Inspecteur en chef, jamais », s'entendit-elle dire. Les trois hommes échangèrent en silence des regards dont le sens restait obscur pour Moon. Peut-être en venaient-ils à admettre son innocence ?

Après quelques instants, l'inspecteur en chef reprit : « Mademoiselle Jutharan Pornthip, pouvez-vous signer la feuille devant vous sur la table ? »

Moon prit le stylo-feutre et entreprit de lire avec fébrilité le document.

Arrivée à la fin, elle releva la tête et s'écria : « Non, tout cela est faux, la drogue n'était pas à moi, je ne reconnais pas les faits, je suis innocente ! Je ne signerai pas ! »

« Réfléchissez », dit l'homme assis en face d'elle à gauche, prenant la parole pour la première fois.

« Si vous reconnaissez votre culpabilité, nous vous engageons à remettre un rapport favorable au juge qui en tiendra compte et se montrera clément dans son verdict. Dans le cas contraire… »

Ébranlée par ces paroles lourdes de menaces, Moon se figea. Elle regarda sa main tremblante qui tenait le feutre. Signer les aveux lui apporterait sans doute l'apaisement. Pourquoi résister à la police ? Le combat était perdu d'avance. Que pouvait-elle, petite fille des faubourgs de Bangkok, contre des flics déterminés et sans scrupule ? Elle approcha le feutre de la feuille. Une larme perla sur sa joue et vint s'écraser sur le papier. L'image de sa mère lui vint à l'esprit, sa mère qui toujours avait veillé à lui enseigner la vertu suprême de l'honnêteté et de la vérité.

« Tu peux faire les pires bêtises, lui avait-elle souvent répété, mais surtout ne mens jamais ».

— Mae chaï[29], je refuse de signer cette déclaration. Je suis innocente. Les pilules de *Yabaa* ne sont pas à moi. Je ne prends pas de drogue !
— Comme vous le souhaitez, répondit l'homme en face d'elle. Vous le regretterez. Mademoiselle Jutharan Pornthip, vous êtes en état d'arrestation pour consommation de méthamphétamine, drogue de catégorie 1 en vertu du Règlement Narcotique 2522. Inspecteur, veuillez expliquer à mademoiselle Jutharan Pornthip la suite de la procédure.

Le troisième homme lui détailla ce qui l'attendait. Elle allait d'abord se soumettre à une analyse d'urine. C'était en quelque sorte une bonne nouvelle. Elle avait été privée de toilettes depuis son arrestation et cela devenait inconfortable. Ensuite, elle dormirait en cellule cette nuit. Le lendemain matin, elle serait transférée au tribunal pour une audience préliminaire à onze heures. Le juge déciderait alors de la suite à donner à son cas.

---

[29] Non.

48

On lui apprit également que ses parents avaient été prévenus. Elle en éprouva à la fois un sentiment de soulagement et de honte.

La nuit lui parut interminable. Moon avait peiné à trouver le sommeil. Les tragiques événements de la veille repassaient en boucle devant ses yeux grand ouverts. Sans son téléphone portable, elle n'avait aucune idée du temps écoulé, mais il lui semblait qu'elle avait dormi une heure à peine.

Les retrouvailles avec ses parents au tribunal avaient été chargées d'émotion. En entrant dans la salle d'audience, de nouveau menottée, elle les avait vus, tous deux père et mère, son frère n'étant pas là. Ils lui avaient paru encore plus petits qu'ils n'étaient, comme écrasés par le choc de voir leur fille amenée au tribunal comme une criminelle. Une fois libérée des menottes, elle avait pu serrer sa mère dans bras. Sa mère ne dit rien. Elles échangèrent juste larmes et sanglots. Moon put à peine bredouiller : « *Kotood, kotood*[30]. Je n'ai rien fait ».

L'audience fut expédiée avec célérité. Un avocat était commis d'office à sa défense. Mais ce n'était d'aucun secours, car il n'avait aucune connaissance du dossier. Le juge, dans la cinquantaine, arborant l'air méprisant typique du haut fonctionnaire thaïlandais, se borna d'abord à énumérer l'acte d'accusation, à savoir principalement la présence de drogue dans la voiture, mais aussi les résultats négatifs de l'analyse d'urine, et ensuite conclut en disant que Moon était accusée de consommation de drogue. L'affaire serait portée devant le tribunal pénal à une date à fixer et dans l'attente, Moon pouvait sortir libre du tribunal moyennant le paiement d'une caution de

---

[30] Pardon, pardon.

cent mille bahts. Le montant la fit frissonner. Ses parents travaillaient dur, tous deux tenaient des étals de nourriture sur le marché. Le produit de leur labeur permettait à la petite famille de vivre décemment, mais aucunement d'épargner pour mettre une telle somme de côté. À son grand étonnement, sa mère déclara au juge accepter le paiement de la caution.

Elle sortit donc libre du tribunal. Libre, mais elle percevait déjà le poids du fardeau de la honte qu'elle devrait porter pendant longtemps. Elle avait récupéré son téléphone portable. Toy avait essayé de la joindre à plusieurs reprises. Elle sentit son sang bouillir rien qu'à l'évocation du nom de Toy, le responsable de ce gâchis monumental. Il avait vraiment signé son arrêt de mort affectif la nuit dernière.

De retour à la maison, Moon commença une longue période prostration. Elle ne souhaitait plus quitter sa chambre. Les volets étaient clos en permanence et son univers s'était réduit à la pénombre et au bourdonnement incessant, de l'aube au crépuscule, des motocyclettes de la rue toute proche. Son appétit l'avait désertée. Elle, qui, par le passé, cavalait direction la cuisine dès potron-minet, alléchée par le fumet de la soupe aux nouilles *rad nah* que sa mère concoctait à la perfection. Elle avait perdu le goût des choses qu'elle aimait tant avant. Auparavant, elle adorait s'habiller, se maquiller, se parfumer… Désormais, elle restait toute la journée nippée de vieilles fringues informes. Elle redoutait de mettre un pied dehors, de sentir le regard accusateur des voisins. La nouvelle de son arrestation s'était répandue comme une traînée de poudre. Elle vivait dans les faubourgs d'une petite ville, pas à Bangkok. Tout se savait, et à la vitesse de l'éclair. Les gens partageaient le sens de l'honneur et mettaient sans scrupule le déshonneur au banc. La réprobation générale avait pris le pas sur la compassion bouddhiste. Les amies, qu'elle avait nombreuses auparavant, avaient coupé les contacts à l'exception de Nam. Mais elle ne voyait plus celle-ci que très rarement, car elle ne se rendait plus à l'université. Le secrétaire de sa faculté lui avait conseillé de ne plus fréquenter l'auditoire jusqu'à nouvel ordre. L'opprobre était général. Au marché, les clients chuchotaient en montrant l'étal de nourriture de ses parents. La famille de son père l'avait bannie. Seule sa grand-mère maternelle la considérait encore comme faisant partie des leurs. C'était d'ailleurs elle qui avait fourni la majeure partie de la somme de la caution. La vieille femme, travaillant dans sa ferme sans relâche de l'aube au crépuscule, avait amassé au fil du temps un joli bas de laine que son mode de vie frugal n'entamait guère.

Le poids de l'infamie les écrasait, Moon, la pestiférée, et sa famille associée à l'opprobre. Ses parents souffraient, même s'ils ne disaient rien et ne lui adressaient aucun reproche. Sa mère passait de longues heures avec elle, l'entourant de l'affection qui lui permettra plus tard d'affronter son destin. Elle s'en souvient encore aujourd'hui de ces moments comme si c'était hier.

— Maman, je suis tellement malheureuse, j'éprouve tant de honte à vous infliger une telle déchéance. Je suis une fille indigne de votre amour. Je ne peux plus supporter tout cela. Je voudrais mourir ! Maman, je t'en supplie, donne-moi la force de mourir pour emporter avec moi la honte et le déshonneur.
— Ma fille, si tu t'en vas rejoindre le monde des esprits, je partirai avec toi. Je ne supporterais pas de te perdre. Mais, sois

courageuse non pas pour te donner la mort, mais pour surmonter cette épreuve et revenir plus forte. Je serai toujours avec toi pour te soutenir dans les moments où tu te sens faible et vulnérable.

Sa relation avec son frère Pod s'était détériorée depuis les événements. Il vivait mal la situation. Sa mère passait beaucoup de temps avec Moon à son détriment. Il souffrait d'être relégué en périphérie des préoccupations maternelles. Jamais, il n'avait eu le moindre mot de réconfort pour sa sœur. Un jour, tandis que Moon se plaignait sur son sort, Pod se contenta de lâcher « *Som na na*[31] ! ». Moon comprit alors qu'il avait pris position dans le camp de ceux qui la considéraient comme coupable.

S'il y avait un sentiment aussi puissant que la honte qu'elle éprouvait, c'était bien la haine qu'elle portait désormais à Toy. Elle l'avait revu le lendemain de sa sortie du tribunal. Malgré tout le ressentiment de l'avoir entraînée dans sa chute, elle avait accepté de le voir pour essayer de comprendre comment tout cela s'était passé. Ils s'étaient donc rencontrés dans un endroit peu fréquenté un après-midi au bord de la rivière Tha Chin. Il avait voulu la serrer dans ses bras, mais elle l'avait repoussé sèchement.

— *Kotood mak mak*[32]. Moon, je m'en veux terriblement. Le malheur veut que j'aie fait de la peine à la personne que j'aime le plus au monde… Je ne me pardonnerai jamais. Je comprends ta colère. Nous allons aller au temple prier. Je suis sûr que nous allons nous en sortir avec un bon avocat. Et…

---

[31] Tu as ce que tu mérites !
[32] Je suis tellement désolé.

— Te rends-tu compte que tu as brisé ma vie ? Je n'ai plus d'amies, j'ai dû arrêter mes cours, mes parents sont anéantis, que me reste-t-il comme avenir par ta faute ? Et toi, tu rêves tout haut ! Mais réveille-toi ! Regarde le désastre autour de toi !

— *Moon, phom sia-djaï... Yok tood daï mae*[33] ? Ensemble, nous surmonterons cette épreuve. Notre amour est plus fort que...

Moon sentit son corps se tendre comme un arc. Elle leva ses yeux béants sur Toy. Les mots qu'elle débita tombèrent sur Toy comme un couperet sur le billot : « Ne me parle pas d'amour ! Je ne t'aime plus ! Je ne veux plus te voir, jamais ! *Goo kiat mueng*[34] ! »

Et sur cette phrase criée sur un ton mélangé de haine et de désespoir, elle courut vers sa voiture, laissant Toy les bras ballants, incrédule. Toy, mais aussi les hommes, pour elle, c'était terminé. Le reste de sa vie, qui s'annonçait ardu et sombre, elle le passerait avec sa seule famille et les quelques amies qui lui étaient restées fidèles.

Ses parents avaient choisi un bon avocat, eu égard à la modeste somme qu'ils pouvaient consacrer aux frais de défense de Moon. L'homme de loi se montrait peu optimiste sur l'issue de l'affaire. Après avoir écouté les dénégations de Moon quant à sa culpabilité, il avait alors expliqué que l'opération de police dans laquelle elle avait été prise devait être vue dans un contexte plus général. Le ministre de la Justice, sans doute soumis à des pressions internationales, avait demandé instamment aux forces de l'ordre d'enregistrer des progrès notables dans la lutte contre

---

[33] Moon, je suis vraiment désolé... Tu me pardonnes, n'est-ce pas ?
[34] Je te déteste !

la drogue. La consommation de méthamphétamine ne cessait de croître surtout chez les jeunes, et ce malgré la guerre autant sanglante que vaine menée par le gouvernement Taksin il y a quelques années à peine. Et quoi de plus facile pour la police que de s'attaquer aux petits trafiquants et consommateurs, plutôt que de se risquer à piéger les puissants au sommet de la pyramide de ce vaste et lucratif commerce ? La police s'était donc fixé des objectifs chiffrés d'arrestations. Et les juges, à l'indépendance toute relative, suivaient le mouvement, sans trop état d'âme. Selon l'avocat, il y avait de grandes chances que le cas de Moon soit réglé d'avance. Elle serait déclarée coupable. Il lui conseillait donc de plutôt de viser une condamnation clémente, et pour ce faire de plaider coupable. Cela avait le don de hérisser Moon. Pourquoi elle, innocente, devait-elle jouer le jeu de l'injustice ? L'avocat lui révéla un élément déterminant dans le dossier. Alors qu'elle avait juré n'avoir jamais pris de drogue, un témoignage en attestait du contraire. Et cet élément capital provenait de... Toy lui-même. Dans le dossier d'inculpation se trouvait une déclaration de son ancien petit ami. Il y révélait la première expérience de Moon avec le *Yabaa,* ce soir-là dans la voiture ! Avec cette déclaration et ses aveux de culpabilité, Toy s'était donc acheté un verdict clément au détriment de Moon... Cela la rendait encore plus folle de rage, mais ne changeait rien à sa détermination. Malgré l'insistance de l'avocat, elle ne changerait pas d'avis et plaiderait son innocence.

Les quelque six mois qui avaient précédé l'audience s'étaient écoulés lentement, paralysés par les sombres perspectives et l'isolement dans laquelle elle se confinait. Toy avait essayé de la revoir, mais elle l'avait bloqué sur les réseaux *Line,*

Messenger et *Instagram* et ne répondait pas à ses appels téléphoniques. Il paraissait illusoire qu'il tente de lui rendre visite, ses parents l'auraient prié sans ménagement de dégager les lieux au plus pressé. Et comme elle-même refusait de mettre un pied dehors, une rencontre fortuite s'avérait improbable.

Arriva le jour tant redouté du jugement. L'audience au tribunal au milieu de l'après-midi lui parut irréelle. Moon avait endossé un tailleur et enfilé une jupe, une grande première pour elle. Toy également avait revêtu une tenue de circonstance, peu en phase avec son statut de jeune rebelle. Elle ne lui adressa aucun regard. Le verdict effarant tomba comme un couperet. Comme pressenti par l'avocat, elle payait cher son entêtement à défier ses accusateurs de la police. Le juge endossa la thèse de la police. Moon était condamnée pour possession de drogue. Elle avait fait le guet dans la voiture pendant que Toy revendait un sachet dans les toilettes du parking. On avait retrouvé ses empreintes sur un autre sachet en dessous de son siège. C'était sans doute l'élément le plus troublant. En quittant le restaurant, elle avait repris le volant alors que Toy avait conduit à l'aller. Elle se souvenait avoir touché quelque chose en plastique en ajustant la position de son siège, mais n'y avait pas prêté une attention particulière. Mal lui en avait pris, car cela ajoutait du poids à l'argumentation de l'accusation. Le juge prit en compte la circonstance aggravante que Moon avait menti en déclarant n'avoir jamais pris de drogue. Dans ces conditions, avoir plaidé non-coupable était jugé comme une provocation envers les autorités… Ainsi, elle écopa de cinq années fermes de réclusion tandis que Toy, en récompense d'avoir balancé d'autres personnes dont elle-même, s'en sortait avec trois ans, quand bien même il avait été pris en flagrant délit de trafic… Pendant les longs mois d'attente, elle s'était accoutumée à l'idée d'une peine de prison, mais elle espérait néanmoins un sursis. L'injustice d'être condamnée en étant innocente, doublée d'une peine plus clémente pour Toy, était choquante. L'arrestation fut immédiate. Elle put brièvement embrasser ses parents qui lui promirent de lui rendre visite le plus souvent possible. Tous les trois pleuraient, seul son frère resta impavide en retrait.

En fin d'après-midi, un fourgon de police la conduisit vers son enfer, la prison pour femmes de Lard Yao, située au nord de Bangkok. Elle avait les menottes au poing et les pieds attachés à une grosse chaîne avec deux autres condamnées. Ses joues étaient encore humides des adieux avec sa famille. Arrivée à la prison, elle vit la grande porte d'entrée se refermer. La nuit se préparait à tomber. Moon se déshabilla et passa une visite médicale sommaire. Elle revêtit ensuite son uniforme, un pantalon et une blouse de couleur brune. Adieu la coquetterie, elle ne reverrait plus ses affaires personnelles avant sa sortie. Une gardienne lui demanda si elle avait faim. Elle répondit par l'affirmative. La cuisine de la prison étant fermée, on lui apporta un poulet au curry vert d'un restaurant de rue. Moon dévora le plat qu'elle trouva succulent. Elle se dit que finalement si la nourriture était si bonne, cela pourrait adoucir son séjour. Il était passé vingt et une heures quand on l'amena dans le dortoir. Des dizaines de femmes étaient allongées sur des nattes, les unes contre les autres. Toutes la dévisagèrent dans un silence assourdissant. Moon baissa les yeux et installa sa natte sur la place libre désignée par la surveillante qui l'accompagnait. Elle se coucha et ferma les yeux. Moon garda les yeux clos toute la nuit tout en retenant ses larmes. Le matin, elle ouvrit enfin les yeux. Son séjour en enfer pouvait commencer.

Moon pensa dépérir lors de ses premières semaines entre les murs de Lard Yao. La réalité se révélait encore bien pire qu'imaginée. La première chose qui la frappa, c'était l'uniformité. Des centaines d'êtres, toutes des femmes, habillées de la même tenue disgracieuse, une blouse bleu ciel et un pantalon mi-long bleu marine. Seules quelques-unes portaient un ensemble brun, c'étaient les nouvelles arrivantes comme elle. Une nuée d'êtres indifférenciés. Cela sonnait déjà comme un premier message : ici, vous êtes peu de choses, vous êtes devenues des pions interchangeables.

S'y'ajoutait la monotonie des journées, cadencées par un horaire inamovible. Réveil à cinq heures et demie par un haut-parleur crachant la voix d'une gardienne « Réveillez-vous, rangez vos nattes et priez Bouddha ! ». Les détenues profitaient également de cette demi-heure pour se rendre aux toilettes qui se trouvaient au fond du dortoir. Il y avait pour la cinquantaine de détenues quatre cabines sans portes ouvertes aux regards. Ensuite, une surveillante déverrouillait alors la porte du dortoir et procédait à un comptage. Les détenues déferlaient ensuite vers les des douches collectives, le temps étant chichement compté, tout le monde se rendait alors dans le préau pour l'hommage au drapeau tandis que l'hymne national (℃) s'échappait de vieux haut-parleurs grésillant, nouveau comptage, enfin un premier repas, servi pour les privilégiées sur les tables du local de cuisine et, pour les autres comme Moon, qui se dégustait accroupies dans la cour de la prison. Huit heures et quart, la journée pouvait commencer. Après un nouveau comptage, les détenues s'égayaient alors vers leurs différents lieux d'occupation dans la prison. Il y en avait pour tous les goûts : repassage, blanchisserie, cuisine, coiffure, assemblage de cartons, magasinage, nettoyage… C'était comme une petite ville qui s'affairait en bleu et brun. À douze heures, un deuxième repas est servi. Après un comptage, c'est le temps des visites de treize à quinze heures au parloir. Avant de prendre la douche du soir, les surveillantes procédaient à un comptage. À seize heures, le repas du soir était servi. Après une fouille systématique pour vérifier qu'elles n'emportaient rien d'illicite, comme de la nourriture, des ustensiles de cuisine ou des cigarettes, les détenues regagnaient le dortoir à dix-sept heures pour ne plus le quitter avant le lendemain matin. À vingt et une heures, la porte se verrouillait. C'était l'extinction des feux. Extinction des feux était une façon de parler, car les lumières restaient allumées toute la nuit. Le silence se devait alors de régner sur le dortoir des cinquante pauvres âmes déchues.

Les premiers jours, Moon sombra dans un désespoir total. Elle avait continuellement les larmes aux yeux. L'horizon de sa vie semblait bouché à jamais. Elle allait dépérir dans cette prison. Cinq ans dans cette misère, cela semblait insupportable. Elle se morfondait, entre tristesse et colère. Le soir, en s'endormant, elle se disait avec force conviction qu'elle allait se réveiller de ce mauvais rêve. Mais le matin suivant, toujours plus cruel, lui rappelait sa triste réalité. Son désespoir enflait chaque jour un peu plus telle une plaie au cœur. Par moment, par bribes d'espoir fou, elle imaginait une évasion. Mais ce n'était qu'une illusion. On n'était pas dans un film américain. C'était impensable et on n'y pensait tout bonnement pas. Il suffisait de jeter un œil aux murs imposants qui encerclaient la prison, aux comptages incessants, aux gardes armés qui surveillaient les accès…

Il n'y avait qu'une chose à faire. Après une semaine de prostration, Moon comprit l'évidence... Elle était là pour rester. Elle entreprit alors d'entrer dans le long tunnel de la résignation et se fondre à sa manière dans l'implacable routine de la prison. Sa véritable vie de prisonnière pouvait commencer avec tous ses rituels, ses joies et ses peines.

Le matin, au réveil, après avoir rangé sa natte, Moon consacrait la demi-heure de prière à implorer Bouddha de lui pardonner, de lui donner la force de supporter cette épreuve, de lui donner une seconde chance, de veiller sur ses parents. Moon se sentait coupable même si elle était innocente. Elle avait fauté en n'écoutant pas ses parents qui la mettaient en garde sur la toxicité de sa relation avec Toy. Elle avait fait la sourde oreille et maintenant, il lui fallait payer le prix de sa frivolité. Moon espérait que Bouddha entendrait ses requêtes. Non pas qu'il puisse alléger sa peine, mais bien lui prodiguer de la force et rendre un avenir, à elle et à sa famille. Elle promit de devenir une jeune fille pieuse si ses vœux pouvaient s'exaucer. D'ordinaire, elle n'était pas très croyante. Sa foi était plutôt d'ordre utilitaire. Avec sa famille ou ses amies, il lui arrivait souvent de se rendre au temple. Elle y faisait des offrandes à Bouddha à l'appui de demandes d'ordre divers, dépourvues de toute spiritualité, allant de réussir ses études à gagner à la loterie en passant par la mise en démarque d'une jupe onéreuse qu'elle reluquait depuis des semaines au centre commercial. En somme, en ces temps heureux, elle demandait à avoir de la chance. Cette époque insouciante était bien révolue. Son destin avait basculé depuis sa condamnation. Ce qu'elle demandait maintenant à Bouddha, agenouillée sur le sol de la prison de Yard Lao, c'était une chance de survivre.

Le moment de la toilette marquait aussi un changement radical dans sa vie. Dans la maison familiale, elle adorait passer de longues minutes sous la douche, à se gommer la peau et ensuite encore plus longtemps à se sécher et lisser les cheveux, à s'enduire le corps de crèmes nourrissantes. Ici, le moment de la toilette était l'instant de vérité de la détention. Les cent cinquante détenues des trois dortoirs formaient une longue queue allant du préau vers le local des douches. Elles attendaient leur tour pour pénétrer dans la salle d'eau qui comprenait dix douches sans portes. Moon sentait le stress monter en elle au fur et à mesure que son tour approchait. C'était que le temps était strictement chronométré. Les femmes disposaient de deux minutes, pas une seconde de plus pour leur toilette, ce qui revenait à devoir se brosser les dents tout en lavant le corps et les cheveux… mais aussi les vêtements ! À chaque fois, c'était une gageure. Cela exigeait une rapidité d'exécution et une concentration dans tous les mouvements. Ensuite, il fallait regagner la cour les cheveux dégoulinants pour se sécher. L'opération de toilette pour tout le bloc prenait une bonne demi-heure.

Moon ne trouvait aucune raison de se plaindre des repas si ce n'est que c'était l'occasion de regretter les dimanches après-midi passés en famille dans un restaurant le long de la rivière Tha Chin à déguster des petits plats à partager lentement en regardant le soleil scintiller sur l'eau. La nourriture de la prison était plutôt bonne et variée. Tous les plats de la cuisine thaïlandaise étaient passés en revue : *currys*, *pad thai*, *khao pad*, *lab moo*, *krapao*,… Malgré la quantité restreinte de viande, les mets ne manquaient pas de saveur. Des détenues cuisinière de profession s'occupaient de préparer les plats. Seul inconvénient, le manque de places dans le réfectoire. Il n'y avait que deux tables réservées aux surveillantes et à quelques détenues privilégiées. Les autres devaient se débrouiller pour trouver une rare place dans la cour où s'asseoir à l'ombre.

Au début, Moon avait été affectée à l'équipe de nettoyage. On lui avait demandé si elle savait nettoyer. Elle avait répondu que oui. Et donc, tous les matins de huit heures et quart à douze heures, son activité était de nettoyer. Nettoyer le dortoir, nettoyer les couloirs, nettoyer la cuisine, nettoyer le préau, nettoyer les douches, et l'horreur, nettoyer les chiottes, nettoyer et encore nettoyer. Elle se jurait qu'à sa sortie de prison, elle accepterait n'importe quel boulot, mais jamais femme de ménage ! Les genoux rouges à force de raboter le sol, accroupie sur le sol, occupée à récurer les cuvettes des w.c. maculées d'excréments et de sang, ramasser les cheveux et les tampons dans une odeur de pourriture, à patauger dans l'eau où crasse et savon se mêlaient, Moon pestait haineusement contre Toy : « *Aï kwaï* Toy ![35] ». À ce moment, elle le détestait plus fort que jamais. Maigre contrepartie, les activités étaient rémunérées à raison de vingt baths par semaine. Des peccadilles. Cela permettait tout au plus aux détenues de s'acheter du savon.

Il y avait une boutique dans l'enceinte de la prison. On pouvait y trouver différents toute sorte de choses, comme du savon, du shampoing, du dentifrice, des brosses à cheveux, du produit lessive, des snacks, des bouteilles d'eau minérale, du lait, du *Coca-Cola* des cigarettes et même des fruits. Comme un petit *7 – Eleven* ! Exception notable, les boissons alcoolisées étaient absentes des rayons, comme partout dans la prison. Les

---

[35] Connard de Toy !

détenues utilisaient leur salaire ou l'argent reçu éventuellement de proches pour faire leurs emplettes quand l'état de leurs finances le permettait. Ce qui arrivait rarement. La boutique était donc un des rares endroits de la prison où on ne faisait pas la queue.

Sa mère venait la visiter autant de fois qu'elle le pouvait, en règle générale, une fois par semaine. Le temps de visite était limité à quinze minutes. Moon se rappelle la première fois comme si c'était hier. Elle fut amenée dans une pièce. Elle s'assit sur une chaise métallique. En face d'elle, était découpée dans le mur une ouverture carrée d'environ vingt centimètres sur vingt. L'ouverture était fermée par une vitre en plexiglas sale, percée de trous. Elle comprit alors que tant qu'elle séjournerait à Lard Yao, jamais, elle ne pourrait plus toucher de la main et effleurer le corps de sa mère. Le visage de celle-ci apparut de l'autre côté, un visage sur lequel elle pouvait lire la pitié et la tristesse. Il leur fallut plusieurs secondes avant de pouvoir desserrer l'étau de l'émotion et de pouvoir parler : « Maman, sors-moi d'ici, je vais mourir si je reste… ». En un flot ininterrompu de mots, elle décrivit à sa mère sa première semaine en captivité, la promiscuité, les corvées, la nourriture, les douches… Quand elle eut fini, elle éclata en sanglots. Sa mère posa sa main sur le plexiglas et elle fit de même de l'autre côté de la vitre. Elles se figèrent ainsi toutes deux pendant plusieurs minutes. Elles répétèrent à chaque visite ce petit geste qui lui apportait le réconfort nécessaire pour endurer la semaine suivante.

Avant l'extinction des feux, les détenues avaient droit à un temps libre dans le dortoir. D'ordinaire, elles l'occupaient à regarder un vieux poste de télévision posé sur une table au fond de la pièce. Elles se repassaient à l'envi de vieilles comédies romantiques aux scénarii cousus de fil blanc, où l'amour rime avec toujours et triomphe de tout, et se terminant inlassablement par un beau mariage. Le film qui recueillait tous les suffrages avait pour titre évocateur : *Un amour magique à la campagne*[36], une comédie musicale (℃) qui, sans coup férir, faisait vibrer son auditoire. D'autres détenues préféraient battre la carte en écoutant des CD piratés de chansons d'amour. La plus célèbre d'entre elles, une romance sucrée de Takkatan Chollada tournait en boucle (℃). À chaque fois, Moon fulminait. Elle pestait devant la naïveté de ces femmes. Comment croire encore à l'amour pour ces hommes qui, souvent, étaient à l'origine de leur infortune ? Les histoires de femmes abandonnées ou trompées par leur mari étaient légion dans le dortoir. Il suffisait de tendre l'oreille pour comprendre que l'amour n'était qu'un trompe-l'œil, un écran de fumée qui cachait la vérité : les hommes étaient des êtres égoïstes et ne recherchaient que leur plaisir. Moon en était convaincue. Plus jamais, elle ne tomberait dans ce piège. Elle préférerait être damnée plutôt que de se marier !

Une autre chose était sûre : elle ne s'habituerait jamais aux nuits de Lard Yao. Elle le savait. La promiscuité du dortoir, cinquante couches étroites à même le sol, alignées l'une contre l'autre, dans une chaleur d'étuve, se révélait pénible pour elle. Dans la maison de ses parents, elle avait le privilège, rare chez les familles thaïlandaises de classe modeste, de dormir dans sa propre chambre. Sentir d'autres corps étrangers si proches dans

---

[36] *Mon Rak Luk Thung* a connu un grand succès de salle lors de sa sortie en 1970. Il a fait l'objet d'un remake en 2005 et a également été adapté en série télévisée.

la moiteur de la nuit la rendait mal à l'aise. Il n'y avait pas de matelas. Les détenues dormaient sur des nattes d'une quarantaine de centimètres de largeur. Il fallait dormir sur le flanc. Sans oreiller. Des odeurs corporelles flottaient dans l'air du dortoir aux fenêtres condamnées. Nul air conditionné ne venait rafraîchir l'atmosphère et apporter un peu de confort. Les pales des grands ventilateurs suspendus au plafond au tournoiement hésitant peinaient à déplacer l'air surchauffé. Dans le silence de la nuit, on entendait parfois quelques gémissements étouffés. Il arrivait que des détenues, privées de relations sexuelles depuis longue date, se caressent mutuellement en cachette sous la couverture. Moon avait honte pour elles et rougissait toute seule sur sa natte en se bouchant les oreilles.

Elle faisait régulièrement le même rêve. Elle était devenue *Phi Am*[37], le fantôme. Elle pénétrait de nuit dans la maison de Toy en traversant les murs. Arrivée dans sa chambre, trouvant étendu Toy sur son lit, elle grimpait sur lui et s'asseyait sur son torse, pesant de toutes ses forces. Toy étouffait, mais endormi, n'offrait aucune résistance. Ses yeux demeuraient clos. Seul un rictus trahissait sa souffrance. Moon continuait à peser sur sa poitrine jusqu'à ce qu'il exhale son dernier souffle. Elle contemplait avec délectation alors le visage de Toy pâlir et virer au vert morbide. Moon se réveillait alors en sueur au son du haut-parleur. Une nouvelle journée pouvait commencer.

---

[37] Phi Am est, dans la culture thaïlandaise, un mauvais esprit qui s'attaque la nuit aux hommes (et uniquement aux hommes) en tentant de les étouffer. Une bonne manière d'empêcher de s'attaquer à vous, si vous êtes un homme, est de mettre du rouge à lèvres pour lui faire croire que vous êtes en fait une femme.

Un éclair était venu cependant éclairer la morosité de son quotidien. Cela faisait trois jours que son calvaire à Lard Yao avait commencé et soudain, dans le préau, une fille l'aborda :

— *Wut dii*[38] Moon !

— … On se connaît ? Oh ! Bee ?

Moon n'avait pas reconnu Bee sur le moment. L'absence de maquillage, les cheveux courts et la tenue bleue en faisaient une autre fille que celle entrevue dans le couloir du commissariat.

— Comme on se retrouve ! Tu en as pris pour combien ?

— Cinq ans… J'ai plaidé non coupable…

— Et moi, deux ans ! J'ai plaidé coupable, mais je l'étais… dit-elle en souriant.

— Tu es là, depuis un certain temps, je vois ? dit Moon en montrant la blouse bleue de Bee ?

Elle-même portait encore l'uniforme brun des nouvelles pensionnaires.

— Presque deux mois déjà. C'est dur hein ?

— Oui, c'est comme si on n'existait plus.

— *Su su kha* !

— *Kha* ![39]

Les retrouvailles de Moon avec cette quasi-inconnue lui avaient procuré une joie immodérée. Elle sourit et rit pour la première fois depuis longtemps. Elle se sentit moins seule, car jusqu'à présent, elle n'avait parlé avec personne. Elles sympathisèrent immédiatement. Elles se racontèrent leur histoire. Bee n'avait pas accompli d'études. Sa famille vivait

---

[38] Salut, Moon.

[39] Courage ! ou Oui !

pauvrement en Issan dans le nord-est de la Thaïlande. Elle avait trois frères.

« Des fainéants ! » dit-elle.

Son père – « un alcoolique ! » – ne traitait pas bien sa mère qui avait du mal à joindre les deux bouts. À dix-huit ans, Bee avait décidé avec une autre fille de son village de descendre à Bangkok pour trouver du travail et subvenir à ses besoins, ainsi qu'à ceux de sa famille. Bee avait commencé à travailler dans un bar dans le quartier de Sukhumvit et cela rapportait bien. Moon, par pudeur, n'avait pas posé trop de questions sur la nature de son travail dans le bar. Tout allait bien, jusqu'au jour où Bee rencontra son futur petit copain, Boy, « un connard ! » lui-même DJ dans un autre établissement. Elle gagnait plus d'argent que Boy et elle lui payait beaucoup de choses. Moon sourit en l'écoutant. Toy, lui aussi, vivait à ses crochets. Boy avait conseillé à Bee de prendre du *Yabaa* pour travailler. Beaucoup de filles qui travaillaient avec elle faisaient de même pour tenir le coup. Elles avaient des horaires assez lourds, de dix-neuf heures à trois heures du matin, tous les soirs, avec seulement quatre jours de congé par mois. Elle avait déjà été arrêtée une fois précédemment par la police, mais elle s'en était tirée, avec un peu d'argent donné au policier. Mais la deuxième lui avait été fatale.

Moon se dit qu'elle avait eu beaucoup de chance jusqu'à présent. Ses parents lui avaient donné tout le confort dont elle avait eu besoin, lui permettant de faire des études et si elle avait pris un petit job, c'était juste pour financer ses sorties. Mais la roue avait tourné. Elle se sentit honteuse d'avoir tout gâché...

Bee était d'un caractère plus grave que Moon, un brin désabusé, en contraste avec son minois angélique. Moon mettait cette mélancolie désenchantée sur le compte de son parcours de vie chaotique. Bee, de son propre aveu, avait une propension à la dépression. Le séjour en prison n'arrangeait pas les choses. Bee lui avait confié qu'elle pleurait tous les soirs avant de s'endormir. Bee était dotée d'un agréable visage à la forme arrondie. Sa peau blanche et sa coupe de cheveux au carré lui donnaient des allures de poupée *Barbie* japonaise. De taille moyenne, pourvue de formes harmonieuses, Bee était une jeune femme attrayante. De trois années plus âgée que Moon, elle venait de fêter tristement ses trente ans en prison.

Leur rencontre journalière dans le préau était devenue le moment de bonheur qu'elles attendaient chacune impatiemment. L'occasion de se raconter les potins de la prison. Et de médire sur les surveillantes : « des chiennes ! » lança Bee.

La veille, les détenues avaient été privées de leur séance cinéma du soir en guise de punition après un chahut dans la cour. La cheffe des gardiennes qu'on appelait madame la directrice était souvent au centre des discussions. Tirée à quatre épingles, maquillée avec soin, sanglée dans son uniforme vert qui mettait en valeur une silhouette parfaite, la canne menaçante à la main, la directrice ne manquait pas d'impressionner les détenues. Elle portait au poignet une montre *Dior* dont le luxe tapageur contrastait violemment avec la frugalité des lieux. Khun Pornthip Boonyasak – c'était le nom de directrice – avait aussi une marotte. Le soir, quand elle faisait sa tournée d'inspection du dortoir, elle avait coutume d'insérer dans le lecteur de CD un disque de Tanongsak (ℂ), un chanteur et acteur de séries TV des années quatre-vingt. C'était une sorte de *Cha Cha Cha* thaï. Le sourire aux lèvres, la directrice déambulait alors entre les nattes, en se dandinant sur son morceau fétiche au rythme chaloupé. Même si ce spectacle paraissait quelque peu incongru au premier abord, Moon avait appris à l'apprécier à sa juste valeur, car cela signifiait que la directrice était de bonne humeur. Parce qu'il ne fallait pas s'y tromper, la directrice menait à la baguette son petit monde avec sévérité et ses sautes d'humeur étaient craintes. Moon en avait fait l'expérience dès son premier jour en prison : une volée de coups de canne sur ses jambes pour lui apprendre à s'agenouiller au passage de la cheffe des gardiennes et une seconde pour lui rappeler de ne pas parler sans avoir y été invitée. À sa grande surprise, Moon avait constaté qu'il n'y avait que trois surveillantes, outre la directrice, pour les cent cinquante détenues de la prison. Moon avait fait part de son étonnement à Bee.

— Oui, elles ne sont que trois surveillantes. Mais d'abord Khun Pornthip Boonyasak compte pour dix ! Moon sourit. L'image était à peine exagérée tant la cheffe des gardiennes inspirait la crainte. « Il paraît qu'elle couche avec le colonel, le chef de la police de la prison…

— Kii Mao[40] !

— C'est pas moi qui le dis, mais on les a vus ensemble… Mais il n'y a pas que les gardiennes pour nous surveiller. Tu as remarqué les femmes qui peuvent s'asseoir à table dans la cuisine pour prendre leur repas ?

— Oui, je me demandais pourquoi elles ont le droit de s'asseoir, elles. Ce sont des détenues comme nous pourtant !

— Pas tout à fait, elles ont été choisies comme auxiliaires pour aider les surveillantes pour différentes tâches, comme le

---

[40] Commère !

68

comptage par exemple. Les surveillantes ne peuvent être partout en même temps. Et surtout, ces auxiliaires sont chargées de rapporter tout ce qu'elles voient aux surveillantes. Il faut s'en méfier comme de la peste, fais attention à ce que tu dis devant elles !

— Bien compris ! Mais comment ont-elles été choisies par les surveillantes ?

— Sans doute sur base de leur bon comportement ou parce qu'elles paraissent plus dignes de confiance que les autres. Je ne peux pas te dire. C'est Khun Pornthip Boonyasak, la directrice, qui décide. »

Moon ne l'avoua pas à Bee, mais intérieurement elle se dit qu'elle se verrait bien en auxiliaire des surveillantes, assise à la table de la cuisine... Elle en était encore loin. Il lui fallait d'abord apprendre à respecter les règles et les codes de la prison.

La discipline était stricte comme il fallait s'y attendre. Les temps de silence devaient être respectés comme les délais impartis pour les différentes tâches. Les surveillantes avaient toujours à la main une canne de bambou, prêtes à cingler de coup les coupables d'insubordination. Durant sa scolarité, Moon avait été une élève plutôt indisciplinée. Elle regimbait devant règles de tenue vestimentaire plutôt prude de son école. À maintes reprises, les professeurs lui lançaient des remarques sur sa coupe de cheveux un peu trop longue ou sur un bouton ouvert de son chemisier. Elle n'en avait cure. Ses résultats scolaires se maintenaient à bon niveau et, dès lors, personne ne lui imposerait quoi que ce soit. Mais, à Lard Yao, elle n'avait pas le cœur à se rebeller et elle observait scrupuleusement les règles de la prison. Certaines règles étaient tacites et elle avait dû les apprendre sur le tas. Arriver en retard au réfectoire ou parler lors des périodes de silence, c'était minimum une gifle. La première règle qu'elle avait dû apprendre était simple : les détenues devaient obligatoirement s'agenouiller la tête contre le sol pour s'adresser à la cheffe des gardiennes de son bloc. Deux volées de coups de canne sur les jambes lui avaient permis de mémoriser la règle. Elle avait gardé les bleus assez longtemps en guise de rappel.

La plupart des détenues étaient là pour des faits de drogue comme elle. Le reste pour des larcins divers, mais aussi pour des affaires de mœurs. La jalousie peut enflammer les esprits en Thaïlande, au point de parfois commettre l'irréparable.

— Pourquoi es-tu là ? s'était enquise Moon auprès de Dan, sa voisine de couche.
— Je l'ai coupée !
— *Alaï na* ?[41]
— Je le lui ai coupée, précisa Dan, d'air entendu.
— Coupée quoi ? demanda Moon qui ne comprenait toujours pas.
— Sa bite ! Comme ça, il ne pouvait plus me tromper avec la serveuse du bar karaoké.

Moon ne put réprimer une mine de dégoût. Elle avait déjà entendu parler d'histoires de mutilations génitales par le passé, mais sans trop y croire. Cela lui paraissait incroyable, mais Dan n'était pas du genre à fanfaronner.

« Tu veux que je t'explique comment j'ai fait ? Eh bien, un soir, j'ai versé une forte dose de somnifère dans son whisky et... »

---

[41] Pardon ?

— Non, ça ira comme cela, merci. Je préfère ne pas savoir ! coupa Moon fermement.

La prison ne baignait pas dans un climat permanent de violence comme dans les films américains que Moon avait vus au cinéma avec ses amies. Les détenues coupables de meurtre ou jugées plus violentes étaient enfermées dans un quartier distinct de la prison. Dans son bloc, la grande majorité des femmes purgeaient leur peine pour des faits de drogue. Les autres, comme Dan, avaient été condamnées pour des faits de mœurs. Il y avait bien régulièrement des altercations entre prisonnières, des invectives, des disputes, des coups qui se perdaient, parfois, certaines se crêpaient le chignon pour un motif souvent futile, pour un geste, pour une remarque ou une place dans la file pour la douche. Néanmoins, Moon se sentait en sécurité dans la prison. Elle entretenait des relations cordiales avec tout le monde. Malgré sa taille modeste et sa frêle silhouette, elle inspirait à ses « collègues » le respect. Sans doute était-ce dû à son éducation. Elle parvenait à adopter une attitude juste, à choisir ses mots, à se composer une posture, ni trop forte qui passerait pour de l'arrogance, ni trop faible qui la désignerait en souffre-douleur idéal, une humilité emprunte de fermeté. « Reste quand même sur tes gardes », lui avait dit Bee.

« Tout peut déraper très vite… Personne n'est à l'abri d'un coup de folie. »

Après deux mois de détention, le quotidien de Moon s'était sensiblement amélioré. À Lard Yao, comme partout, l'argent permet d'améliorer vos conditions de vie et tout s'achète. Les prisonnières ne pouvaient pas posséder d'argent liquide, mais elles détenaient un compte auprès de la prison. Ce compte était alimenté par les liquidités qu'elles possédaient au-dehors ou par les virements de proches. De même, leurs activités dans la prison étaient rémunérées et le fruit de leur travail était versé sur leur compte. Il s'agissait toutefois de montants modestes, à peine de quoi s'acheter du savon, du dentifrice et du shampoing. Les parents de Moon alimentaient régulièrement son compte afin qu'elle ne manque de rien. Elle ne devait plus faire sa lessive elle-même. Il suffisait pour quelques baths de déposer ses vêtements à la blanchisserie de la prison et de les récupérer le lendemain. Et, cerise sur le gâteau, elle pouvait même se rendre au salon de beauté pour s'offrir une manucure, une coupe de cheveux ou un massage ! Sa mère avait aussi graissé la patte de la directrice. Moon avait ainsi pu être mutée de l'équipe nettoyage vers la brigade de cuisine. Démunie d'expérience en la matière, elle fut confinée à des tâches subalternes comme laver les légumes, découper la viande, faire la vaisselle… C'était néanmoins nettement plus agréable que de récurer les toilettes, c'était un véritable soulagement. Grâce à ces accommodements, Moon commençait à se faire à la vie carcérale. Bien sûr, on ne s'habituait jamais à la privation de liberté.

— Qu'est-ce qui te manque le plus ici, Moon ? lui demanda Bee, pendant qu'elles déjeunaient accroupies dans la cour ?

Elles mangeaient toujours à la même place. Elles avaient déniché un endroit qui présentait l'avantage d'être à l'ombre. Seul inconvénient, il était situé à côté du local des poubelles. Un remugle des restes de la veille flottait dans l'air. Pas de quoi couper l'appétit de Bee qui était morte de faim. La veille au soir, elle n'avait pas eu le temps de manger. Le règlement interdisait de fumer dans la prison, à deux exceptions près. Les détenues qui le désiraient pouvaient tirer sur leur clope dans un fumoir exigu prévu pour huit personnes. Le local n'était ouvert que le matin et le soir pendant les heures de la douche et des repas. Il y avait une longue queue devant le fumoir et souvent les fumeuses devaient choisir entre fumer et se doucher ou manger par manque de temps. La veille, Bee avait donc fait l'impasse sur le repas du soir pour pouvoir fumer.

— Mes parents, et mon amie Nam évidemment ! répondit Moon.

Elle recevait de temps à autre une lettre de Nam. Elle avait ainsi appris qu'elle avait terminé ses études et qu'elle avait décroché un job dans une compagnie d'assurance. Nam suivait la voie que Moon aurait dû emprunter s'il n'y avait eu Toy en travers du chemin...

« Tiens, prends la moitié de ma soupe, tu dois être affamée ! » Bee ne se fit pas prier.

« Et ensuite, poursuivit Moon, cela va te paraître bizarre, mais ce qui me manque le plus, c'est de ne plus voir la lune. Avant, quand j'étais dehors, j'adorais la contempler, la regarder s'élever chaque nuit, la voir grandir chaque jour de quartier en quartier... tantôt brillante, tantôt jaunâtre, tantôt voilée par les nuages. Oui, elle me manque la lune. Ici, on nous enferme avant qu'elle ne se lève et on ne peut que ressortir que quand le soleil a pris sa place dans le ciel.

— Tu portes bien ton surnom, Moon ! répondit Bee. Moi, je dois le mien à mon père qui était apiculteur ».

Elle sourit tristement : « Je préfère ne pas trop penser à lui. »

Moon s'employait à entretenir des bonnes relations avec tout le monde, détenues et gardiennes. Elle n'hésitait pas à partager un fruit ou une boisson. Elle était consciente d'être privilégiée. D'autres n'auraient jamais pu se l'offrir et c'est de bon cœur qu'elle proposait aux plus défavorisées un fruit ou *Coca-Cola*. La richesse toute relative de Moon, sa mère ne lui refusant jamais une demande d'argent, et son bon cœur lui valut rapidement une réputation enviable au sein de la petite communauté de Yard Lao. Même les surveillantes, y compris la directrice, la regardaient désormais d'un autre œil. Moon avait droit à des sourires de reconnaissance et des passe-droits dans les queues.

Cependant quelques détenues prenaient ombrage de sa popularité grandissante. Elles la trouvaient arrogante et son statut de privilégiée agaçait. Il s'agissait d'une bande de quatre détenues d'une trentaine d'années. Elles ne se privaient pas de l'inveciver, la traitant ironiquement de petite princesse. Moon n'y prêtait guère attention. Elle avait choisi de les ignorer. Elle ne pouvait plaire à tout le monde. La cheffe de ce petit clan venimeux, prénommée Yim, travaillait comme elle à la cuisine, pour son plus grand malheur. Même si Moon se voulait indifférente, l'hostilité de Yim pourrissait l'atmosphère. Grande, corpulente, le ventre rebondi, Yim ne manquait de pousser, de bousculer Moon, de lui tendre un croche-pied lorsqu'elle portait les sacs de riz. Moon s'était affalée de tout son long sur le sol de la cuisine. Tout en ricanant d'un rire mauvais, Yim l'avait traitée de maladroite bonne à rien ! Moon s'était relevée sans piper mot. Elle n'était pas de taille à affronter Yim, du moins physiquement. De plus, elle ne voulait pas s'attirer d'ennuis avec les surveillantes. Quand une bagarre éclatait à la prison, c'était en règle le même tarif en coups de canne, à parts égales entre victimes et coupables. Moon serra donc les dents et mit sa colère en veilleuse. Elle choisit plutôt de la narguer en multipliant ses largesses envers les autres femmes qui travaillaient dans la cuisine. Elle apportait à chaque fois ou des biscuits ou une boisson à partager avec toutes, sauf bien sûr avec Yim dont la rancœur allait croissant.

Un matin, six mois après son arrivée, alors qu'elle nettoyait la pile de woks seule dans une pièce annexe de la cuisine, Moon jubilait encore du bon coup joué à Yim une heure plus tôt. Elle avait pu acheter à la boutique une barre de chocolat qu'elle avait minutieusement découpé en autant de morceaux que de filles qui travaillaient avec elle, en oubliant ostensiblement Yim. Elle se remémorait encore avec délectation ce moment et la mine déconfite de son ennemie quand, subitement, elle perçut la présence d'une personne dans son dos. Elle n'eut pas le temps de se retourner quand elle sentit le contact d'un métal froid sur sa gorge. En même un bras l'enserra et l'emprisonna puissamment. Moon reconnut la voix rauque de Yim qui lui soufflait dans l'oreille : « Tu fais moins la fière, hein, petite princesse ? Je vais te faire payer cela ? Je vais te faire sortir ton chocolat par la gorge ! »

Moon tenta de se délivrer du bras de Yim. Mais l'étreinte était trop forte. Elle sentait la pression qui augmentait sur sa gorge. Moon tenta de crier, mais elle s'étrangla et seule une faible plainte sortit de sa bouche. Pas de quoi alerter les femmes qui travaillaient dans la grande salle à côté. Désespérément, elle balança des coups de pied en arrière, mais Yim ne vacilla pas. Elle la maintenait au contraire de plus en plus fermement. Moon voulait hurler de douleur, mais elle étouffait, régurgitait, s'étranglait. « Allez, crache-le ce chocolat, je vais te le faire bouffer deux fois ! »

Moon tenta de crier, mais seule de la bave sortit de sa bouche. Elle se vit mourir dans cette arrière-cuisine de prison. Une fin pitoyable pour une vie qui n'avait pas encore vraiment commencé. Dans un dernier geste désespéré, elle tenta de délivrer de l'emprise de Yim. Elle lança un coup de pied vers l'arrière dans les jambes de la femme. Celle-ci étouffa un juron et tituba vers l'arrière, entraînant Moon avec elle. Yim tentait de retrouver son équilibre sans lâcher Moon qui se débattait dans un sursaut d'espoir. Les deux femmes entamèrent une valse chaotique, enlacées tel un couple diabolique. Moon sentait que se jouait là son ultime chance d'échapper à son adversaire. Mais Yim conservait le dessus. Elle entreprit de se stabiliser d'un violent coup de reins. Le mouvement les propulsa toutes deux contre le bord de l'évier. Le corps de Moon heurta la pile de woks qui hésita un instant avant de s'effondrer avec fracas sur le sol de la cuisine. Moon profita de l'instant de surprise pour desserrer quelque peur l'étreinte, mais Yim reprit rapidement contrôle de la situation. Moon sentit ses maigres forces l'abandonner. Yim serrait de plus en plus fort. La pression sur sa gorge s'accentuait. Moon suffoquait. Elle n'avait plus la force de résister. Elle allait défaillir. Un voile noir assombrit ses yeux. Tout à coup, Moon entendit claquement violent suivi d'un terrible hurlement. Yim la lâcha instantanément. Moon s'écroula par terre. Un deuxième claquement se fit entendre, et puis un troisième. Yim hurlait. Moon, couchée par terre, toussait et crachait. Elle mit la main à sa gorge et la regarda ensuite avec horreur. Elle était pleine de sang. Sa blouse était également maculée. Moon leva les yeux. Elle vit Yim agenouillée, le dos de sa blouse lacéré et du sang qui commençait à percer. Yim geignait de douleur. Devant elle se trouvait Khun Pornthip Boonyasak. La directrice lui apparut impériale. Le visage sévère, elle tenait sa canne à la main tel un sceptre. Elle venait de faire justice à sa manière dans son royaume. Moon était sauvée !

Moon fut emportée à l'infirmerie de la prison. Elle saignait abondamment de la gorge. L'infirmière la recousue. On lui administra une forte dose de calmant et de somnifère. Moon s'endormit et se réveilla à la nuit tombante. Elle était seule dans une petite pièce dont le lit constituait le seul mobilier. Sa blessure était douloureuse. Avec peine, Moon s'extirpa du lit. Elle voulait trouver l'infirmière et lui demander des calmants. Elle arrivait à peine à marcher. Elle progressa lentement jusqu'à la porte et l'ouvrit lentement. Elle s'arrêta. Elle découvrit avec stupeur des femmes allongées sur des matelas, les yeux vides, le visage creusé, les bras squelettiques, les corps décharnés. L'infirmière arriva prestement et la reconduisit sur le champ dans son lit. Elle lui soigna sa plaie et lui administra de nouveaux calmants et somnifères. Le matin, quand elle se réveilla, Bee était à ses côtés.

— Eh bien, tu nous as fait peur, sœurette ! On ne parle que de toi dans la prison. Comment te sens-tu ? Tu as mal ?

Moon voulut répondre, mais sa gorge lui faisait trop mal. Elle se contenta de hocher lentement la tête :

— Dans ton malheur, tu as quand même eu beaucoup de chance. Heureusement que les couteaux étaient enfermés à clef à ce moment-là. Yim n'avait qu'une cuillère sous la main pour t'attaquer. Imagine avec un couteau, tu ne serais plus là pour m'écouter ! Et puis, s'il n'y avait pas eu tout ce vacarme de la chute des woks, personne n'aurait rien entendu. Et encore une chance que la directrice passait à ce moment-là à la cuisine.

Moon avait bien conscience d'avoir échappé au pire. Heureusement que les couteaux de cuisine devaient rester enfermés quand ils n'étaient pas utilisés. Mais ce qui la préoccupait pour l'instant, c'était de savoir si elle aussi allait encourir une punition. Pour les surveillantes, déclarer tout le monde coupable était souvent l'option la plus commode.

— Bon, je dois y aller, reprit Bee, dis, je peux te demander quelque chose ? Quand tu sors de l'infirmerie, tu peux essayer de rapporter des calmants et des somnifères, je pense que si tu le demandes, on t'en donnera sans problème...

Insomniaque, Bee ne pouvait s'endormir sans somnifère. Les infirmières délivraient des calmants et des somnifères aux détenues qui souffraient de divers maux. Elles veillaient à ce qu'il n'y ait pas d'addiction et d'accident. Leur parcimonie avait pour conséquence qu'un véritable marché noir des médicaments s'était créé au sein de la prison. Il était facile de simuler une douleur quelconque, de recevoir une tablette de pilules et de les échanger ensuite. Certaines détenues étaient tellement en manque de sommeil ou en état d'anxiété permanente qu'elles étaient prêtes à dépenser leur maigre argent pour un antihistaminique dont l'effet secondaire désiré était la somnolence.

Quelques heures après le passage de Bee, Moon reçut une deuxième visiteuse. Et c'était plutôt une surprise !

— Comment cela va, Moon ?
— Madame la Directrice ! articula Moon avec peine souffrant le martyre à chaque syllabe.

Elle se redressa du lit pour se courber en signe de respect. La directrice lui fit signe de se recoucher. Elle avait l'air encore plus sévère que de coutume. Moon était terrorisée. Si la cheffe venait la voir, c'était sûrement pour lui annoncer une punition. Moon sentit ses yeux se mouiller. Elle était vraiment maudite !

— J'ai mené mon enquête après ce qui s'est passé hier. En conséquence, j'ai décidé d'envoyer sur le champ Yim dans le quartier de haute sécurité. Je ne peux tolérer de tels actes de violence dans notre centre de détention !

La cheffe préférait toujours parler de centre de détention, plutôt que de prison.

— Quant à vous Moon…

— Je vous demande pardon, madame la Directrice. Ayez pitié de moi ! implora Moon, tremblante.

— Ne m'interrompez pas ! Inutile d'aggraver votre cas. Voici ce que j'ai décidé en ce qui vous concerne. Vous avez fait preuve d'arrogance vis-à-vis de votre collègue. Vous l'avez provoquée en ne partageant pas le chocolat avec elle. Vous avez voulu l'humilier. J'ai bien vu que Yim vous harcelait depuis votre arrivée. Vous avez voulu vous venger. N'ai-je pas raison ?

— Oui, c'est vrai, répondit Moon en baissant les yeux, s'attendant au pire châtiment.

— Dès lors vous avez mérité une punition exemplaire pour votre comportement qui a semé la violence dans notre centre de détention.

Moon était glacée d'effroi. Son corps et son esprit ne supporteraient pas une épreuve supplémentaire.

— Mais, reprit la cheffe, je n'ai pas besoin de vous punir, car vous vous êtes punie vous-même ! J'espère que cette leçon vous servira. Vous allez passer quelques années avec nous. Si vous ne voulez pas rendre ce séjour encore plus pénible, il est de votre intérêt de comprendre que le respect est une règle essentielle de notre centre de détention. Même si nous ne sommes pas ici par choix, nous formons une communauté. Nous devons vivre ensemble dans le respect des uns et des autres. Ne vous croyez pas plus maligne que les autres. Ne jetez pas de l'huile sur le feu ou vous risquez de vous brûler gravement. S'il y a des problèmes, signalez-le aux surveillantes. Vous avez compris ? la directrice avait prononcé ces mots d'un ton grave et péremptoire.

Moon se sentit toute petite comme lors de sa première remontrance à l'école.

— Oui, j'ai bien compris madame la Directrice.

— Bien ! Reposez-vous maintenant, elle prit la direction de la porte, puis s'arrêta.

Elle se retourna et ajouta : « Moon, j'ai bien remarqué que vous êtes différente de la plupart des autres détenues. Je suis convaincue que vous avez l'intelligence pour vous adapter à notre communauté et, qui sait, y jouer un rôle important plus tard. ».

Sur ces paroles énigmatiques, elle ouvrit la porte et sortit, laissant Moon pantoise.

Après deux nuits passées à l'infirmerie, Moon retourna à la vie normale de la prison. Désormais, elle resterait sur ses gardes, sachant qu'à tout moment, sans raison apparente, la fureur pouvait jaillir avec une fulgurance féroce. Elle garderait pour toujours cette cicatrice au cou en guise de rappel à la prudence. Ces événements dramatiques avaient également provoqué une prise de conscience chez elle. Les paroles de directrice résonnaient encore dans sa tête. Elle devait veiller à ne pas se faire d'ennemis, éviter de trop se faire remarquer, bannir les gestes trop ostentatoires, plaire assez à certains sans trop déplaire à d'autres. La prison était une école de vie. Si elle voulait survivre, Moon devait apprendre à vivre avec les autres même s'ils sont différents d'elle. Tout cela exigeait du respect, la directrice avait raison !

Petit à petit, la vie de Moon reprit son cours à la prison. Sa douleur au cou s'estompait avec le temps. Yim disparue, le petit clan hostile s'était dissous. Moon mentit à sa mère au sujet de sa cicatrice. Elle voulait éviter qu'elle ne s'inquiète encore davantage. Elle lui expliqua qu'elle avait glissé sur le sol humide de la cuisine et avait heurté le bord métallique d'une table. Sa mère fit mine de la croire. Sans doute prise de pitié, elle redoubla de largesse et alimenta généreusement le compte de sa fille. Si ce n'est de liberté, Moon ne manquait ainsi de rien. Vu de l'intérieur de la prison, Moon menait une vie somme toute confortable. Son moment préféré demeurait le repas qu'elle prenait accroupi aux côtés de Bee. Elles parlaient de tout et de rien et parfois d'avenir. Bee, à sa sortie, reprendrait son travail, mais ne ferait plus la bêtise de toucher au *Yabaa*. Elle travaillerait dur quelques années et puis elle réaliserait son rêve d'acheter une maison en Issan, loin de tout et surtout des hommes. Moon, quant à elle, n'arrivait pas encore à imaginer son futur après la prison. Reprendre les cours lui paraissait impossible. Peut-être travaillerait-elle dans un supermarché. Mais cela rapportait peu et cela mettait un clap de fin à ses ambitions de vie cossue. Toutes les deux partageaient résolument la même résolution : plus jamais de petit ami ! Les mecs étaient une nuisance ! Elles avaient une revanche à prendre sur la caste masculine.

— Bee, tu te souviens de ce que je t'avais raconté ? Le mariage sur la plage à Hua Hin auquel j'avais assisté ?

— Oui, une Thaïe et un *Farang*, c'est bien cela ?

— Figure-toi qu'hier j'ai fait ce rêve étrange et prenant, où, un soir de pleine lune, je me mariais à la plage avec un *Farang* !

— J'appellerais cela plutôt un cauchemar ! sourit Bee. Déjà, se marier, mais en plus avec un *Farang* !

— Oui, un cauchemar, d'autant que dans mon rêve, je me suis approchée de la mer. Je me suis baissée pour tremper ma main dans l'eau. Et là, je me suis rendu compte que ce n'était pas de l'eau, mais du sang ! La mer était devenue un océan écarlate de sang ! Et là, je me suis tout à coup réveillée... le gros orteil de ma voisine de couche dans l'oreille !

Bee éclata de rire en imaginant la scène.

Les jours s'empilaient les uns sur les autres. Après un an, Moon put enfin troquer son uniforme brun pour un bleu. L'appel contre sa condamnation avait été rejeté et la sentence était devenue définitive. Ce n'était pas une surprise. Elle s'y attendait. Revêtir l'uniforme bleu standard lui fit étrangement plaisir. Elle se sentait désormais membre de la communauté à part entière. Malgré tous les inconvénients tels que le stress des douches, l'inconfort du dortoir, la discipline stricte, l'éloignement de ses parents, Moon, comme beaucoup d'autres de ses congénères, trouvaient que la vie à Lard Yao avait aussi ses bons côtés. La routine des journées était comme rassurante. Grâce aux activités, chacun avait son utilité pour la communauté. Tout le monde se sentait solidaire. Des amitiés fortes se nouaient. On mangeait tous les jours à sa faim et la nourriture était loin d'être mauvaise. Pour certaines détenues, avoir un toit où dormir représentait déjà un luxe appréciable.

— *Wut dee*[42] Moon !

— Oh ? Piw ? Mais que fais-tu là ? Piw était une ancienne collègue de la cuisine.

Une gentille femme, timide, un peu fruste, qui l'avait accueillie avec gentillesse lors de ses débuts à la cuisine. Piw avait été libérée à l'issue de sa peine, il y avait à peine deux mois. Elle avait été condamnée pour participation à un tripot clandestin, les jeux et paris étant interdits en Thaïlande, à l'exception de la loterie nationale.

— Je me suis de nouveau fait prendre, sourit-elle l'air goguenard.

— Ah, je suis désolée pour toi, Piw.

— Mais non, pas du tout, tu ne comprends pas ! Je me suis arrangée pour me faire coincer par les flics.

— Mais heu… Pourquoi ? s'exclama Moon, interloquée.

— Écoute, qu'est-ce que la petite Piw deviendrait toute seule dehors ? Je n'ai pas de famille, pas de travail, pas d'argent, pas de logement. Comment manger ? Où dormir ? Où aller soigner mon asthme ? Je n'ai rien à moi. Pas d'argent. Ici, ce n'est pas facile tous les jours, mais on s'occupe de moi, j'ai à manger, un toit, un boulot, des amies et on me soigne gratuitement quand j'ai mes crises d'asthme… La prison, c'est chez moi. Je ne veux pas retourner dehors. Je ne suis pas une mauvaise fille, mais il n'y a pas de place pour moi là-bas.

Le cas de Piw n'était pas isolé. D'autres femmes pensaient comme elle. En un sens, Moon les comprenait. Plutôt que de vagabonder, la prison et sa communauté offraient un abri et un succédané de raison de vivre. Mais pour Moon, c'était différent.

---

[42] Salut !

Dehors, elle avait une famille et l'espoir, un jour, de trouver un job et sa place dans la société.

Beaucoup de détenues étaient originaires des campagnes pauvres d'Issan. À peine adultes, sans grande éducation, elles étaient descendues dans la capitale, espérant y trouver un travail. Les choses avaient alors mal tourné et elles se trouvaient à présent à Yard Lao devant un avenir encore plus bouché. Sans grande surprise, à l'automne 2013, quand le pays se divisa encore entre chemises rouges et jaunes, la majorité des pensionnaires de la prison prit parti des *Sua Daeng*[43]. En prison, il n'y avait ni internet, ni télévision, ni journaux. Les nouvelles des manifestations des chemises jaunes étaient distillées par les proches lors des visites au parloir. Moon écoutait distraitement les discussions animées entre détenues. Pour le camp des rouges, les plus nombreux, la situation était claire. Yingluck, la Première ministre avait été démocratiquement élue et il n'était pas question qu'elle démissionne sous la pression de la rue. Les manifestants étaient manipulés par l'armée, l'establishment des nantis et la nomenklatura du palais royal. De plus, Yingluck aimait le peuple et elle avait beaucoup fait pour les ouvriers et les paysans. Elle avait instauré un salaire minimum de trois cents bahts et elle avait fait racheter par l'État des tonnes de riz à un prix supérieur au marché pour soutenir les agriculteurs. Selon les jaunes, en petit nombre, Yingluck et sa clique étaient des corrompus. Son frère Taksin avait été condamné et avait fui à Dubaï, pour se prélasser dans un exil doré avec ses milliards de baths volés à l'État. Plus de deux milliards de baths, les chiffres faisaient frissonner ! La Première ministre avait mis le feu aux poudres. Elle avait déclaré vouloir gracier son frère Taksin et le

---

[43] Chemises rouges.

ramener triomphalement en Thaïlande. C'était une insulte à la justice. Les manifestants jaunes avaient raison de descendre dans la rue pour exiger la démission de Yingluck. D'autres allaient plus loin. Ils soupçonnaient les chemises rouges d'être communistes, ou pire encore antiroyalistes, le crime suprême. Moon n'avait cure de ces discussions. Pour elle, une chose était sûre, le sang allait couler et on pouvait s'attendre à un nième coup d'État dans les prochaines semaines. Moon concentrait plutôt son attention sur sa propre vie et depuis dix-huit mois et pour quarante-deux longs mois encore, son univers se résumait à l'espace clos de la prison loin de la folie rageuse des hommes au-delà des murs.

Moon avait suivi les conseils de la directrice. Elle s'était faite humble et respectueuse des autres. Elle entretenait de bonnes relations avec tout le monde. Elle avait été mutée à sa demande au salon de coiffure de la prison. Elle s'y plaisait beaucoup. C'était vraiment une première expérience, car jamais auparavant, elle n'était allée dans un salon de coiffure. Bien sûr, il s'agissait plutôt d'un salon de fortune, équipé de manière rudimentaire avec du matériel de récupération. Et là dans ce rebut improvisé salon de coiffure, avec les moyens du bord, elle s'était découvert un talent véritable pour suggérer aux détenues une coupe qui leur siérait en fonction de leur visage ou leur teinte de cheveux. Cela contribuait encore à conforter sa popularité parmi les autres captives. Sa mère continuait à alimenter la caisse de la prison pour améliorer son quotidien. Cela lui permettait aussi de faire plaisir à d'autres. Moon était devenue très appréciée, mais sans excès et donc sans provoquer de contrecoup de jalousie. La directrice semblait également la tenir en estime. Parfois, Moon captait son regard et elle avait l'impression d'y percevoir comme de l'approbation. Il était même arrivé que la directrice lui lance : « Sabadee mae ?[44] », ce qui était un privilège rare pour une détenue. De temps à autre, Moon repensait aux paroles de la directrice qui avaient évoqué « un rôle important ».

Qu'avait-elle voulu dire ? Moon se perdait en conjectures. Le plus simple eût été de poser la question à la directrice, mais elle préféra s'abstenir de crainte de l'indisposer. Les choses allaient plutôt bien pour elle, autant ne pas tenter le diable au risque de paraître impertinente. Ella avait tout le temps de découvrir ce que la directrice avait bien voulu dire. Seule ombre au tableau, Bee allait sortir dans trois mois et bientôt Moon se retrouverait seule sans son amie. Moon avait néanmoins sympathisé avec d'autres filles, dont notamment une prénommée Poor. Celle-ci, de corpulence filiforme, avait un beau visage et une chevelure épaisse tout en contraste avec son corps malingre. Poor connaissait Bee « du dehors ». Elles avaient travaillé auparavant dans le même bar. De temps à autre, Moon surprenait Bee et Poor en pleine discussion, occupées à se raconter des anecdotes sur leur passé commun. Moon ne pouvait réprimer un sentiment de jalousie à les voir ainsi complices. Elle se sentait exclue. Avec Moon, Bee éludait toute question à propos de son précédent travail au bar.

« Rien de spécial, tu sais, sœurette, juste serveuse dans un bar ».

Née dans une famille pauvre d'agriculteurs du nord-est du pays, Poor avait arrêté ses études et était descendue dans la capitale à ses dix-huit ans. Elle aussi, s'était fait prendre pour une affaire de drogue.

---

[44] Comment ça va ?

86

— C'est quand même étrange, qu'ici en prison, il n'y ait pas de filles de riches hommes d'affaires, de politiciens ou de hauts gradés. Je me demande vraiment pourquoi. Une idée, les filles ? avait lancé Poor lors d'une conversation avec d'autres détenues.

— Ah, oui, sûrement que dans ces milieux-là, on ne touche pas à la drogue, avait répondu innocemment Moon en baissant les yeux.

— Ou peut-être que la police ferme les yeux pour éviter des problèmes ? Mais je n'y crois pas ! Bee prit avec exagération une mine dubitative.

— Ou sait-on jamais, ces gens-là auraient-ils assez d'argent pour acheter le silence de la police et des juges ? renchérit Poor, se tenant la tête entre les mains, l'air effaré.

— Ah, mais oui c'est vrai, on est en Thaïlande, tout s'explique ! s'exclama Moon, arborant l'air triomphant de celle qui a résolu l'énigme.

L'assemblée éclata alors de rire à l'unisson avec les trois filles, fières de leur petit numéro.

Jolie, drôle, tonique, Poor ne manquait pas de qualités, mais jamais elle ne pourrait rivaliser avec Bee dans son cœur. Il n'y avait pas cette alchimie. Bee, c'était son amie, à la vie à la mort.

— J'ai une surprise dans ce sac, dit-elle mystérieuse à Bee.

— Laisse-moi deviner, la clef de la porte de la prison ?

— Haha ! Non, je ne serais déjà plus là si c'était ça !

— Quoi ? Tu partirais et tu m'abandonnerais seule ici ?

— Non, évidemment, je te prendrais avec moi. Mais toi, tu vas bientôt partir et je serai bien seule, tu vas me manquer… dit Moon la gorge serrée.

— Bon, ne me fais pas languir plus longtemps ! Que tu caches dans ton sac ? coupa Bee, voyant Moon au bord des larmes.

L'air triomphant, Moon sortit alors une pomme de son sac. Bee s'exclama : « Deux ans que je n'ai plus goûté cela ! Allez, on déguste ! »

Moon entreprit de couper la pomme en quartier et poussa soudain un petit cri d'effroi : un gros vers noir s'échappait en tortillant de la pomme. Elles se regardèrent, déconfites. Le fruit était du coup devenu bien moins appétissant... Bon, dit Bee, éclatant de rire après quelques secondes, on ne va pas se laisser impressionner par une petite bête, on a connu pire ici, on est forte. Et elle enfourna son quartier de pomme avec avidité. Moon fit de même avec un enthousiasme plus mesuré, remerciant Bouddha au passage d'avoir mis Bee sur son chemin de vie.

La présence de Bee à ses côtés avait été d'un grand réconfort durant ces longs mois. Ce fut un véritable déchirement quand Bee la quitta au terme de son bail de deux ans, en avril 2014. Elle allait se retrouver seule sans son âme sœur. Elles s'étreignirent longuement.

— Sois patiente, sœurette, je serai là à ta sortie.
— Que vais-je devenir sans toi ?
— Je serai avec toi en pensée. Demain soir, je m'assiérai sur le petit banc devant chez moi, je prendrai une pomme et je regarderai la lune pour toi. Je ferai un vœu pour que tu me rejoignes sans tarder.
— Merci, grande sœur, sois prudente !

Durant tout le reste de sa détention, Moon allait recevoir régulièrement des lettres de Bee. Elle reconnaissait directement l'enveloppe par un petit croissant de lune dessiné sur le coin supérieur gauche. Bee donnait des nouvelles de sa famille et lui prodiguait des encouragements. Elle disait avoir retrouvé un travail à Bangkok. Elle aurait bientôt assez d'argent pour s'offrir son rêve à quatre roues. Souvent, elle glissait dans l'enveloppe une photo d'elle-même, maquillée et portant des vêtements aguichants – Moon la reconnaissait à peine – avec toujours en arrière-plan, l'astre lunaire brillant dans le ciel siamois.

— Dis, Poor, ça consistait en quoi exactement votre travail à toi et à Bee au bar ?

— Bee ne t'a pas expliqué ?

— Non, pas vraiment. Elle n'aimait pas beaucoup en parler avec moi.

— Ah OK.

Poor sembla réfléchir un instant : « Rien de bien spécial, tu sais, reprit-elle. Tu parles avec des clients. Ils te paient à boire. Et tu reçois une commission sur les boissons. Voilà, c'est tout. Mais hôtesse de bar, ce n'est pas un job pour toi.

— Et pourquoi ?

— Hum, je ne te vois pas travailler dans un bar. Et puis, tu as trop d'éducation. Je t'imagine plutôt en femme d'affaires, assise dans ta BMW, occupée à compter les billets… » expliqua Poor en mimant la scène.

Moon sourit sans cacher son amertume : « Je pense que c'est foutu pour le rôle de la banquière… »

Pouvait-elle encore espérer faire carrière après ce fameux coup d'arrêt de la prison. Afin d'encore y croire, elle devait absolument compléter sa formation universitaire. Mais, pour cela, il fallait encore attendre de sortir de prison, soit encore patienter trois ans... Une éternité.

Début mai 2014, lors de la visite hebdomadaire au parloir, sa mère, au bord des larmes, lui apprit que la Première ministre Yingluck avait été destituée par la cour constitutionnelle pour abus de pouvoir.

« Les chemises jaunes ont gagné ! Ils ont eu la peau de Yingluck. Ces nantis ne respectent pas la démocratie, ils méprisent le peuple... »

Moon écouta sans rien dire. Pour elle, chemises jaunes ou rouges, cela était du pareil au même.

Mais sa mère, très remontée, était intarissable : « Ton père veut aller manifester avec les chemises rouges, mais je le lui ai interdit. C'est trop dangereux. La police tire sur les manifestants. Il y a déjà eu des morts. »

Moon acquiesça. Il y avait déjà assez de drames dans la famille.

« Et Pod, qu'est-ce qu'il pense ? demanda-t-elle. Ton frère, il est comme toi. Vous ne croyez plus en rien ! » Sa mère y allait fort, mais elle n'avait pas tort pour autant.

Les jeunes comme elle et son frère étaient désabusés. Quel que soit le parti ou le gouvernement, quelle que soit la couleur de la chemise, le pouvoir et la richesse restaient concentrés en quelques mains. Et les simples gens comme elle et ses parents devaient se contenter des miettes. Alors, à quoi bon aller voter ou manifester ? Curieusement, ses parents y croyaient encore bien qu'ils n'eussent aucun doute sur l'issue...

« Beaucoup de rumeurs circulent. Il se murmure que le chef des armées, le général Prayut prépare un coup d'État. Les militaires sont prêts à sortir de leurs casernes et à mettre le grappin sur le pays », poursuivit sa mère.

Puis elle ajouta à voix basse, tout en inspectant des yeux le parloir pour vérifier qu'il n'y avait pas de micro : « Sa Majesté, le roi n'a pas encore pris la parole. On dit qu'il serait très malade… »

À l'évocation du roi, Moon inclina la tête et baissa les yeux par respect. Seul le roi Rama IX, avec son aura, avait encore le pouvoir d'empêcher le pays de s'enfoncer un peu plus dans le chaos et la misère. Mais le monarque était maintenant très âgé et sans doute trop affaibli.

Mais pour Moon, l'essentiel n'était pas là. Pour pénibles qu'ils soient, ces jeux de pouvoir et ces querelles politiques et lui paraissaient bien dérisoires et bien éloignés de ses propres préoccupations. Car elle avait maintenant en tête un nouveau défi. Ses relations avec la directrice évoluaient dans le bon sens. Moon avait appris à l'apprécier. Elle la trouvait honnête, sévère, mais juste. Chaque jour, elles échangeaient quelques paroles. Des futilités sans doute, mais Moon y puisa suffisamment de confiance pour aborder la directrice et lui parler de son nouveau projet.

— Khun Pornthip Boonyasak, puis-je vous demander une faveur ? demanda Moon en s'agenouillant les paumes des mains jointes devant la directrice dans la cour.

— Je t'écoute, Moon. Que veux-tu ?

— Voilà, se lança Moon, j'ai dû interrompre mes études à l'université à cause de ce qui m'est arrivé. Ma mère s'est renseignée et il est possible de suivre un programme à distance. Je pourrais commander les syllabus et étudier le soir dans le dortoir. Mais pour cela, j'ai besoin de votre autorisation et aussi pour aller passer les examens à l'université à la fin de l'année. Je vous en prie, accordez-moi cette faveur ! Moon s'interrompit. Il y eut un interminable silence.

Moon tremblait en attendant la réponse de la directrice. Celle-ci s'éclaircit la gorge et prit enfin la parole.

— Ce n'est pas très courant qu'une d'entre vous fasse une telle demande. Et je le déplore. Peu de tes collègues tentent de mettre à profit leur passage dans notre centre pour acquérir de nouvelles connaissances. C'est très courageux de ta part. Je t'observe depuis l'incident avec Yim. Tu as bien évolué. Pour te récompenser, je pense que nous allons accepter ta demande, moon se confondit en remerciements.

C'était le plus beau jour de sa vie depuis longtemps.

Elle avait ainsi pu recommencer des études. La carrière de droit était devenue une voie sans issue pour Moon, une condamnation pénale étant rédhibitoire pour une profession juridique. Elle s'était dès lors inscrite à la faculté d'administration et de gestion de l'université de Sukhothai Thammathirat. C'était un cycle court d'un an. Son inscription acceptée par l'université, elle put commencer son cursus en mai 2014. Elle avait reçu les syllabus par la poste et tous les soirs de neuf heures à minuit, allongée sur sa natte, elle dévorait avec avidité les épais volumes d'économie et de comptabilité. Elle s'endormait ensuite épuisée, mais radieuse. Quand elle sortirait de prison, elle pourrait, son diplôme en poche, décrocher un job dans une entreprise et reprendre une vie normale. Son horizon s'éclaircissait… Décrocher ce bout de papier rebattait les cartes. Ce précieux sésame gommerait sa funeste erreur de parcours et lui permettrait de remettre sa vie en pristin état.

Il lui semblait désormais que le temps s'accélérait. Il y avait cette échéance des examens de mars 2015 en point de mire. La vie dans la prison, si elle n'était pas agréable, se passait néanmoins sans anicroche. Moon était une détenue modèle. Elle ne faisait pas de vagues, avait les mots justes pour parler avec tout le monde. Les autres détenues la regardaient avec déférence. Moon était devenue la chouchoute des surveillantes. La directrice appréciait les qualités de Moon et sa bonne éducation. Elle croyait également à l'histoire de Moon et à son innocence. Un nouveau coup de pouce du destin se préparait. Un midi, alors que Moon traînait dans la cour avec Poor, la directrice, l'interpella. Elle lui annonça avec emphase que le colonel-chef de la police pénitentiaire de Yard Lao souhaitait la voir. Moon était intriguée. Quelle pouvait être la raison d'un tel intérêt à son égard ? Elle posa la question, mais la directrice s'abstint de lui en dire plus. Moon n'était guère enthousiaste à l'idée de rencontrer ce colonel, mais fit mine d'être enchantée d'avoir cet honneur.

Passablement stressée à l'idée de rencontrer le premier homme après deux ans passés dans un univers exclusivement féminin, Moon entra d'un pas hésitant dans le local du chef de la police pénitentiaire. Elle jeta un regard à l'homme assis derrière le bureau. Instinctivement, elle eut un mauvais pressentiment. L'homme avait le regard torve et elle se tint sur ses gardes. Moon le dévisagea discrètement. Il devait avoir dans les quarante ans. Mince, d'apparence sportive, la quarantaine, il portait avec aisance l'uniforme ajusté au corps sans bourrelets ni plis. Fait rare pour un officier de police où la glabreté était la règle, une moustache finement ciselée épousait le contour de sa lèvre supérieure. Ses cheveux coupés ras donnaient à son visage émacié l'impression d'un être sec et sévère. Moon remarqua immédiatement la *Patek* à son poignet. Elle pensa à la directrice et à sa montre *Dior*. Les salaires ne devaient pas être si mauvais que cela dans la police, se dit-elle. Affable, l'homme l'invita à s'asseoir sur la chaise en face de lui. En observant la pâleur de son visage, Moon crut deviner que le colonel devait être d'origine sino-thaïe, comme le sont souvent les personnes qui détiennent le pouvoir et l'argent en Thaïlande.

L'homme prit la parole d'une voix ferme et sans fard : « Mademoiselle Jutharan Pornthip, notre conversation devra rester confidentielle, il y va de votre intérêt ».

Moon acquiesça. Il ne lui semblait pas y avoir d'autre choix.

— Madame la directrice m'a parlé de vous en bien. Votre conduite est exemplaire, à ce qu'il paraît. Elle m'a également appris que vous avez terminé vos études secondaires et qu'ensuite vous avez entrepris des études de droit, c'est bien cela ?

— Oui, j'ai réussi ma première année avec distinction et j'ai dû arrêter à cause de... elle s'arrêta de parler, ne sachant s'il était opportun de nouveau plaider son innocence.

— Oui je sais tout cela, dit l'homme. Figurez-vous que nous avons besoin d'une personne instruite qui pourrait nous aider dans, disons, certains travaux administratifs confidentiels. Cela vous intéresse-t-il ?

— Oui bien sûr, de quel genre de travaux s'agit-il ?

L'homme ne répondit pas. Il semblait plus accoutumé à poser les questions qu'à y répondre.

« Savez-vous vous servir d'un ordinateur, *Word, Excel* ? » Moon opina du regard.

« Et Photoshop ? » Moon hocha de nouveau de la tête.

94

Le directeur afficha une moue satisfaite. Il fit une pause, s'éclaircit la gorge et puis reprit.

— Il s'agit de tâches administratives pour le compte des œuvres sociales de la police. Nous vous en dirons plus par la suite.

— Oui, cela m'intéresse ! dit Moon, souriant déjà à l'idée d'échapper à la routine des corvées de cuisine.

— Bien, si vous donnez satisfaction et que vous vous montrez discrète, vous serez dispensée de tous les corvées et travaux. Vous accomplirez les tâches que nous vous donnerons dans un petit bureau isolé et... pourvu d'air conditionné, le colonel affichait un sourire charmeur.

— Merci beaucoup, vous pouvez compter sur ma discrétion, assura Moon encore incrédule.

— Parfait. Si nous sommes contents de votre travail, nous en parlerons au juge et proposerons une libération avant le terme de vos cinq ans. Encore une fois, je vous mets en garde, ne trahissez pas notre confiance, Khun Jutharan Pornthip. Je ne serais pas en mesure de vous protéger de la colère de certaines personnes, lui asséna l'homme d'un ton cassant. Son sourire avait mué en un rictus menaçant.

— Je ferai tout ce que vous me demanderez, balbutia Moon. Elle était au bord des larmes de bonheur, sous le coup de toutes ces bonnes nouvelles. Elle allait pouvoir faire des tâches intéressantes, goûter à nouveau à la fraîcheur de l'air réfrigéré, et peut-être allait-elle-même sortir plus rapidement que prévu ! Elle comprit alors que c'était là le rôle important dont lui avait parlé mystérieusement la directrice quelques mois plus tôt.

Cette conversation, un peu plus de deux ans après son arrivée à Lard Yao, marqua un tournant dans ses conditions de détention. Le matin après le repas, Moon se rendait dans un petit bureau attenant à celui de la directrice. Le local était pourvu d'air conditionné. Quel bonheur de fuir la moite fournaise de la cour ! Moon se délectait de la fraîcheur du lieu, tapotant avec délectation sur la télécommande du climatiseur. Sur le bureau se trouvait son outil de travail : un vieil ordinateur dépourvu de connexion internet et relié à une imprimante. À midi, elle quittait son bureau après avoir verrouillé la porte comme on lui avait enjoint de faire. Elle mangeait désormais dans le restaurant de la cuisine, attablée avec les détenues auxiliaires des surveillantes – quelle consécration ! – et ensuite regagnait son bureau pour y travailler tout l'après-midi. Le soir, elle s'endormait à présent dans son nouveau logis, un dortoir de huit lits, avec un véritable sommier et un espace de confort entre chaque couche. Elle partageait ce dortoir avec des détenues âgées ou invalides. Moon avait l'impression d'avoir été upgradée en première classe ! Fini la touffeur et la promiscuité ! Elle jouissait maintenant d'un statut particulier et vivait à l'écart des autres détenues pendant la majeure partie de la journée. Les autres détenues la dévisageaient avec plus de crainte encore et chuchotaient entre elles à son passage. Quand on lui posait la question de la nature des activités, elle répondait qu'elle s'occupait de rédaction de lettres à l'administration pénitentiaire et de classement de documents divers. On la soupçonnait de savoir beaucoup de choses et on lui prêtait un certain pouvoir occulte. Elle ne faisait rien pour démentir ces rumeurs, se rengorgeant de sa nouvelle aura. Moon était fière de sa promotion sociale. Dans ce milieu hostile de la prison, elle avait réussi à s'imposer. C'était de bon augure pour la suite. *Dehors aussi, elle réussirait,* se disait-elle.

Quand Moon découvrit la vraie nature de ses occupations, elle éprouva un choc. Elle pensa un court instant refuser, mais elle se dit, quelque peu lâchement, qu'elle n'avait vraiment pas le choix. La menace de l'homme avait été claire à défaut d'être précise. Elle avait assez d'imagination pour entrevoir le sort qui lui serait réservé. Lard Yao bruissait de rumeurs d'accidents survenus à des détenues gênantes et de disparitions soudaines, sans que rien ne soit véritablement avéré. Mais, ce qui avait emporté sa décision d'exécuter ce travail, c'est la jouissance d'être seule, ce luxe immense après deux ans d'immersion dans la nasse grouillante de la population carcérale. Le bonheur, chaque matin, de franchir la porte du petit bureau propret et d'allumer l'air conditionné prêt à ronronner, quand elle y repense maintenant, le sourire lui vient encore aux lèvres. Et cela lui permet d'oublier la honte qu'elle cache au fond d'elle-même.

Le nouveau job de Moon était simple, mais nécessitait un peu d'éducation et quelques capacités en informatique, tout ce dont la plupart des autres détenues ne pouvaient se prévaloir. Concrètement, il s'agissait de réaliser de fausses factures et de contrefaire des extraits de compte bancaire. La police gérait l'économat de la prison. Chaque jour, il fallait passer commande de nourriture pour la cuisine et produits pour le magasin de la prison. Il y avait donc tous les jours un flux important de factures et de paiement d'argent. Dans son petit bureau réfrigéré, Moon se scannait les factures reçues pour les livraisons et ensuite sur base de celles-ci, elle en refaisait de nouvelles sur son PC avec des logiciels craqués. La version des factures ainsi modifiées mentionnait des quantités moindres que celles effectivement livrées. Moon adaptait les extraits de compte et après impression rangeait les nouveaux documents dans les classeurs. L'économat de la prison comptait ainsi plus de biens qu'il n'y paraissait dans sa comptabilité trafiquée. Il y avait donc un surplus qu'on pouvait ensuite écouler avec tout profit. Qui bénéficiait de ce business pour le moins lucratif ? Moon n'avait pas de vue exhaustive sur toute l'activité. Le colonel, évidemment, la directrice très probablement. Il devait y avoir également des complicités à l'économat et à l'extérieur pour écouler les biens qui n'étaient pas écoulés à la boutique. Il y avait également une contrôleuse de l'administration pénitentiaire qui venait tous les trois mois passer en revue les factures et les extraits de compte. Moon tremblait à chaque fois terrorisée à l'idée que l'inspectrice découvre le pot aux roses. Mais, celle-ci, tout sourire, se montrait, à chaque fois, très satisfaite des pièces produites par Moon. Sans doute, était-elle de mèche se confortait Moon. Mais le doute persistait et Moon réfrénait à grande peine sa nervosité à chacune de ses visites.

Moon culpabilisait d'œuvrer ainsi aux activités maffieuses de la police. Pendant que certains s'en mettaient ainsi plein les poches sur le compte de l'administration pénitentiaire, nombre de détenues vivaient dans des conditions misérables. Moon avait honte. Des flics véreux avaient trouvé en elle la petite main idéale, calfeutrée à l'abri de regards curieux, pour exécuter leurs sombres combines. Quoi de plus discret qu'un local isolé dans la prison, et quelle meilleure proie qu'une frêle jeune fille prête à tout pour jouir d'un peu de confort et retrouver plus vite sa liberté confisquée ? Mais, si elle éprouvait de la gêne, Moon se devait de la refouler sans vergogne. Dans la posture de survie qu'elle avait été contrainte d'adopter, elle ne pouvait se permettre le luxe d'une intégrité irréprochable. Le destin l'avait frappée durement et elle ne pouvait compter que sur la débrouille, et, sûrement pas dans un pays corrompu comme le sien, sur la droiture pour se frayer un chemin plus rapide vers la liberté.

Moon ne savait plus quoi penser au sujet de la directrice. Jusque-là, celle-ci lui avait paru droite et juste. Elle pouvait se montrer sévère et impitoyable, mais jamais sans fondement. Elle usait de son pouvoir sans excès et toujours à la seule fin de maintenir l'ordre. La directrice lui inspirait le respect pour son autorité naturelle et son sens de l'équité. Et que dire de son élégance, l'uniforme sans pli, cintré comme un justaucorps, les cheveux tirés en chignon dévoilant un visage maquillé avec mesure ? Oui, Moon admirait secrètement la directrice. Et voilà que maintenant, elle se rendait compte que cette femme de principe trempait dans une combine peu recommandable. C'était pour le moins choquant. L'icône tombait subitement de son piédestal. Moon aurait voulu lui demander une explication, lui poser la question, pour quelle raison se livrait-elle à ces malversations, elle qui paraissait si irréprochable à ses yeux ? Mais jamais Moon n'aurait l'impudence et l'audace de lui demander. Il valait mieux se taire et se faire à l'idée que toute personne a son côté obscur.

Le nouveau régime carcéral de Moon était tout bénéfice pour ses études. Le soir, dans son lit presque douillet, elle pouvait plus aisément se plonger dans ses syllabus. Ses collègues de chambrée, beaucoup plus âgées, ne la dérangeaient jamais. Certaines ne parlaient jamais et se contentaient de la regarder d'une moue curieuse. L'une d'entre elles avait cinquante-trois ans. Elle s'appelait Pla. Elle connaissait Yard Lao comme sa poche, car elle y résidait depuis plus de vingt ans déjà. Quand Moon lui demandait pourquoi elle était là, elle se contentait de répondre « *Loom*[45], *loom*… » Pla se disait amnésique. C'était peut-être vrai, mais étrangement, parfois, Pla retrouvait la mémoire.

— Pla est très triste aujourd'hui.

— Pourquoi es-tu triste, Pla ? demanda Moon.

— Mon amie Smuk est morte aujourd'hui… répondit dans un soupir. Elle était très malade. Une mauvaise maladie… ajouta-t-elle, ne pouvant réprimer une mine de dégoût.

— C'était une amie « du dehors » ?

— Non, je n'ai plus d'amies de là-bas depuis longtemps. Je l'ai rencontrée ici. Mais un jour, elle est tombée malade. Cela faisait longtemps qu'elle était faible. Elle a été emmenée à l'hôpital. Et à son retour, on l'a transférée à la section SIDA, Pla cracha ce dernier mot comme un juron. Depuis un an, elle ne sortait plus avec nous. Elle restait allongée sur sa couche. J'ai pu aller la voir la semaine passée. Je voyais bien que la fin était proche. Elle ne pouvait plus parler. Elle était devenue méconnaissable, si maigre, comme un squelette… Pauvre Smuk… Pla sanglotait entre deux mots.

Moon avait le cœur serré devant la détresse de Pla. Elle repensa à son séjour à l'infirmerie, il y a deux ans déjà. Pendant la nuit, elle avait ouvert la porte que l'infirmière avait omis de verrouiller. Elle avait fait quelques pas dans la pièce de la section SIDA sans s'en rendre compte. Elle avait alors vu les corps décharnés de femmes, certaines pas beaucoup plus âgées

---

[45] J'ai oublié, je ne me rappelle plus.

qu'elle. Elle n'oubliera jamais les regards atones de celles qui avaient dû être belles et si vivantes peu de temps auparavant.

À la mi-mars 2015, Moon passa ses examens. Tôt le matin, elle fut emmenée en fourgon cellulaire à l'université. Les menottes aux poignets, elle déambula dans les couloirs du bâtiment de l'université, accompagnée d'une gardienne. Honteuse, elle baissa constamment les yeux pour éviter tout regard. Arrivée dans un local, une assistante lui donna un stylo, le premier jeu de questions, ainsi qu'un formulaire de réponse. À sept heures trente, elle démarra son marathon, enchaînant les questionnaires. Elle passa ainsi ses huit examens d'affilée dans la journée, ne s'arrêtant que lors une pause de trente minutes pour grignoter quelques boulettes de riz gluant. À seize heures, elle reprit le chemin de la prison, épuisée et anxieuse.

Les résultats arrivèrent trois semaines plus tard. Moon ouvrit sans ciller la grande enveloppe brune. Chaque matin, elle avait prié pour sa réussite. La roue du destin allait-elle enfin tourner en sa faveur ? Sans peur, Moon sortit la lettre et commença à lire. Elle ne dut pas aller très loin, les mots magiques s'affichaient en grand au milieu de la lettre : « Certificat de réussite ». Moon bondit de joie et étreignit Poor qui était à ses côtés. Elle éprouva une vision furtive de sa vie d'après. Elle était assise dans un bureau éclairé par la lumière filtrée des stores aux fenêtres. Elle portait un tailleur élégant. Devant elle, des graphiques dansaient sur l'écran du Mac allumé. Un collaborateur attendait ses instructions debout derrière le bureau. Une voix tranchante sortit Moon de sa rêverie.

— Et alors, Moon ? Vous avez vos résultats ?

— Oui, oui, madame la Directrice, j'ai réussi ! s'exclama Moon.

— Ça ne m'étonne pas !

— Je voudrais vous remercier. C'est grâce à vous que...

— Il n'y a pas à remercier qui que ce soit. Ce diplôme, tu ne le dois qu'à toi-même, coupa sèchement la directrice, laissant Moon bouche bée.

Un mois plus tard, la directrice vint la trouver dans son bureau. « Le colonel veut vous voir. Maintenant ! » Moon se leva d'un bond de sa chaise et suivit prestement la directrice. Tout en déambulant à travers les couloirs, elle s'interrogeait sur la raison de sa convocation. Avait-elle commis une erreur dans les factures ou les extraits de compte ? C'était peu probable, tant elle était concentrée quand elle falsifiait les documents. Peut-être quelqu'un de haut placé dans la police, plus haut encore que le colonel, avait-il éventé la combine ? Et alors, elle serait jugée complice et verrait sa peine allongée. La tête pleine d'idées noires, Moon entra en courbant l'échine dans le bureau du colonel. Le sino-thaï, toujours aussi impeccablement sanglé dans son uniforme, l'attendait assis devant son bureau. Il arborait son sourire, mi-cruel, mi-charmeur.

— Asseyez-vous !

— Merci, répondit timidement Moon.

— Tout d'abord, je voudrais que vous me juriez encore de tenir le secret sur nos petites activités.

— Oui, je vous le jure, je n'ai rien dit à personne, jamais.

— Et vous ne direz jamais rien ?

— Non, même quand je sortirai d'ici. Promis.

— Bien, dans ce cas, j'ai une bonne nouvelle à vous annoncer. Sur ma proposition, le juge a décidé de vous libérer de façon anticipée pour bonne conduite à la fin de vos trois années de détention, vous sortirez libre dans un mois le trois juin prochain.

Moon n'en croyait pas ses oreilles ! Libre dans un mois !

— Merci, merci, bredouilla-t-elle, les yeux embrumés par les larmes naissantes.

— Ne me remerciez pas. Vous avez bien travaillé. Nous avons tenu notre promesse. Mais n'oubliez jamais. Si un jour nous apprenons que vous avez parlé à quelqu'un, nous vous retrouverons où que vous soyez.

La directrice la raccompagna à son bureau. Les mots « libre, libre, libre » rebondissaient dans sa tête. Moon marchait comme un automate. Elle retourna machinalement s'asseoir à son bureau sans un mot. La directrice la regarda et s'apprêta à quitter la pièce, quand soudain, elle se ravisa et s'adressa à Moon d'une voix douce, si peu ordinaire pour elle.

— Je voudrais te dire quelque chose, Moon.

— Oui, madame la Directrice.

— Tu peux m'appeler Som, maintenant que tu es presque libre.

— Oui, madame la Directrice, heu Som.

— J'ai pu lire dans tes yeux des reproches. Ton regard a changé depuis que tu fais ce job pour nous.

— Oui, c'est vrai. Je me demandais comment… pourquoi… vous… Moon cherchait ses mots laborieusement.

— Pourquoi moi, la directrice, je participe à ces détournements ? Moi qui, en tant que fonctionnaire de justice, devrais être exemplaire à tout égard ? C'est bien cela ? la directrice montait le ton imperceptiblement.

Moon sentait le malaise couver sous les questions comme si elle se les posait à elle-même. Moon préféra ne pas répondre de crainte de souffler sur braises de rancœur de la directrice.

Devant le silence de Moon, la directrice poursuivit : « Oui, c'est vrai que je devrais être irréprochable. Je l'ai été pendant longtemps. Cela fait maintenant près de quinze ans que je travaille à Yard Lao. J'ai débuté dans notre centre comme simple surveillante. Dès le départ, je me suis efforcée de maintenir l'ordre et la discipline tout en veillant à rester juste. Je peux être sévère, mais je me suis toujours employée à être impartiale. »

Moon opina du regard : « Mais je ne suis ni idiote ni aveugle. J'avais bien remarqué que le colonel portait une montre *Patek*, roulait en BMW, postait des photos de vacances dans de chics hôtels… Je me demandais comment cela était possible. Avec son seul salaire de la police, il ne pouvait se mettre un tel luxe. Son salaire était sans doute plus élevé que le mien, mais quand même, cela n'expliquait pas son train de vie. J'allais rapidement comprendre. Il prit la peine de lui-même m'expliquer sans que je lui demande. J'avais à ce moment posé ma candidature pour le poste de directrice. J'avais de bons états de service et j'étais confiante d'obtenir le poste. J'allais ainsi gagner près de trente mille baths par mois. Le colonel m'invita dans son bureau. Il m'expliqua tout d'abord que j'étais la meilleure candidate pour le poste. Mais en même temps, il me fit vite comprendre qu'une fois nommée, je devrais fermer les yeux sur certaines choses. En clair, je devrais couvrir leurs trafics. En récompense de ma coopération, je recevrais une gratification non officielle pour services rendus. Je refusai net. Et une autre fut nommée ! Il me fallait alors attendre patiemment qu'un autre poste de directrice se libérât à nouveau. J'ai donc eu tout le loisir de réfléchir. Ma fille allait entrer à l'université. Mon mari m'avait quitté pour une autre, plus jeune. J'ai fait mes comptes et tiré la conclusion qui s'imposait. Quand, enfin après cinq ans, le poste de directrice du bloc 2 fut déclaré vacant, j'ai bien sûr postulé à nouveau. Et quand j'ai pénétré dans le bureau du colonel, d'entrée de jeu, je lui ai dit que j'acceptais ses conditions. J'avais besoin de ce poste et de l'augmentation qui allait de pair. » Après ce long monologue, la directrice fit une pause. Moon ne savait que dire. Elle se contenta de hocher la tête. La voix voilée, la directrice reprit alors. « Il ne se passe pas un jour sans que la honte me monte au visage. Tous les jours, je prie Bouddha qu'il me pardonne d'avoir enfreint son enseignement. Mais je ne peux pas faire marche arrière maintenant. J'ai besoin de cet argent. »

La directrice s'interrompit à nouveau. Un silence pesant s'installa, à peine troublé par le ronronnement du climatiseur.

— Qui d'autre est au courant ? se risqua enfin à demander Moon après quelques minutes.

— La contrôleuse de l'administration, tu l'as rencontrée, et bien sûr le supérieur du colonel. Toute la hiérarchie couvre le manège et touche sa commission au passage. Moi la première… Honte à moi !

— Vous n'aviez pas le choix, dit Moon qui sentait la directrice au bord des larmes.

— On a toujours le choix. Mais dans notre bien aimé royaume, certains ont plus le choix que d'autres. Dès que tu possèdes une parcelle de pouvoir, la tentation est grande d'en abuser. Et le mauvais exemple vient toujours d'en haut. Regarde nos politiciens, qu'ils se disent rouges ou jaunes, leur vraie couleur, c'est celle de l'argent. C'est un système infernal gangréné des pieds à la tête. Un jour, j'ai demandé au colonel comment cette idée perverse lui était venue de trafiquer les factures de la prison. Il m'a répondu qu'il n'avait pas eu le choix, lui aussi avait besoin d'argent. Il m'a expliqué qu'il avait emprunté pour obtenir le poste. Il a en effet dû payer cinq cent mille baths à son chef en échange de sa nomination. Ils se tiennent tous de haut en bas.

— Je comprends, dit Moon. Et je suppose que me libérer anticipativement fait partie du plan. Le colonel achète ainsi mon silence. Comment oserais-je après le dénoncer ? C'est très malin de sa part !

— Méfie-toi du colonel ! Cet homme est mauvais. Si un jour par malheur, tu devais le rencontrer à nouveau, prends tes jambes à ton cou et fuis ! la directrice leva le bras et posa le doigt sur sa montre. Le jour de ma nomination, il m'a offert cette montre Dior comme pour sceller notre pacte abject. Au début, je refusais de la porter, mais je m'y suis finalement résolue afin de ne jamais oublier mon infamie.

Ce soir, le 2 juin 2015, Moon va passer sa dernière nuit en prison. Demain à la même heure, elle sera libre, elle sortira de la maison familiale, ira s'asseoir sur le banc en face et elle pourra enfin contempler la pleine lune qui brillera pour elle dans le ciel siamois.

Ce soir, après 1095 jours de détention, elle savoure sa force et célèbre son instinct triomphant de battante. On l'a accusée à tort, trahie, condamnée, enfermée, frappée, jetée à terre, blessée... Elle portera à jamais cette cicatrice à son cou, stigmate de son passé carcéral. Mais elle a pu se relever, se battre et saisir la chance qui se présentait à elle.

Demain, après avoir salué Poor, Piw, Dan, Pla, ces compagnes d'infortune, elle retrouvera sa famille. Elle remerciera ses parents. Durant ces trois années, ils l'ont soutenue sans relâche durant ces trois années, lui prodiguant affection et réconfort. Ils ont aussi délié les cordons de la bourse pour la soulager quelque peu de la dureté du régime carcéral. À l'opposé, elle anticipe avec non sans anxiété les retrouvailles avec son frère dont elle a eu peu de nouvelles pendant son emprisonnement.

Demain, une nouvelle vie commence. Elle n'est plus la même Moon qu'il y a trois ans. Beaucoup de larmes ont coulé sur ses joues durant ces années. Mais elle s'est fortifiée. Elle s'est grandie. Elle a réussi à gagner sa place dans la jungle hostile de la prison. Elle s'est construit une amitié éternelle avec Bee. Elle a décroché son diplôme, sésame pour une vie nouvelle. Non, ce n'est plus la même Moon. C'est une Moon qui a faim de vie et de liberté. Elle veut du bonheur et un avenir. Elle n'est plus une adolescente insouciante. Elle est désormais une femme. Et cette femme est avide de revanche sur la vie et sur les hommes.

IV
Le Conseil de Koh-Lanta

15 janvier 2016

Dernier jour, ultime dîner à la belle étoile sous la pleine lune.

Le bourdonnement des grillons rivalise avec le murmure des vagues. Des langoustes, des crevettes et des calamars cuits rôtissent sur le barbecue. S'en exhale un fumet odorant qui, s'en va, nonchalamment porté par la bise marine, aiguiser les appétits. À la lumière famélique des loupiottes posées sur les tables on devine, ci et là, les ombres des convives chuchotant entre eux, pour ne pas troubler la sérénité paisible du lieu. Le restaurant ne compte qu'une poignée de tables alignées sur le mince filet de plage. La douceur de la nuit chasse la touffeur de la journée. Elle apporte le réconfort aux corps échauffés par le soleil qui a régné, sans partage avec des nuages, toute la journée durant.

Mario savoure ses ultimes moments sur l'île de Koh Muk posée en mer d'Andaman. Son séjour en Thaïlande se termine ce soir. Depuis tant d'années, il rêvait de venir en Asie, mais il n'avait jamais pu convaincre un proche de l'accompagner dans ce long périple. Sûrement pas Benoît, trop casanier pour quitter l'Occident. Jusque-là, il avait toujours rechigné à entreprendre seul un si lointain voyage. Pourtant, un jour de novembre 2015 plombé par la grisaille belge, Mario s'était arrêté devant la vitrine d'une agence de voyages. Il avait pris alors sa décision en quelques secondes en découvrant dans la devanture une affichette « Voyage-découverte du royaume du Siam ». Il était entré dans l'agence. Il s'était quand même enquis des risques éventuels de partir en Thaïlande après le coup d'État de l'année précédente. « Il n'y a aucun danger, monsieur, au contraire c'est une bonne chose, les militaires veillent à la sécurité des touristes », lui avait répondu l'employée de l'agence, un grand sourire aux lèvres. Rassuré, il avait réservé son voyage du 2 au 16 janvier. Il voyagerait donc seul, façon idéale de se dépayser et de faire de belles rencontres, s'était-il dit pour s'encourager. Il fermerait son magasin de disques une quinzaine de jours. De toute façon, les ventes de disques ne faisaient que péricliter sous les assauts du numérique. *Napster* avait tiré une première salve, *iTunes* lancé la charge et *Spotify* sonné l'hallali des disquaires. Mario conservait à grand-peine un cercle de clients irréductibles, comme Benoît. C'était au magasin qu'ils s'étaient d'ailleurs connus.

Tout en triturant sa langouste, Mario se remémore leur première rencontre. C'était le soir du 31 décembre 1999, il y a seize ans déjà. Un homme, en costume cravate, était entré dans son magasin. Mario pesta intérieurement, car il était l'heure de fermer. Il devait passer chez lui se changer pour aller célébrer le réveillon de nouvelle année aux Jeux, une boîte bien connue des fêtards bruxellois plutôt comme il faut. Pas vraiment son style, mais il y avait surtout rendez-vous avec une appétissante et prometteuse blonde, Déborah, de quoi bien étrenner le nouveau siècle. L'homme s'approcha du comptoir, hésitant. Mario imagina le client cherchant un cadeau à la dernière minute, un présent passe-partout qui n'incommode personne (et sans doute facilement négociable sur *eBay*). Mario allait lui balancer prestement *Notre-Dame de Paris* ou éventuellement le dernier Johnny, *Sang pour Sang* et filer illico chez lui prendre sa douche.

— Comment puis-je vous aider, monsieur ? avait susurré Mario de sa voix la plus suave possible. En y pensant aujourd'hui, il en rit encore. Il est bien loin le temps où Benoît et lui s'entretenaient d'un ton châtié.

— Écoutez, avait dit l'homme d'une voix peu assurée, voilà je sors d'une relation qui a mangé dix années de ma vie.

— Ah, désolé ! avait répondu Mario, masquant difficilement son impatience.

— Merci. Une rupture, c'est toujours compliqué. Surtout après une décennie. Je voudrais rebondir.

— Voilà une bonne résolution, en effet. Et donc vous avez envie d'acheter un bon disque qui va vous mettre de bonne humeur ? Comme, par exemple, *Panique celtique* de Manau ou le dernier de Céline Dion ?

— Céline Dion ? Ha haha, non quand même, ai-je l'air si désespéré que cela ?

— Je ne sais pas, dit Mario perdant patience. Dites-moi plutôt comment je peux vous aider.

— Voilà j'y viens. Aujourd'hui une décennie s'achève. Et il faut que je vous explique. J'ai été de longues années un vrai fan de musique rock. Je connaissais tous les groupes, je pouvais dire qui jouait de la basse sur tel morceau, j'achetais tous les vinyles

les officiels et les pirates. Et je ne parle pas d'hier. Mon premier 45 tours, c'était le dernier des Beatles...

— *Get Back,* 1970 ! s'exclama Mario avec l'enthousiasme d'un candidat à un jeu télévisé.

— Et mon premier album 33 tours, Led Zeppelin IV.

— Une face A d'anthologie ! *Black Dog, Rock and Roll* et *Stairway for heaven* !

— J'ai arpenté les festivals, Bilzen, Reading, Werchter... Bref, le rock, c'était ma vie. Je m'assoupissais avec les mélopées symphoniques de Barclay James Harvest et me réveillais avec un hymne spasmodique de Clash.

Cet étrange énergumène me plaît, pensa Mario, mais le temps passait et il devenait grand temps de conclure avant de filer se préparer pour la nuit de la Saint-Sylvestre.

— Écoutez, monsieur, vous m'êtes très sympathique. Cela me plairait de nous revoir autour d'une bière pour parler musique, mais...

— Oui, avec plaisir, mais laissez-moi vous expliquer pourquoi je suis ici. Le 1er janvier 1990, j'ai donc rencontré la femme que je vais aimer pendant dix ans et qui me donnera un enfant, un garçon. Je vous épargne les détails.

— Si vous le voulez bien, il va falloir que je ferme le magasin.

— Attendez voilà je viens aux faits. Il se fait que cette femme, belle et intelligente, souffrait de mélomanie ! Vous comprenez ?

— Ah, un cancer de la peau... Je suis vraiment désolé...

— Vous n'y êtes pas ! Mélomanie, pas mélanome ! Un amour passionné de la musique. Mon épouse était atteinte de mélomanie aiguë, intransigeante, intolérante, radicale… À un point que vous ne soupçonnez pas. Seul le classique avait droit de cité chez nous. Tout autre genre musical était banni, le rock honni, la pop haïe. Au début de notre couple, j'ai bien opposé quelque résistance. Je glissais malicieusement Elton John sur la platine, ou je montais imperceptiblement le volume de l'autoradio quand *Eleanor Rigby* passait ou, jouant sur les mots, je tentais ma chance avec *Bohemian Rapshody,* mais à chaque fois le résultat était le même. Mon épouse haussait les yeux au ciel, poussait une diatribe à l'encontre de ces diarrhées sonores et, tout en maudissant ces bruyants barbares partait s'enfermer dans sa chambre sous prétexte d'une migraine soudaine et irrépressible. Pour l'harmonie de notre couple, je n'eus dès lors d'autre choix que de me soumettre. J'ai donc consenti à l'exil musical au nom de la paix du ménage… Benoît avait terminé sa tirade en posant ses grands yeux tristes sur Mario à la recherche de compassion.

— Intéressant, mais dites, je vois qu'il est maintenant dix-huit heures. Je peux vous inviter à repasser le 2 janvier pour continuer cette passionnante conversation ? avait répondu Mario, regrettant aussitôt le ton ironique de sa voix.

— Pas la peine, j'ai quasi fini mon histoire. La défunte décennie ne fut donc pour moi que rapsodie, concerto, oratorio, menuet et sonate. Bref, j'ai zappé toute la musique rock des années nonante.

— Ah dommage, il y a eu quelques perles quand même.

— D'où ma présence dans votre magasin !

Le visage de Benoît s'éclaira :

— Dites-moi quels sont les disques marquants des années nonante, je vous les prends tous. Je viens d'acheter une platine laser et je vais passer mon réveillon à écouter tout cela avec un casier de *Westvleteren 12*[46] ! Vous connaissez cette bière ? La meilleure bière du monde ! J'ai patienté dans la file pendant plus de trois heures à l'abbaye pour m'en procurer cet après-midi ! Ah oui, on ne s'est pas présenté, je m'appelle Benoît Grivois.

— Enchanté, moi, c'est Mario, Mario Carto.

La suite s'était déroulée de façon assez improbable. Père Noël, avec quelques jours de retard, avait apporté à Mario le client de rêve. Non pas pour la jolie recette qu'il allait encaisser – Benoît lui achetait une bonne cinquantaine de CD – mais pour le plaisir de faire découvrir. Généralement, les clients venaient le voir avec déjà des idées précises sur ce qu'ils voulaient. Son rôle à lui se restreignait à deviner le titre ou le groupe que le client s'esquintait à balbutier dans un anglais hésitant. Mais ici, ce drôle de zèbre lui plaisait. Il venait avec une histoire et une page blanche musicale à écrire. Mario ignorait si cela existait, mais il éprouva comme un coup de foudre en amitié.

Mario avait saisi un vieux carton dans son arrière-salle et y mit tous les disques de la décennie qu'il considérait comme indispensables.

« Vous allez passer un bon réveillon avec tout cela, lui dit-il. Je vous envie presque ».

Benoît prit la caisse sous son bras et se dirigea vers la porte du magasin, l'ouvrit, mis un pied dehors et, la main encore sur la poignée, tout d'un coup se retourna vers Mario et lui lança :

« Si vous n'avez rien de prévu ce soir, ça vous dirait d'écouter tout cela ensemble ? »

---

[46] Bière trappiste de renommée mondiale produite dans l'abbaye cistercienne de Westvleteren en Flandre occidentale. Les amateurs ne peuvent s'en procurer qu'à l'abbaye sur rendez-vous et en quantité limitée.

Mario avait passé le meilleur réveillon de sa vie, ce soir-là, dans le penthouse de Benoît, perché dans la commune cossue d'Uccle. Ce n'était sans doute pas un menu de fête traditionnel, mais l'assortiment de fromages d'abbayes de Chimay, d'Aulne, d'Orval et de Boulette, accompagnés d'un pain d'épeautre fait maison ou encore un pâté gaumais se mariait avec bonheur avec la Westvleteren. Il s'étaient raconté leur histoire, Mario, son adolescence mouvementée à Molenbeek, les quatre cents coups, l'école buissonnière, les filles, la drogue, sa condamnation, le magasin de disques, mais aussi le goût de la cuisine italienne et le talent culinaire que son père lui avait légués... et Benoît, sa jeunesse studieuse, à Uccle, son père banquier et sa mère à la maison, sa carrière d'avocat d'affaires... Ils avaient bien sûr parlé beaucoup de leur moteur dans la vie, les femmes. Mais ils avaient surtout écouté la musique, dansé en mimant les riffs de guitare, repris en chœur les refrains. Mario avait commencé fort avec *Midlife Crisis* (ℂ) ! Au premier riff, Benoît avait fait mine de gifler une basse, tandis que Mario percutait une batterie imaginaire. Ils avaient enchaîné avec Rage against the Machine, les Red Hot Chilli Peppers, Guns 'n Roses et Mettalica. Le moment était alors venu pour la claque Nirvana, juste avant minuit... Une pause pop aux douze coups avec *Millenium* (ℂ) pour célébrer le nouveau millénaire. La coupe de *Westvleteren* jurait quelque peu avec la tarte au sucre de Chaumont-Gistoux, mais qu'importe ! Ils continuèrent allegro ma non troppo avec R.E.M. et Radiohead. On accéléra à nouveau avec les Breeders, Offspring, Stone Roses, Primal Scream... Puis ce fut le moment de refaire la guerre Oasis vs Blur ! Il était alors devenu temps pour Mario de glisser dans le tiroir du lecteur de CD les disques que Benoît avait rechigné à acheter. Mario lui avait dit d'un ton péremptoire : « La dernière décennie du millénaire, c'est assez simple à résumer ! Il y a eu le coup de poing étourdissant et désespéré du *Grunge*, le chant du cygne du *Rock* et la conquête hégémonique de la galaxie *Rap, Hip-Hop, Électro* ».

Benoît avait grondé : « Ah non ! Toutes les années 90, mais pas du *Rap* ou du *Hip-Hop*, appelle cela comme tu veux ! Une musique de bâtard, en fait, même pas de la musique, juste un mec, la casquette de travers, qui débite des mots sur une mélodie plagiée ! »

Mario inséra le CD dans le tiroir du lecteur et le *beat* de *California Love* (©) démarra. « Écoute, dit Mario, 2pac, c'était vraiment le meilleur dans le genre, parti trop tôt au paradis ou l'enfer des rappeurs... » Benoît n'offrit pas de résistance. Il raconta à Mario son année de droit passée à UCLA et comment il était passé à côté d'une carrière internationale à cause de son caractère casanier. Plus tard, le Rubicon musical fut franchi vers le *Trip-Hop* avec Massive Attack et DJ Shadow. Benoît était comme envoûté tant par le tempo hypnotique que par l'accumulation de *Westvleteren* à dix degrés... 7 heures du matin, l'aube allait se pointer. Les deux hommes n'avaient pas vu la nuit passer. Mario n'avait pas daigné décrocher son téléphone pour répondre aux appels de Déborah. Il trouverait bien une explication pour son faux bond. De toute façon, pas de regret ! Il venait de passer le meilleur réveillon de sa vie. Benoît baignait dans le bonheur. Il avait rattrapé dix ans de musique et gagné un nouvel ami. Il était temps maintenant d'atterrir en douceur dans les brumes de l'alcool et de terminer leur voyage musical. Pour célébrer la lumière du jour, Mario glissa dans le lecteur *The Day Brings* (©). La nuit s'achevait sur une note mélancolique. Après avoir échangé des heures durant sur la musique, le foot et la bière, Benoît avait éprouvé le besoin de s'épancher sur sa vie sentimentale :

— Je ne crois pas que je retrouverai l'amour un jour… Cela me rend triste, car j'ai envie de connaître à nouveau cet émerveillement, avait-il confié d'une voix pâteuse.

— Moi, je n'ai jamais cherché l'amour. Peut-être que je passe à côté de quelque chose. Mais en tout cas, je suis très heureux ainsi, avec mes liaisons éphémères, mes coups d'un soir et mes *sex-friends*. L'amour, c'est une illusion qu'on se crée pendant un moment. Après, vient toujours le temps de la désillusion, avait répliqué Mario avec conviction.

Déjà quinze ans de passé depuis cette nuit de Nouvel An, songe Mario. Malgré leur différence, leur amitié est restée indéfectible au fil des années. Le désenchantement de Benoît l'agace parfois. À son tour, Benoît le qualifie de temps à autre d'éternel adolescent immature. Mais tous deux s'apportent mutuellement ce que leur cercle d'amis respectifs peine à leur procurer. De l'enthousiasme inaltérable pour Benoît et de la sagesse persistante pour Mario. Ils ont pris le pli de retrouver tous les jeudis soir autour d'une bière et s'appellent comme des métronomes tous les matins vers huit heures trente, Benoît de sa voiture sur la route du travail et Mario, d'un petit bar où il prend ses quartiers pour déguster un *caffè macchiato*. Mario ne regrette finalement qu'une chose, que Benoît, son ami sédentaire ne lui ait jamais fait le plaisir de l'accompagner dans un grand voyage vers l'Orient.

Mario est, depuis longue date, fasciné par l'Asie du Sud-Est. C'est même sa deuxième passion après la musique. Jusqu'à présent, il ne l'avait vécue que de façon romanesque au travers de sa bibliothèque. Il avait dévoré tous les livres, peu importe la trame, qui avaient pour théâtre l'Indochine, le Siam ou l'Empire du Milieu. Ses auteurs favoris allaient de Lucien Bodart, le fils du consul, à Jean Larteguy, le baroudeur. Peu lui importait le style. Il prisait ces histoires de Français pris dans les sortilèges indochinois. Beaucoup n'avaient pu s'en dépêtrer. Leur sort pouvait être différent, parfois combattant désespérés à Diên Biên Phu ou plus tard devenus mercenaires pour des causes perdues ou innommables, hommes d'affaires aventuriers, fonctionnaires insignifiants sous les tropiques, mais toujours ensorcelés, incapables de retourner à la métropole, pris au piège de l'opium et des femmes indochinoises. Ils avaient mué en « asiates ». Comme ensorcelés par la torpeur de la vie locale, ils étaient devenus inaptes au mode de vie occidental. Leur destin fascinait Mario. À un moment ou un autre, ces hommes finissaient « encongaïés[47] ». Ils ne pouvaient échapper au charme inextricable de la femme asiatique, qui par son alchimie arrivait à asservir ces hommes. In fine, ces hommes mourraient ruinés et cocus, mais parfois heureux. Mario lisait beaucoup. C'était sa façon, pensait-il, de pallier son parcours chaotique à l'école. Il avait foiré sa scolarité. Ses parents, souvent en bisbille, n'avaient pas trouvé les mots pour le maintenir sur le droit chemin de l'écolier modèle. Il le regrettait maintenant. Surtout en compagnie de Benoît qui avait parfois le don, lors de leurs discussions, de lui rappeler fortuitement que, lui, était universitaire. Le père de Mario avait tant espéré voir son fils entreprendre des études universitaires et devenir, au choix, avocat, médecin ou ingénieur. Lui-même immigré italien en Belgique, n'avait pas eu cette chance. Cela ne l'avait pas empêché de réussir sa vie, du moins au niveau professionnel. Il avait ouvert une pizzeria dans la banlieue nord de Bruxelles, qui à l'époque ne désemplissait pas. Il avait dû se faire une raison

---

[47] Congaï signifie concubine, en vietnamien.

118

concernant son fils : la musique était plus dans ses cordes que le droit, la médecine ou les mathématiques. Ses deux parents avaient disparu tragiquement lors d'un braquage de leur restaurant. Depuis lors, Mario cachait une arme sous le tiroir-caisse de son magasin. Il n'avait pas envie de mourir abattu comme un chien si pareille mésaventure devait survenir.

Engoncé dans son fauteuil en osier enfoncé dans le sable, Mario avale une gorgée de l'insipide bière locale, la *Chang*. Ah, s'il y avait une chose qui lui avait manqué durant son périple, c'étaient bien les bières belges ! Ici, il devait se contenter du quatuor fadasse de bières locales, *Chang*, *Leo*, *Thaiger* et *Singha*, et de l'inévitable bière du monde globalisé, la *Heineken*. Il contemple, pensif, la mer qui, avec la tombée de la nuit, a délaissé sa couleur turquoise pour l'encre de Chine. Demain à l'aube, il entamera son long périple de retour vers la Belgique. Il va quitter ce petit paradis, mais sans tristesse aucune, car maintenant il sait qu'il reviendra. Mais cette fois avec un billet aller simple. Ce soir, sur la plage d'Ao Nang, il célèbre sa décision et jubile de l'impulsion nouvelle qu'il donnera à son existence.

Il faudra qu'il explique tout cela à Benoît à son retour. Il bout d'impatience de partager cela. Son ami ne va sûrement pas comprendre sa soudaine décision, lui qui, éloigné de cent kilomètres de Bruxelles, ressent déjà les premiers symptômes du mal du pays. Benoît va lui opposer un arsenal d'arguments bien rationnels et de clichés comme « l'herbe paraît toujours plus verte ailleurs ». Pour sûr, Benoît ne comprendra pas l'inflexion qu'il veut donner à sa vie.

Le tournant de son voyage fut sa rencontre avec Yohan sur l'île de Koh Lanta. Mais avant cela, il avait fait la tournée des grands classiques du nord de la Thaïlande, Chiang Mai, Chiang Rai et Mae Hong Son. Il avait ensuite séjourné quelques jours à Bangkok. La ville l'avait séduit par son énergie et ses contrastes, plutôt que par son intérêt culturel proprement dit. Bangkok grouillait, fourmillait, ne dormait jamais, offrant, ad libitum, jour et nuit, les distractions les plus variées, shopping, bars, restaurants, spectacles... Et quand le visiteur gavé, saoulé, saturé, voulait fuir ces plaisirs serviles, il lui suffisait d'errer quelque peu et de se perdre dans un soï[48], de marcher quelques minutes pour trouver à son grand étonnement, le calme d'un quartier où le temps semblait s'être arrêté depuis des années. Au détour d'un khlong[49], on pouvait voir des varans paresser à l'ombre des cabanes sur pilotis apprêtées en habitation d'infortune de citadins vivant toujours comme des villageois.

Pendant ses trois soirées à Bangkok, il n'avait pu éviter de fréquenter un bar à filles. Là, il avait été choqué par la crudité de la nudité des beautés ainsi exposées. Étrangement, il n'avait pas consommé de chair. À chaque fois, il avait essayé d'attirer le regard d'une jeune danseuse du bar. Celle-ci portait un médaillon accroché au poignet affichant le numéro 69. Elle lui plaisait beaucoup, mais en vain, la fille, ondulant lascivement son corps sur le rythme martelé de *Zombie* (©), s'était toujours dérobée à ses avances pour une raison qui lui restait inconnue.

Après son escale à Bangkok, Mario était enfin descendu dans le sud. Il avait pris un hôtel à Krabi et de là, il avait rayonné à

---

[48] Rue latérale perpendiculaire à une grande avenue.
[49] Canal.

travers les îles, toutes plus paradisiaques les unes que les autres. Quel bonheur de nager entre les poissons multicolores dans une eau cristalline, et puis de s'allonger sur le sable satiné ! Et c'est au cours d'une excursion en mer qu'il avait rencontré Yohan, un Français qui tenait une école de plongée sur Koh Lanta. Les deux hommes avaient sympathisé. Âgé d'une cinquante d'années, Yohan avait beaucoup bourlingué. Originaire de Toulouse, il avait d'abord travaillé chez Airbus et était devenu ensuite pilote d'avion. Il avait alors séjourné près de deux ans en Belgique. Il gardait un souvenir amusé des expressions belges et encore maintenant il ne manquait pas une occasion de les balancer au détour d'une conversation avec des clients belges. Il avait ensuite roulé sa bosse en Afrique avant de piloter en Asie, au Cambodge et finalement en Thaïlande. Il avait fait la connaissance d'une Thaïlandaise à Krabi, station balnéaire du Sud et avait eu l'envie de se poser avec elle. Disposant d'un brevet de moniteur de plongée, il avait dit adieu aux avions. Il avait troqué le bleu azuré pour le vert émeraude comme il disait. Il s'était installé à Koh Lanta pour proposer aux vacanciers des excursions en mer. Yohan avait le physique de l'emploi. On pouvait l'imaginer, dans une vie antérieure, boucanier, corsaire, flibustier des îles, tatoué, le visage buriné par le soleil, raviné par le sel marin, bandana flottant au vent…

Un soir, Yohan et Mario s'étaient retrouvés sur la plage de Koh Lanta. Non loin d'eux, de jeunes Thaïs étaient assis avec leurs guitares autour d'un feu de bois. On pouvait les entendre jouer avec passion *Som Sarn* de leur héros Sek Loso (©). D'une voix douce qui contrastait avec son physique de baroudeur, Yohan avait expliqué son parcours à Benoît :

— À un certain moment, j'ai compris que je pouvais plus continuer comme cela. Pilote d'avion, c'est un super métier. Les sensations que tu éprouves quand l'avion s'arrache du sol, la griserie de se retrouver aux commandes du zinc en plein ciel, la fierté que tu ressens d'avoir sous ta responsabilité la vie de centaines de personnes, le respect que tu lis dans les yeux des gens, oui, tout cela, est incomparable ! Et en plus, ici en Asie, avec le boom du développement aérien chinois, les pilotes sont des denrées rares grassement rémunérées ! Mais un jour, j'ai ressenti une énorme lassitude. J'ai eu envie de rester au sol, de me planter dans la terre, d'arrêter de bouger, de parcourir des milliers de kilomètres, avec en fin de journée, pour seul horizon l'écran plat de ma chambre d'hôtel. J'avais alors rencontré ma compagne depuis six mois et je n'arrivais plus à me contenter de la voir uniquement pendant mes jours de congé. J'ai donc pris une décision irrévocable. J'ai envoyé ma lettre de démission à la compagnie et je me suis installé avec elle à Krabi. J'ai vécu ainsi près d'un an, tranquille, me la coulant douce. Le coût de la vie n'est pas très élevé ici et je disposais des ressources financières suffisantes pour me permettre une année sabbatique. J'ai vendu l'appartement dont je disposais encore à Toulouse. Et après les airs, la terre, c'est finalement la mer qui m'a séduit. On s'est installé avec Nan, ma compagne, sur Koh Lanta. Cela fait cinq ans que je suis ici. Je ne l'ai jamais regretté. Bien sûr, il faut se lever à l'aube, bosser, préparer le matériel, s'occuper des clients… Mais j'ai trouvé sur cette île mon paradis. Tous les matins, je regarde l'océan s'étirant sans fin, la brume enveloppant les îles environnantes, les pêcheurs déchargeant les poissons… Tout cela m'apaise après des années de stress et de vie trépidante. En Occident, on vit sur des apparences, celles que l'on crée pour les autres et celles que les autres créent pour nous.

Évidemment, mes rentrées financières ont fortement baissé, mais ici, le prix du bonheur reste abordable... Et toi, où en es-tu ? As-tu trouvé le bonheur ou le cherches-tu encore ?

La question, abruptement posée sur un ton devenu plus grave, surprit Mario. Était-il heureux ? Il ne s'était jamais vraiment posé la question. Il se prépara à répondre « je ne peux pas me plaindre ». Mais dans sa tête, ces mots sonnèrent si creux qu'il préféra réfléchir quelques secondes avant de s'exprimer. S'il analysait les choses froidement, lucidement, courageusement, il devait bien constater que sa jauge de bonheur baissait dangereusement. Après ses conneries et la drogue, il s'était remis dans la bonne direction. Il avait ouvert son magasin de disques et cela avait bien fonctionné. Il aimait son métier et les clients, comme Benoît d'ailleurs, le sentaient. Mais les temps avaient changé. La musique digitale avait sonné le glas des disquaires. Son magasin périclitait. Seul, son héritage lui permettait de tenir artificiellement le coup. Et puis, il y avait les femmes. Si, devant Benoît, il crânait encore fièrement, s'inventant des conquêtes, il devait confesser que celles-ci se raréfiaient. Les effets de l'âge commençaient à se faire sentir. Mario n'était plus le sémillant Don Juan de jadis. Il avait perdu de sa pétulance. Il regrettait maintenant la peur maladive qui l'avait empêché de s'engager avec les femmes qu'il avait aimées, et puis délaissées pris de la peur panique de s'engager. Ces femmes l'aimaient et auraient pu le rendre heureux, mais à chaque fois, il avait pris la porte de sortie. Jamais, il n'avait avoué cela à Benoît, préférant adopter la posture de grand séducteur inébranlable. Il éprouvait à présent une sensation d'échec professionnel et de vide affectif. Là sur la plage de Koh Lanta, Mario sentit ses barrières tomber et se mit à raconter crûment à Yohan ce qu'il ressentait. Yohan l'écouta longuement s'épancher sans l'interrompre. Quand Mario eut terminé son monologue, Yohan reprit la parole.

— Écoute, je vois que tu as établi lucidement les constats importants sur ta vie. Ne nourris pas de regrets. C'est une perte de temps. *Y a pas d'avance*[50], comme vous dites en Belgique !

Mario ne peut s'empêcher de sourire à l'évocation de cette expression bien belge prononcée avec l'accent adéquat.

— Concentre-toi plutôt sur ce que tu veux faire maintenant. Une nouvelle vie peut commencer. Imagine-toi comment tu pourrais être heureux. Je me suis posé cette même question, bien que mon contexte fût différent à l'époque... Mais j'ai trouvé ici tous les ingrédients du bonheur. Le soleil, la mer, le sourire des gens, une vie rythmée par la nature...

— Oui, ça me parle bien sûr... J'avoue que j'ai un tant soit peu perdu le sens de ma vie ces derniers temps... Mais admettons que je quitte la Belgique, qu'est-ce que je pourrais faire ici ? Je n'ai pas tes capacités de moniteur de plongée, je ne suis qu'un simple disquaire et ce métier est en voie d'extinction...

— Tu pourrais devenir DJ sur la plage pour animer les *Full Moon Party* ! Haha, je plaisante... Mais ne m'as-tu pas dit que ton père tenait une pizzeria et que toi-même tu adorais cuisiner ? Les touristes qui viennent ici sont toujours heureux de trouver un petit restaurant de cuisine occidentale, histoire de faire souffler leur estomac maltraité par les piments de la cuisine thaïlandaise. Un de mes amis belges a ouvert une petite gargote qui ne désemplit pas le soir ! Il faut voir les *Farangs* s'y précipiter ventre à terre pour avaler un steak-frites !

---

[50] Expression belge signifiant « cela n'avance à rien ».

— Ah oui, sourit Mario, je vois déjà bien l'enseigne « Chez Mario, le pizzaiolo des tropiques » ! C'est vrai que ma cuisine est appréciée et que j'éprouve du plaisir à être aux fourneaux. Cela doit être dans mes gênes... Je vais réfléchir à tout cela. Peu de choses me retiennent en Belgique finalement, à part mon ami Benoît. Prendre des décisions n'a jamais été mon fort. Mais une petite voix me dit que là, c'est le moment de faire le grand saut. L'Asie m'a tellement toujours fait rêver...

— Oui, réfléchis, laisse parler ton cœur. Personnellement, je n'ai jamais regretté d'avoir quitté la France. Les gens s'y traînent, promènent leur ennui, tristes, désabusés, aigris... Ici, il y a encore de l'envie, de la joie, de l'espoir... Tandis que l'Occident se désespère, l'Orient espère encore. Et tu pourras peut-être rencontrer l'amour comme ce fut mon cas avec Nan. Les femmes thaïlandaises ont le don de rendre les hommes heureux par leur douceur et leur simplicité. À l'homme de leur apporter en retour le confort matériel auquel elles aspirent.

Les deux hommes se turent un long moment, observant le feu qui crachait ses dernières flammes sur la plage de Koh Lanta. Il était tard. La pleine lune brillait dans le ciel étoilé. Yohan se mit debout. Il devait se lever aux aurores demain.

— Si je peux te donner un dernier conseil, au cas où tu te déciderais à venir vivre ici en Thaïlande. Malgré ton âge, tu trouveras facilement des filles plus jeunes qui s'intéresseront à toi. Leur culture est ainsi faite. Les plus âgés comme nous inspirent le respect. Ce n'est pas comme Europe où le jeunisme est roi. Et l'homme occidental fascine toujours les Thaïes. Mais tu dois rester sur tes gardes. Surtout, ne t'*emmourache* jamais, comme vous dites les Belges, d'une fille de bar ! Ces filles sont démoniaques. Elles n'ont pas leur pareil pour mener les hommes par le bout de leur queue. Elles parviendront même à te faire croire à l'amour, mais n'en voudront qu'à ton argent, jusqu'à te ruiner. À coup sûr, elles te tromperont avec un autre gogo à qui elles joueront la même comédie. Aucun homme n'est immunisé à leurs charmes. Je te le dis et redis, il n'y a qu'une seule règle à suivre : ne pas traîner dans les bars à filles !

V

La maison des folles

14 avril 2016

Moon arpente les trottoirs défoncés et trempés de Bangkok. La lune est invisible, camouflée dans les brumes de pollution. Mais la jeune fille devine sa cachette dans la forêt de gratte-ciels. Moon s'est barricadée toute la journée dans le petit studio qu'elle loue pour huit mille bahts par mois. Impossible de mettre un pied dehors sans être aspergée d'eau de la tête au pied. La fête de *Songkran* bat son plein dans toute la Thaïlande. Bangkok est pendant quatre jours le théâtre d'une véritable guérilla aquatique. De jeunes gens vêtus de chemises hawaïennes aux teintes bleutées patrouillent en rue sur des pick-up armés de canon à eau, attaquant les passants qui ripostent armés de seaux ou de tuyaux d'arrosage. Il faut attendre le coucher de soleil et le cesser le feu pour espérer sortir au sec. Auparavant Moon adorait fêter *Songkran* et partager la liesse bon enfant qui inonde la Thaïlande tous les ans. Trois années de promiscuité en prison l'ont sevrée du goût des fêtes populaires.

Elle est retard comme d'habitude. Elle ne veut pas prendre de taxi, car elle estime que cent bahts, c'est trop cher. Hors de question de prendre un moto-taxi, bien moins onéreux, mais qui ruinerait le temps passé à se sécher et lisser les cheveux. Tant pis, elle a choisi de s'y rendre à pied et avec un peu de chance, personne ne se rendra compte de son retard. Les flaques d'eau colorent les trottoirs de reflets des multiples néons de la vie nocturne, bars, restaurants, tuk-tuk bariolés, écrans géants publicitaires. Elle presse le pas tant bien que mal, ses hauts talons ne rendant pas la marche aisée. Elle arrive enfin, adresse un signe rapide à Bee, toujours ponctuelle contrairement à elle, et grimpe l'escalier vers le vestiaire. Deux filles sont occupées à jacasser. Moon déteste vraiment l'ambiance de ce vestiaire, lieu de ragots et de jalousie entre filles. Elle ouvre la porte de son casier, en sort une paire de hauts talons, et commence à retirer ses vêtements un à un et les range dans son casier. Enfin, entièrement nue, elle s'enduit le corps d'une lotion scintillante, humecte de parfum Dior ses aisselles, son cou et le creux de ses jambes, vérifie son maquillage et se recoiffe une dernière dois. Enfin, elle met à son cou un collier en cuir serré qu'elle ajuste pour masquer sa cicatrice… La voilà prête à descendre dans l'arène.

En bas, dans le bar, les choses vont déjà bon train. Il est à peine vingt et une heures, mais les tabourets le long du podium ovale et les divans adossés aux murs sont déjà à peu près tous occupés par des hommes de tout âge et de toute race. Un staff de serveuses drillées veille à ce que les clients consomment sans interruption, certains étant enclins à faire durer leur *Singha* plus longtemps que nécessaire. Sur la scène surélevée au centre du bar, une cinquantaine de filles se trémoussent au son d'une musique saccadée. Hormis un bracelet auquel est attaché un badge avec un numéro, elles s'exhibent entièrement nues perchées sur de hauts talons noirs. La petite centaine de filles travaillant dans ce bar sont réparties en deux groupes se relayant sur le podium. Moon attend patiemment le tour de son groupe en discutant avec Bee. Elle n'a pas d'autres amies dans le bar. C'est une jungle où la seule règle est chacun pour soi. Elle a peu d'affinités avec ces filles qui pour la plupart proviennent des contrées pauvres de l'Issan. Abandonnant l'école, elles ont quitté très tôt leur village pour tenter leur chance à Bangkok et ont finalement atterri dans ce *go-go* bar. Certaines, pourtant âgées de vingt ans à peine, sont déjà mères. D'autres travaillent pour subvenir aux besoins de leur famille restée en Issan. Moon se sent différente, sans doute à cause de son éducation et de son histoire. De toute façon, c'est un monde trop concurrentiel que pour se laisser aller à l'amitié. Les filles se disputent âprement les mêmes clients et on ne peut se faire de cadeau si on ne veut pas rentrer bredouille. Parfois, l'ambiance s'électrise entre les filles. Il n'est pas rare de voir une bagarre éclater à coup de talon pour se disputer un client. Pas de quoi impressionner Moon qui en a vu d'autres en prison. « C'est la maison des folles ici ! » comme le répète souvent Bee en rigolant. En apparence, Moon n'est qu'une petite *go-go-girl* parmi tant d'autres. Mais en elle, bouillonne une froide détermination. Elle sait qu'elle prendra tôt ou tard sa revanche sur le mauvais sort. Mais pour l'instant, comme tous les soirs depuis plus de neuf mois déjà, il lui faut descendre dans la cage aux fauves avec pour seule arme son corps dénudé.

Le scénario est à présent bien huilé. Elle va d'abord s'enfiler d'un trait quelques *shots* de tequila. Sans alcool, elle n'y arriverait pas à faire ce métier. D'un coup d'œil circulaire, en profite pour repérer quelques cibles potentielles. Elle a des critères de sélection précis. Les hommes plutôt âgés ont sa préférence, les jeunes ayant tendance à être plus arrogants et moins fortunés. Les Japonais et les Coréens figurent en tête de liste – elle aime leur peau blanche à la différence des Thaïlandais, ces derniers étant de toute façon interdits d'entrée dans le bar – suivis de près par les Chinois. Par contre, elle se tient à l'écart des Farangs[51], car ceux-ci sont réputés avoir un membre viril surdimensionné. « Pen ham yaï mak[52] » comme les surnomme Bee. Dès que Moon aura identifié quelques proies, ce sera un jeu d'enfant pour elle de les prendre dans les mailles de ses filets.

Sur le signal du DJ, le changement d'équipe s'opère, le premier groupe de filles quitte la scène. En même temps qu'une autre fournée de filles, Moon gravit, sans pudeur, la poitrine bombée, le dos arqué, les cinq marches menant au podium et choisit soigneusement sa place bien en face des clients qu'elle a repérés. Et elle entame sa danse. Ce moment-là, elle l'adore. Son corps s'anime, se courbe, se cambre, s'offre, ses épaules ondoient, ses hanches ondulent, ses bras serpentent, ses jambes sinuent… Une onde de choc foudroie l'assistance masculine. Les regards intenses des hommes délaissent les autres filles pour se poser sur elle. À chaque fois, le même choc d'adrénaline la parcourt. Elle jouit de ce sentiment de pouvoir contrôler les mâles par la magie lascive de sa danse. La mamasan[53] a coutume de dire qu'elle est sa meilleure danseuse. Dans un premier

---

[51] Farang est le nom donné par les Thaïlandais aux Occidentaux. L'origine vient du mot Farangset, qui signifie « Français » en thaïlandais. Les Français sont historiquement les premiers Occidentaux à avoir été en contact avec le royaume de Siam.
[52] Les personnes aux gros sexes.
[53] Nom désignant la femme chargée de superviser les filles travaillant dans un bar.

temps, elle ne regarde pas les hommes attablés, mais par l'effet des miroirs placés sur les murs, elle peut distinguer qui la regarde. Et c'est à ce moment qu'elle fixe le client de son choix en lui offrant son plus grand sourire charmeur. Parfois, l'homme répond par un sourire, parfois il baisse le regard par timidité. Cette fois, un homme, un Japonais d'une quarantaine d'années lui rend son sourire et l'invite à venir à s'asseoir près de lui. Il lui commande une tequila coca sur laquelle elle touche une commission de trois cents bahts. Elle discute avec l'homme pour le jauger. Elle a quelques connaissances factuelles de japonais. La conversation commence par quelques banalités. Moon essaie ensuite de faire glisser la conversation sur des sujets plus suggestifs. Est-ce qu'il aime son corps ? Elle prend la main de l'homme et la glisse sur ses hanches. Elle lui demande s'il trouve sa peau douce. Est-ce que ses seins ne sont pas trop petits, lui demande-t-elle, l'invitant à les toucher pour qu'il se fasse une juste idée ? Il faut susciter le désir. Mais avant tout, c'est important de comprendre à quel type d'homme elle a affaire. C'est crucial dans son métier. D'abord, il y va de sa sécurité de pouvoir détecter la violence ou la perversité éventuelle. Elle n'a jamais eu de mauvaise expérience. Tout juste une seule fois, un Japonais était sorti de la salle de bain d'hôtel vêtu uniquement d'un string et d'un porte-jarretelles, un martinet à la main. Elle avait sauté du lit, agrippé ses vêtements et s'était encourue rapidement de la chambre d'hôtel. Elle se souvient encore d'avoir enfilé ses vêtements dans le couloir. Autre chose fondamentale est de pouvoir jauger rapidement le client dace à elle au bar. Il lui faut savoir si celui-ci se contentera de lui payer quelques verres sans plus. Dans ce cas, elle se doit de rester attentive aux autres hommes intéressants dans le bar avant que d'autres filles ne leur mettent le grappin. Hors de question qu'elle rentre bredouille. Cela ne lui est jamais arrivé depuis qu'elle travaille dans ce bar. Après avoir avalé son shot de tequila, Moon demande à l'homme s'il est d'accord pour lui offrir un second verre. Comme celui-ci décline, elle le salue poliment et rejoint la piste de danse sans états d'âme. Elle y retrouve Bee et lui glisse en montrant le Japonais du regard : « Cheap Charlie[54] ! » Pas de soucis, le bar regorge de mâles et Moon n'a pas sa pareille pour les envoûter. Sa danse luxurieuse expose son corps mordoré à la lascivité : de fines épaules arrondies comme de petites pommes à croquer, une poitrine ferme et joliment galbée, la taille évasée et puis, des hanches courbées avec intensité pour qui débouchent sur des fesses rebondies. Entre ses cuisses affinées se cachent des lèvres closes comme couturées. Elle n'a vraiment rien à craindre des autres filles, fussent-elles de redoutables chasseuses d'hommes.

Plus tard dans la soirée, Moon commence à ressentir les effets de l'alcool. Elle s'est partagée entre quatre clients et elle affiche maintenant douze tequilas au compteur. Cela représente déjà une belle somme en pourboires à laquelle s'ajoute son salaire journalier de sept cents bahts. Mais cela ne peut lui suffire. Elle demande l'heure à Bee. Celle-ci lui tend son bras orné d'une montre Gucci. Comme une enfant, Bee pose fièrement avec cette montre onéreuse qu'un client lui a offerte, mais malheureusement elle ne sait pas lire l'heure sur un cadran. Une heure du matin. Le bar ferme à deux heures. Le temps urge pour Moon de choisir sa victime et de passer à l'action. Pourtant elle hésite. Un homme la convoite. Elle a parlé avec lui. C'est un *Farang*, un Européen – impossible de se rappeler de quel pays exactement – apparemment dans la quarantaine, mais les

---

[54] Expression désignant un client qui n'a pas beaucoup d'argent.

Occidentaux paraissent toujours plus jeunes que leur âge. L'homme est de corpulence trapue, le torse et l'abdomen saillants. Il a de beaux yeux bleus qui fascinent Moon – elle aimerait tant avoir des yeux bleus, un long nez et la peau blanche comme les *Farangs*. L'homme n'a pas cessé de la complimenter sur sa silhouette, son sourire, sa façon de danser. Il lui a raconté être déjà venu précédemment au bar, il y a quelques mois. Il n'avait d'yeux que pour elle. Mais elle l'avait superbement ignoré. Et aujourd'hui, lui assène-t-il, il est revenu rien que pour elle. Moon ne croit plus trop au baratin des hommes. Elle sait pertinemment bien ce qui les intéresse. Elle repart sur le podium pour une dernière danse. Tout en se trémoussant, elle dévisage l'homme qui paraît comme ensorcelé par ses mouvements. Elle n'a jamais couché avec un *Farang*, mais peut-être que celui-ci pourrait être le premier. Il faut simplement qu'elle surmonte sa peur. Les autres filles lui ont raconté tellement d'histoire sur la taille des sexes des *Farangs* qu'elle hésite encore. Elle se dit qu'elle lui demandera de la pénétrer avec douceur et elle a du lubrifiant dans son sac au cas où. Soudain, sa décision est prise. Elle interrompt sa danse, descend les escaliers et se dirige vers le *Farang*, quand alors, elle entend une voix qui la hèle. Elle se retourne et s'arrête pétrifiée. Son sang se glace. Dans un réflexe instinctif de pudeur, Moon pose ses mains sur son corps pour cacher son sexe et sa poitrine. Elle n'en croit pas ses yeux. Ce n'est pas possible ! Mais c'est bien lui, elle l'a reconnu malgré sa chemise blanche *Cerruti* boutonnée au col et son pantalon noir taille haute. Sans lui laisser le temps de réagir, l'homme saisit son bras et la tire vers lui.

— Eh bien, mademoiselle Jutharan Pornthip, chère Moon, comme on se retrouve !

— Colonel, que faites-vous ici ? bredouille Moon sous le choc.

— La même chose que tous les hommes ici attablés, je t'admire danser. Le colonel avait prononcé ces mots, le sourire sardonique aux lèvres. Une mince couche de mousse de bière blanchissait sa fine moustache.

— Mais les Thaïs ne sont pas admis dans le bar, normalement.

La *mamasan* avait expliqué à Moon que l'entrée était refusée aux Thaïlandais. On voulait éviter par là qu'un Thaïlandais, horrifié par ce qu'il avait vu, aille porter plainte à la police pour outrage aux bonnes mœurs. C'eût été embarrassant pour tout le monde. Pour la police en premier lieu qui, bien au fait de ce qui se passait dans les bars, avait décidé de fermer les yeux, moyennant sans doute un incitant financier, pensa Moon.

— Allons, il n'y a pas d'endroits interdits pour un colonel de police. À vrai dire, je ne viens jamais dans ce genre de repères pour étrangers. Ça me donne la nausée. Regarde-les, ces *Farangs*, habillés comme des clochards, avec leurs tongs, leur short et leur singlet... Quel manque de respect ! Ça me dégoûte, pourquoi faut-il que tous les paumés de l'Occident se donnent rendez-vous dans notre beau pays pour y passer leurs vacances ? il avait prononcé ces paroles avec ce même ton cassant qu'il employait dans son bureau de Lard Yao.

La *Patek* au poignet, la chemise amidonnée et le visage glabre, le colonel dénotait avec la faune du bar arborant les tenues les plus décontractées. De plus en plus mal à l'aise, Moon tente de se dépêtrer de l'emprise du colonel, mais celui-ci continue de serrer fermement son bras.

« Bien, continue-t-il, monte t'habiller, je t'emmène au *Sheraton Grande*. J'ai réservé une chambre avec jacuzzi. » Sa

134

voix change de ton, tout en suavité. Il affiche un sourire charmeur.

« Il y a longtemps que je rêve d'être seul avec toi sans la directrice...

— Colonel, ce serait avec plaisir, mais j'ai déjà dit oui à quelqu'un, l'homme qui est assis là », du menton, Moon indique le *Farang* qui ne l'a pas quittée des yeux pendant toute la scène.

Elle lui adresse un petit signe pour l'exhorter à la patience. Ce *Farang*, c'est son sauveur pour échapper aux griffes du Colonel.

« Je suis vraiment désolée, colonel, mais je ne peux pas faire attendre mon client plus longtemps. Lâchez-moi, je vous prie.

— Oublie ce *Farang*. Tout est arrangé avec la *mamasan*. J'ai déjà payé le *barfine*[55]. Monte t'habiller maintenant ! » Moon est suffoquée.

Comment la mamasan a-t-elle pu accepter sans demander son avis ? C'est son corps à elle et elle décide à qui elle le donne.

— Je vais aller parler avec la *mamasan*. Ça ne se passera pas comme cela.

— Ne perds pas ton temps. Ni le mien. La mamasan n'a pas d'autre choix que d'accepter, elle aussi. Pourquoi ? Réfléchis un peu... À qui, à ton avis, appartient ce bar ? le colonel accompagne sa question d'un sourire sardonique ne laissant planer aucun doute sur la réponse.

La police et l'armée contrôlent de nombreux bars. Moon se sent gagnée par la résignation. C'est un combat perdu d'avance.

— Bien, si je n'ai pas d'autre choix que d'accepter, au moins, il me reste la liberté de fixer le prix. Pour un *short time*, c'est...

Moon n'a pas le temps de finir sa phrase que le colonel la coupe.

— Pas de *short time*. Je te veux pour toute la nuit !

---

[55] Montant à payer au bar par le client qui désire emmener une fille.

— Super ! Dans ce cas c'est quinze mille baths, mon colonel, répond Moon, affichant à son tour un sourire ironique.

Elle compte avec ce prix extravagant dissuader le colonel. D'habitude, elle demande trois mille baths pour un *short time* d'une heure et le double pour toute la nuit. Ses tarifs sont déjà dans la fourchette haute comparés aux autres filles du bar. Et elle n'a pas l'habitude de transiger. Certaines filles le font, souvent obligées, car elles ont une famille à nourrir. Mais pour Moon, pas question de brader son intimité. Si un client osait suggérer une réduction, elle le laissait en plan et lui suggérait de se trouver une autre fille.

— Oh, *Paeng mak mak*[56] ! Mais d'accord, ton prix est le mien ! répond le colonel au grand étonnement de Moon. Va t'habiller maintenant !

Tout évitant les regards jaloux des autres filles qui ont surpris le colonel en train de retirer les quinze billets de mille baths de son portefeuille, Moon file vers les vestiaires. En passant près du *Farang* déçu, elle lui adresse un sourire contrit d'excuse. Elle s'habille en pestant contre le sort qui s'acharne sur elle. Elle se croyait sortie des griffes de ce malveillant personnage et par le plus grand des hasards, il a fallu qu'il franchisse la porte du bar où elle travaille ! Elle se sent également humiliée. Que des hommes la reluquent, nue, elle s'y est faite et ne ressent plus aucune gêne. Mais avec le colonel, c'est différent. Parce qu'elle le connaît et qu'elle ressent encore ce sentiment de soumission envers lui. Au moins à Yard Lao, l'uniforme cachait ses formes et coupait court à toute envie lubrique. Et voilà que maintenant il ne s'est pas privé de la mater sous toutes les coutures. Elle en rougit de honte. Et le pire est encore à venir. Bientôt, dans la

---

[56] Très cher !

chambre d'hôtel, elle le sentira entrer en elle. Elle en frémit d'avance.

Elle rejoint enfin le colonel en bas et ils quittent le bar comme s'ils étaient des vieilles connaissances. Dans le taxi qui les emmène à l'hôtel, Moon se donne du baume au cœur en pensant aux dix mille baths qu'elle a encaissés. Bonne nouvelle, l'hôtel, de son client, le *Sheraton Grande*, est proche. Elle déteste se rendre dans des hôtels trop éloignés de chez elle. Moon apprécie les hôtels de classe, les chambres luxueuses, décorées avec goût, les salles de bain spacieuses, les baignoires aux allures de jacuzzi, les vues imprenables sur la ville… En six mois, elle a expérimenté tellement de chambres d'hôtel qu'elle pourrait devenir influenceuse sur *TripAdvisor* ! Comme souvent dans les grandes chaînes d'hôtel, elle doit laisser sa carte d'identité à la réception par mesure de sécurité sous le regard méprisant de l'employé. Arrivé à la chambre, le colonel se montre prévenant. Il lui propose un verre de whisky du minibar avant d'aller prendre une douche. Elle accepte sans rechigner. Elle en a bien besoin. Pour faire ce métier, il faut un minimum de taux d'alcool dans le sang. Et aujourd'hui, plus encore. Cependant, qu'importe son ivresse, Moon garde toujours une lucidité professionnelle. Elle inspecte systématiquement du regard la chambre d'hôtel pour s'assurer qu'aucune caméra cachée ne la filmera. Combien de filles moins prudentes qu'elle se sont retrouvées héroïnes bien malgré elles d'un clip vidéo sur *YouPorn* à cause d'un client mal intentionné. Elle a déjà provoqué le déshonneur de sa famille une fois dans sa vie, elle ne peut se permettre une deuxième erreur.

Le colonel est de retour de la salle de bain, une serviette nouée au tour de la taille. C'est à son tour de se doucher. Elle prend son temps, essayant de reculer l'instant fatidique de l'étreinte charnelle. Quand elle revient dans la chambre, titubant quelque peu sous l'effet de l'alcool, elle découvre le colonel couché sur le lit. Moon prend soin de diminuer l'intensité de l'éclairage et vient s'allonger à côté de lui. Le colonel entreprend de la caresser avec ardeur. Son désir est pressant. Il lui pétrit les seins et malaxe les fesses. Son sexe lève. Il lui écarte alors ses cuisses avec vigueur. Il se dresse alors devant elle prêt à la posséder. Moon l'interrompt de justesse. « N'oubliez pas ceci colonel ! » dit-elle en lui tendant un préservatif. À chaque fois, elle doit bien veiller à ce que le client enfile un préservatif. Beaucoup de clients rechignent et sont prêts à payer plus cher à cet effet. Certaines filles acceptent ce risque. Moon, jamais. Elle a toujours bien en tête, et pour l'éternité, les images des corps décharnés et la souffrance des filles atteintes du sida mourant à petit feu dans la chambre de l'infirmerie de Yard Lao. Et si un client exige un rapport non protégé, elle le remballe et lui rend son argent avant de quitter l'hôtel, pestant contre l'idiotie de ces hommes. De même, elle vérifie souvent pendant le rapport sexuel si le client n'enlève pas la capote à son insu. Chaque mois, l'estomac noué, Moon se rend au centre de dépistage du sida, non loin de chez elle. Toutes les filles travaillant au bar ont l'obligation de fournir un test négatif mensuel sous peine d'être licenciées. Il se dit que certaines trichent et remettent un document trafiqué.

Le colonel ne rechigne pas. Après avoir enfilé le bout de latex, il n'a pas perdu de sa vigueur, comme cela arrive parfois avec d'autres clients. Que du contraire, de ses mains puissantes,

138

il s'empare du corps de Moon et la retourne comme une crêpe. Il la prend violemment en levrette. Ses coups de boutoir font mal. Il lui claque les fesses et lui tire les cheveux pour qu'elle se cambre encore plus. Moon gémit, mais cela a le don d'aviver l'instinct de domination du colonel. Ses mains agrippées aux hanches de la jeune fille, il redouble d'intensité et la martèle avec fureur. Jamais auparavant, un client ne l'avait possédée comme cela. Soudain, le colonel, haletant, s'arrête. Moon entend le souffle saccadé de sa respiration. Elle se prend à espérer que son calvaire a pris fin. Mais la halte est de courte durée. Retournement de situation. Le colonel la saisit et la couche sur le dos. Et là, au grand étonnement de Moon, ce n'est plus le même amant. Elle n'en revient pas de la métamorphose. Il la couvre de baisers, lui caresse délicatement le cou, ses mains effleurent sa peau avec douceur. Il la pénètre à nouveau, mais avec retenue cette fois. Ses mouvements sont lents et prévenants. Il lui chuchote à l'oreille qu'elle est belle et qu'il la désire depuis le premier jour. Il finit par atteindre l'orgasme qu'il accompagne d'un long râle.

Trente minutes plus tard, allongée sur le lit, Moon tente de ralentir le tournis de sa tête. Elle fixe désespérément le plafond de la chambre d'hôtel en attendant que l'ivresse s'atténue. Exténué, le colonel couché à côté d'elle dort profondément. Un faible ronflement se mêle au ronronnement de l'air conditionné. Dans la pénombre, elle dévisage ses épaules athlétiques, ses abdominaux endurcis, son visage dur comme sculpté au couteau, rasé de près, ses ongles soignés… et à l'annulaire de sa main gauche une alliance en or blanc. Dans une petite heure, elle le réveillera. Il a payé pour un *long time* et a droit dès lors à deux prestations. Mais il est hors de question qu'elle reste dans la chambre d'hôtel jusqu'au matin. À cinq heures au plus tard, elle sera dehors. Elle veut pouvoir rentrer chez elle avant le lever du soleil afin de ne pas croiser les regards des Bangkokiens en route vers leur boulot normal.

Moon est fatiguée, son corps est éreinté par la danse et le sexe, mais elle est bien incapable de s'endormir dans un lit d'hôtel avec un client à ses côtés, et a fortiori s'il s'agit du colonel. Elle doit se montrer patiente avant de pouvoir retrouver son lit. Son esprit vagabonde lentement à travers les brumes d'alcool et c'est souvent à ce moment-là qu'elle revit les moments dramatiques de sa sortie de Lard Yao. À l'aube du 3 juin 2015, la porte de la prison s'était ouverte et elle avait découvert en clignant des yeux les menues silhouettes de ses père et mère qui l'attendaient sous un soleil déjà vigoureux. Elle avait couru vers eux et s'était agenouillée à leurs pieds. Les larmes inondaient ses yeux. Sa mère la releva et la prit dans ses bras. Quel bonheur de toucher, de serrer, de presser, de caresser le corps maternel après ces trois années de privation tactile ! Dans la voiture en route vers la maison familiale, ils se turent tous les trois – son frère ne s'était pas déplacé – et Moon jouissait de ce silence débordant de la plénitude du bonheur. Le cauchemar avait enfin pris fin. Elle allait reprendre sa niche dans le cocon familial. Jamais dans sa jeune vie, elle n'avait éprouvé tant de félicité.

Quelques heures plus tard, après le coucher du soleil, sous la clarté de la pleine lune, l'euphorie avait reflué et le désespoir et la honte avaient repris le dessus. Le choc avait été immense quand la voiture les ramenant de Lard Yao s'était arrêtée, non pas devant la maison familiale qu'elle avait connue, mais en face d'une petite masure dans le quartier pauvre de sa ville. Sa mère a commencé à lui expliquer calmement la situation, mais Moon, incrédule, s'entêtait à ne pas comprendre. Pour elle, la prison n'était qu'une parenthèse, refermée ce jour, et tout devait nécessairement reprendre son cours comme précédemment.

— Moon, on a dû vendre la maison. On a pris en location un appartement dans cet immeuble...

— Mais pourquoi ?

— Parce qu'on a eu besoin d'argent. Pour toi. Payer tes dépenses à la boutique de la prison pendant trois ans, cela a coûté fort cher. Et sans parler des bakchichs versés à la directrice. Celle-là, elle a été très gourmande. D'abord, pour te déplacer de l'équipe nettoyage à la cuisine, ensuite, pour que tu bénéficies d'une protection spéciale, et enfin, le plus gros montant pour que tu puisses t'inscrire à l'université ! Moon était abasourdie d'entendre que la directrice avait monnayé chèrement toutes ces décisions. Moon qui la croyait honnête tombait de haut. « Ton père et moi, on n'avait pas d'autre choix que de vendre la maison. Mais on ne le regrette pas. On voulait que tu ne manques de rien dans ton malheur. Ta grand-mère a donné aussi de l'argent et le chef du village nous a accordé la faveur de nous prêter de l'argent. » Moon se remémorait bien cet homme au regard torve, ancien partisan de Taksin.

— Combien avez-vous dû dépenser ? demanda Moon effondrée d'apprendre le désastre financier qu'elle avait provoqué.

— Ce n'est pas important, le principal, c'est que tu sois de retour parmi nous. Mais autant te le dire tout de suite, l'appartement ne dispose que de deux chambres. Tu partageras celle de ton frère.

Arrivée à l'appartement, elle salua son frère qui lui répondit par un hochement de tête. Elle fila dans la salle de bain et verrouilla la porte avec un plaisir non dissimulé. Elle profita de ce premier moment d'intimité pour prendre une douche qui dura plus d'une heure. Plus tard à table, sous le regard noir de Pod, sa mère lui révéla qu'ils avaient au total payé près d'un million de bahts pour elle et son confort. Cette somme énorme la fit tressaillir. Pour elle, par sa faute, son père et sa mère s'étaient ruinés et ils avaient perdu le toit familial. À nouveau, la chape de plomb du déshonneur l'écrasait. Le cauchemar ne finirait donc jamais. Moon était dans les cordes, groggy, assommée par ce nouvel uppercut du destin. La journée s'écoula lentement dans une pesante torpeur alourdie encore par l'absence d'air conditionné du nouvel appartement.

Le soir, une fraîcheur toute relative envahit la rue. Moon, assise seule sur le muret en face de l'immeuble commença peu à peu à rassembler ses esprits et à faire la part des choses. Elle était libre. Son diplôme en main, elle pourrait trouver un travail. Elle travaillerait le temps qu'il faudrait. Elle mettrait l'argent de côté, n'achèterait pas de vêtements, de maquillage, de parfum, éviterait les sorties avec les amies, et le moment viendra où elle pourra annoncer fièrement à ses parents : « tenez, prenez ce sac, comptez les billets, il y a un million de bahts, je vous remercie pour ce que vous avez fait pour moi, maintenant, je vous paie ma dette et nous allons ensemble acheter une belle maison pour notre famille ». Cela risquait de prendre du temps tenant compte d'un salaire mensuel escompté de vingt-cinq mille bahts. Cinq ans ou sans doute plus, pensait-elle. Ce soir-là, prenant la lune à témoin, elle avait fait le serment de rembourser à la fois sa dette d'argent et d'honneur. Elle avait tant attendu ce moment, mais ses retrouvailles avec l'astre lunaire avaient un goût plutôt amer, teinté d'une pointe d'espérance.

Dès le lendemain, ainsi que son amie Nam lui avait conseillé, Moon prit contact avec plusieurs entreprises, banques et assurances pour présenter ses services. Elle joignit à sa lettre de candidature une copie de la lettre de réussite de l'université. Elle ne possédait pas encore son diplôme officiel. Car, comme le voulait la coutume, celui-ci devait être délivré en mains propres par Sa Majesté le roi. Mais aucune date n'avait encore pu être fixée pour la cérémonie de remise à l'université. Selon la version officielle, pour des questions d'agenda. Mais tout le monde pensait, sans oser le dire, ni même le chuchoter, que le vieux roi Rama IX était bien trop malade pour pouvoir se déplacer.

Moon attendit quelques semaines avec espoir et impatience le retour des firmes contactées. Mais désespérément, toutes les réponses furent négatives. Elle en comprit rapidement la raison. Les services de recrutement des grandes firmes prenaient leurs renseignements sur les candidats et découvraient sans trop de difficultés la grosse tache dans le parcours de Moon, ce qui équivalait à une fin de non-recevoir. Il fallait se faire une raison. Tout au plus, pouvait-elle espérer un job dans un petit commerce qui lui donnerait un salaire de misère, entre dix mille et douze mille bahts par moi. Cela rendait impossible son rêve de rembourser ses parents sans trop traîner. Avec un tel salaire, ses parents seraient déjà depuis longtemps incinérés avant qu'elle n'ait pu amasser la somme due.

Moon restait en contact avec Bee via la messagerie *Line*. Mais jusqu'ici, elles n'avaient pu se revoir depuis la sortie de prison de Moon, car Bee devait rester à Bangkok pour son travail. Finalement, après quelques semaines, à la fin du mois d'août 2015, Bee put se libérer et elles passèrent un week-end ensemble. Quelle émotion de la revoir ! Bee avait regagné un peu de poids. Elle avait teinté ses cheveux couleur châtain et opté pour une coupe mi – long au carré. Son visage d'ange inspirait toujours la même gracieuse mélancolie. Bee demeura discrète sur la période qui avait suivi sa libération. Moon soupçonnait que quelque chose d'important s'était produit durant cette année, mais elle respectait le silence de son amie et se gardait bien de poser des questions. Tout au plus savait-elle que Bee avait recommencé à travailler dans un bar de Bangkok à sa sortie de prison.

Bee dormit chez elle sur un matelas de fortune dans la chambre que Moon partageait avec son Pod. Elles parlèrent beaucoup évoquant les anecdotes de leur séjour à l'ombre, notamment l'histoire de la pomme. Elles rirent beaucoup. Bee était désormais la seule amie avec qui elle pouvait parler de tout, sans honte. Avec ses autres camarades, elle éprouvait désormais une retenue gênée, consciente désormais de sa différence par rapport aux autres qui n'avaient pas quitté le droit chemin. Le visage de Moon s'assombrit quand elle évoqua sa situation, son impossibilité à trouver un travail qui lui permettrait d'amasser rapidement assez d'argent pour rembourser sa dette. C'était devenu une obsession qui l'oppressait sans relâche.

— Moon, si cela compte à ce point pour toi, il y a peut-être une solution, je peux te trouver un boulot qui rapporte beaucoup…

— Bee, comment ? J'ai déjà contacté tant d'entreprises et je reçois toujours la même réponse, tu sais pourquoi…

— Il s'agit d'un travail, disons, différent. Il n'y a pas besoin de posséder un beau CV. Mais il faut travailler dur et ne pas être trop timide.

— Le travail ne me fait pas peur et je ne suis pas si timide.

— Bien, viens avec moi travailler à mon bar.

— Heu, je ne sais pas si j'en suis capable. En quoi consiste exactement ce job ?

— En résumé, tu parles avec les clients, tu les fais commander des boissons pour eux et pour toi. Tu touches ainsi une commission sur les boissons, en plus de ton salaire.

— Et combien cela peut-il rapporter par mois tout cela ?

— Ça dépend de toi, mais cela peut aller jusqu'à soixante-dix mille bahts !

L'énormité du montant avait laissé Moon bouche bée. Avec soixante-dix mille bahts par mois, même s'il fallait déduire des frais comme un logement à Bangkok. Et même si la vie dans la capitale était incomparablement plus chère que dans sa bourgade de banlieue, cela faisait quand même un fameux montant. Elle pouvait vivre comme une fourmi et mettre cinquante mille bahts de côté tous les mois. En moins de deux ans, son million serait atteint ! Moon ne demanda pas trop de détails. Elle faisait confiance à son amie qui était loin d'être une fanfaronne. Et elle ne préférait sans doute pas trop connaître les tenants et les aboutissants de ce métier. Elle n'était de toute façon pas en position de faire la fine bouche. Moon ne réfléchit pas trop longtemps pour dire à Bee qu'elle partait avec elle le lendemain pour la grande aventure. Rien ne la retenait à Nakhom Pathom. Elle expliqua succinctement à son père et à sa mère qu'elle allait partir avec Bee pour travailler comme serveuse à Bangkok, sous l'œil soulagé de son frère, trop heureux de récupérer sa chambre et ses parents pour lui seul.

Le lendemain à l'aube, un lundi, elle prit le bus pour Krung Thep[57] avec son amie. Dans son sac, trois billets de mille bahts que sa mère lui avait donnés, voilà son maigre capital de départ qu'elle s'emploierait à faire fructifier. Moon logerait chez son amie, le temps qu'elle gagne assez d'argent pour se payer son propre logement. Bee louait un studio dans un immeuble modeste, non loin du quartier des bars de Sukhumvit[58]. C'était on ne peut plus pratique, il suffisait de marcher dix minutes à peine pour se rendre à son nouvel emploi.

Le lendemain, Bee proposa de profiter du premier jour à Bangkok pour aller visiter un chaman diseur de bonne aventure. « On va travailler ensemble désormais et il vaut mieux en savoir un peu plus sur le sort qui nous attend », avait-elle dit. Elles prirent d'abord le *BTS*[59] jusqu'à l'arrêt *Saphan Taksin*. En dévalant les marches de la station, Bee leva les yeux vers la haute tour inachevée qui surplombait le fleuve *Chao Phraya*. « Un jour, je t'emmènerai là-haut », lança-t-elle mystérieusement à Moon. Elles prirent ensuite le bateau-taxi sur la *Chao Phraya* et descendirent au *Pak Khlong Pier*. De là, elles montèrent sur le bac pour traverser *Chao Phraya* et rejoindre la rive ouest du fleuve. Comme elles étaient légèrement en avance, elles se baladèrent dans le quartier de l'église portugaise *Santa*

---

[57] Krung Thep, soit en français la cité des anges, nom officiel, quelque peu trompeur, donné à Bangkok.
[58] Sukhumvit est une longue avenue située à l'est de Bangkok qui s'étend des quartiers chauds de Nana aux quartiers chics de Thonlor.
[59] Métro aérien (Bangkok mass Transit System).

Cruz. Elles s'arrêtèrent pour déguster des *natas*. Elles se perdirent dans le dédale des rues, passèrent devant la mosquée *Bang Luang*[60] et finirent par demander leur chemin à un des moines novices d'un temple[61], qui, par sa blancheur et son style, semblait sorti tout droit d'un conte oriental. Elles revinrent ainsi sur leur pas et dénichèrent avec peine la maison du chaman adossée au temple chinois *Kian Un Keng*. L'immeuble était sale et délabré. Elles entrèrent dans la pénombre de la maison, éclairée faiblement par quelques bougies. Une forte odeur d'encens, mêlée aux remugles d'humidité, semblait former comme un mur invisible entre elles et un petit personnage assis à même le sol, immobile au fond de la pièce obscure. Les deux filles s'arrêtèrent. Le vieil homme rabougri, à la longue barbe blanche taillée en pointe, leur fit signe de s'approcher. Après l'avoir salué d'un *wai* respectueux, elles s'avancèrent et s'assirent en tailleur en face du chaman. L'homme, hiératique, gardait les paupières closes et semblait comme rivé au sol. Après un silence interminable, le vieil homme sortit enfin de sa torpeur. Il ouvrit les yeux et fixa longuement Moon d'un regard vitreux. « Raconte-moi ton rêve ! » lui intima le chaman d'une voix sourde qui sembla venir d'outre-tombe.

Les deux filles n'échangèrent pas une parole sur le chemin du retour. Toutes deux méditaient en silence la funeste prophétie du chaman. Moon avait commencé par relater le rêve qui hantait souvent ses nuits, celui d'un mariage sur la plage et qui se terminait par une mer de sang. Son rêve connaissait des variations, parfois c'était elle qui se mariait, mais à d'autres moments c'était une autre personne, Bee à plusieurs reprises ou

---

[60] L'unique mosquée de style architectural thaïlandais.
[61] Wat Moleeloakyaram.

même une inconnue. Mais, invariablement, la fin était toujours aussi sanglante. Le chaman avait écouté Moon silencieusement, comme indifférent. Bee qui commençait à s'impatienter s'était alors employée à expliquer ce pourquoi elles étaient venues. Elles n'avaient pas eu beaucoup de chance jusqu'ici, commença-t-elle... Elles avaient même fait de la prison... Elles espéraient que la roue tourne enfin en leur faveur... Elles n'étaient pas de mauvaises filles... Elles allaient travailler ensemble, dur, très dur... Elles voulaient faire fortune, elle pour s'acheter une voiture, une *BMW* et Moon, son amie, pour rembourser sa dette... Alors, le chaman, dans sa grande sagesse, pouvait-il voir dans l'avenir si tout allait bien se passer comme prévu ? Comme excédé par ce flot de paroles, le vieillard l'avait alors sommée de se taire d'un geste sec. Il s'était alors de nouveau muré dans un long mutisme. Énervées, les filles s'étaient apprêtées à partir quand soudain, en transe, les yeux révulsés, le chaman avait prédit à l'une d'elles un destin funeste. Le mauvais sort s'acharnerait encore. « Je vois la mort approcher de toi ». Le vieil homme n'avait pas donné plus de détail et surtout il n'avait pas indiqué laquelle d'entre elles deux était visée par cette prophétie. Il avait refusé d'en dire plus, ne voulant pas influencer le destin. De la main, il les avait ensuite congédiées sans autre forme de procès. Le malaise était palpable entre les deux filles durant le trajet de retour jusqu'à l'appartement, chacune souhaitant intérieurement que l'autre soit la victime du sortilège, tout en s'en voulant de penser ainsi. De retour à l'appartement, Bee lâcha, péremptoire : « Tout cela, ce sont des conneries, toi et moi, on s'en est sorti jusqu'ici, on a été forte, on va l'être encore plus. On sera bientôt riche toutes les deux. Petite sœur, demain, une autre vie commence ! »

Moon acquiesça du regard, même si intérieurement, elle se sentait ébranlée par les paroles du chaman.

Le lendemain à vingt heures, Moon se rendit au bar avec Bee. Jusque-là, son amie ne lui en avait pas dit plus, se contentant de la rassurer en expliquant que tout allait bien se passer et qu'il suffisait d'écouter ce que la patronne du bar allait lui dire. Elle avait demandé comment s'habiller et Bee avait répondu que cela n'avait pas d'importance vu qu'elle travaillerait en uniforme. Elle avait uniquement besoin d'une paire de hauts talons noirs que Bee lui prêta. Curieuse, intimidée, excitée, Moon pénétra dans le bar et ressentit d'entrée un violent choc. Un tsunami saccadé de *house music* thaï (©) l'assaillit au point qu'elle faillit perdre l'équilibre. Le lieu était sombre à l'exception du podium de danse. On pouvait déjà discerner des clients, tous masculins, et des serveuses en uniforme floqué au nom du bar. Mais ce qui frappait immédiatement dès que l'on mettait un pied à l'intérieur, c'étaient les dizaines de filles, jeunes, entièrement nues, dansant sur la scène surélevée, accrochées au bras d'un client ou se promenant, perchées sur leurs hauts talons, aguichant les hommes. Moon ne put réfréner un pas en arrière, agrippant le bras de Bee.

« Ce n'est pas possible ! » s'exclama-t-elle incrédule devant tant de nudité.

« Ne t'en fais pas, tout va bien se passer. On va se rendre à l'étage et discuter avec la mamasan. Elle va t'expliquer », répondit Bee, tout en emmenant Moon. Elle savait ce que Moon ressentait, elle-même, ayant éprouvé pareille émotion quand elle avait découvert ce bar pour la première fois. Après s'être frayé un chemin vers l'étage supérieur, les deux filles se retrouvèrent dans le vestiaire avec la mamasan. Bee lui présenta Moon, insistant bien sur le fait qu'elle n'avait jamais « travaillé » auparavant.

La patronne était une femme maigre, sans âge, au visage austère. Elle lui décrivit brièvement les règles. Les filles devaient arriver au bar pour dix-neuf heures trente au plus tard et rester jusqu'à la fermeture à deux heures du matin sauf, bien sûr si elles partaient avec un client. Le salaire mensuel s'élevait à vingt mille bahts. Les filles avaient droit à un jour de congé par mois. Si elles ne se présentaient pas, un montant de sept cents bahts était décompté de leur salaire. La commission sur les verres de tequila-coca que les clients commandaient se montait à trois cents bahts. S'il voulait l'emmener, le client devait payer le *barfine*, sept cents bahts qui revenait au bar. La fille avait le droit de négocier son propre prix. Pour obtenir l'intégralité du salaire, la fille devait au minimum avoir enregistré deux cents verres et être sortie au moins dix fois avec un client sur le mois. Si ce n'était pas le cas, le montant du salaire était réduit. Moon écoutait la mamasan sans trop comprendre. Elle reçut un bracelet avec le numéro 69 qu'elle devait communiquer aux serveuses lors des commandes de boisson.

— Bee, *Mai daï*[62] ! *Mai daï* ! Je ne veux pas travailler, ici ! s'exclama Moon.
— Écoute, fais-moi plaisir, tu vas essayer. Au moins ce soir. Tu vas te déshabiller entièrement. Je sais que la première fois, on se sent très mal à l'aise. Mais, avec le temps, tu n'y feras plus attention. Toutes les filles sont nues, ici. On s'y habitue. Et personne ne le saura jamais. Les Thaïs sont interdits dans le bar. Et on ne peut pas faire de photos.

---

[62] Ce n'est pas possible !

— La mamasan parlait de sortir avec les clients ?

— Hum, les clients peuvent te demander de les accompagner à leur hôtel. Mais tu peux refuser.

— Et de coucher ensemble ?

— Oui…

— Ça jamais !

— Oui, voilà, tu peux toujours dire « non » ou « oui », une fois, de temps en temps.

— Je dirai toujours non !

— À toi de voir. Rien qu'avec les verres commandés par les clients, tu peux déjà gagner pas mal d'argent. Pense à ton million ! En soi, il suffit de sourire, parler et d'attirer l'attention des clients. Rien de très compliqué, tu vois. On essaie ?

— Non… Oui d'accord, mais je crois que je ne peux pas… murmura Moon, la voix étranglée de confusion.

Moon se déshabilla, mit ses vêtements dans le casier attribué à son numéro et descendit les escaliers en cachant, tant bien que mal avec ses bras, sa poitrine et son entrejambe. Elle s'assit sur un tabouret et baissa la tête, morte de honte de voir ainsi son intimité crûment exposée. Elle, qui se baignait en public uniquement en pantalon et t-shirt, était maintenant nue comme un ver, offerte aux regards concupiscents de dizaines de mâles. Même avec Toy, elle ne se déshabillait que dans l'obscurité avant de plonger dans les draps. Son petit ami n'avait jamais vraiment pu l'observer nue. Elle avait été élevée, comme toutes les filles thaïlandaises, dans le respect de la pudeur la plus stricte. La nudité était considérée comme malsaine, bannie à la télévision, au cinéma, dans les magazines, dans la publicité… Elle n'aurait jamais imaginé qu'un tel endroit obscène comme ce bar puisse exister en Thaïlande. Que penseraient ses parents et ses amies s'ils la voyaient ainsi ? Cette pensée l'atterrait.

Elle resta prostrée ainsi toute la soirée. Elle ne quittait sa pose que pour monter sur l'estrade au signal du DJ annonçant le changement de quart sur la piste de danse. Maladroite, les yeux baissés, elle esquissait une danse proche de l'immobilité. Le temps était figé et les minutes duraient des heures. Heureusement, aucun homme ne l'approcha ou ne tenta de lui parler. Son attitude était, il est vrai, peu engageante. Moon s'efforçait de rester dans les parages de Bee. Mais celle-ci était très demandée par les clients et disparaissait fréquemment en s'excusant pour s'asseoir à côté de clients qui la réclamaient. À un moment Moon la perdit complètement de vue. Elle avait beau scruter tous les recoins du bar, mais en vain, Bee semblait s'être évaporée. Une heure plus tard, Bee réapparut enfin. Elle adressa un clin d'œil réconfortant à Moon et remonta danser sur le podium.

Du coin de l'œil, Moon observait la mamasan. Elle allait et venait entre les filles, houspillant certaines, qui dansaient trop mollement à son goût, échangeant un regard complice avec d'autres pendues au bras de clients dont la note d'addition commençait à gonfler. Ensuite, elle se rendait auprès d'un client qui souhaitait emmener une fille et devait régler les sept cents bahts du *barfine*. Un moment, la mamasan alla calmer deux filles qui se disputaient un client généreux. D'une manière générale, les filles donnaient l'impression de la respecter et de l'apprécier, pensa Moon. Bee lui confirma la chose plus tard. Quel drôle de boulot quand même ! Il fallait doser poigne et douceur pour gérer la centaine de filles travaillant dans le bar.

Certaines étaient prêtes à sortir leurs griffes comme des tigresses, d'autres se plaisaient à minauder comme des chattes, sans être plus dociles pour autant. Ce qui étonnait le plus Moon était l'absence de pudeur de ses filles comme si elles avaient oublié qu'elles étaient nues, s'exhibant avec aisance naturelle devant tous ces hommes qui ne se privaient pas de les reluquer sans équivoque. Régulièrement, une fille abandonnait les mains tentaculaires de son client pour aller se rhabiller dans les vestiaires et redescendait rapidement pour partir, l'air satisfait, avec son client. La pêche avait été bonne.

Vers minuit, la mamasan s'approcha soudain de Moon, l'air sévère, pour lui parler. Moon était terrorisée à l'idée de ce que cette femme allait lui dire, lui faire… Elle avait une posture et une expression qui imposaient le respect et la crainte. Sans doute, allait-elle se faire renvoyer sur le champ ! Au grand étonnement de Moon, la mamasan lui parla d'une voix douce pour lui dire qu'elle comprenait. La première fois était toujours une expérience difficile. Toutes les filles sont passées par là. Moon devait réfléchir si elle souhaitait continuer. C'était à elle de se convaincre. Si elle décidait de revenir travailler, alors elle devait jouer le jeu à fond. La mamasan la complimenta pour la beauté de son corps et de ses formes. Elle ajouta que si elle voulait vraiment, elle pourrait gagner beaucoup d'argent au bar. Elle était persuadée que Moon ferait tourner la tête de plus d'un homme.

À deux heures, la musique s'arrêta, les lumières s'allumèrent et les filles qui n'avaient pas trouvé de clients grimpèrent à l'étage pour s'embouteiller dans les vestiaires. Les clients qui restaient, redécouvraient dans une lumière glauque la réalité sinistre d'un endroit redevenu sans charme, une fois les enchanteresses disparues. Après s'être rhabillée, Moon quitta le bar avec Bee. Elles s'arrêtèrent à un petit restaurant de rue avec quelques tables en plastique dressées sur le trottoir. Elles commandèrent deux *kuay tiao*[63] avec du porc qu'elles dégustèrent sur place au milieu des noctambules encore nombreux malgré l'heure tardive. Moon ne pouvait plus attendre et dit sur un ton le plus neutre possible :

— Je t'ai perdue de vue un moment. Tu étais où ?
— Je suis partie avec un client.
— Partie avec un client ?
— Oui, un Japonais. Un type bien.
— Et ?
— Et quoi ? Tu peux imaginer... Bee leva les yeux au ciel, d'un air agacé par la niaiserie de son amie.
— Tu as fait... l'amour avec lui ? Moon rougit en prononçant le mot.
— Oui, c'est normal. Il a payé trois mille bahts et nous sommes allés dans un petit hôtel près du bar pour louer une chambre à l'heure. Il a été respectueux et cela s'est bien passé. C'est de l'argent vite et facilement gagné.

Rien que d'imaginer son amie en train de coucher avec cet homme, Moon eut l'appétit coupé et repoussa sa soupe d'un revers de la main. Bee ignora la réaction de son amie et poursuivit :
— Si tu ne gamberges pas trop dans ta tête, franchement, cela n'est pas si terrible. Il faut voir cela comme un acte professionnel. Crois-moi, si tu sais t'y prendre, en un tour de

---

[63] Soupe épaisse avec des nouilles.

154

main, l'affaire est dans le sac ! Et, après quelques minutes et une bonne douche, tu es dehors à nouveau.

— Je ne pourrais jamais coucher avec un homme que je ne connais pas et pour lequel je n'éprouve pas de sentiments. Comment peux-tu ?

— Oh, moi ? J'ai déjà tout effacé de ma mémoire ! Je ne me souviens même plus à quoi ressemblait... le sexe de ce Japonais !

Bee s'esclaffa de sa propre blague. Moon était offusquée.

— Excuse-moi, mais mieux vaut en rire. Prends le temps de réfléchir cette nuit !

— C'est tout réfléchi. Je n'irai pas demain au bar. Ce n'est pas un travail pour moi. Demain, je retourne chez mes parents.

Elles rentrèrent à pied le long de la grande avenue *Sukhumvit*. Sur le chemin, elles croisèrent deux *Farangs* en goguette. Ceux-ci leur proposèrent de prendre un verre à leur hôtel. Bee plaisanta et déclina poliment tandis que Moon regardait, gênée, ses pieds. Il était près de quatre heures du matin. Le démon du sexe ne dormait pas encore dans le quartier rouge de Bangkok.

Couchée sur le matelas gonflable déposé dans un coin de l'appartement de Bee, Moon ne parvint pas à fermer l'œil de la nuit. Elle rougissait toute seule en se revoyant nue dans ce bar. Elle avait honte. Bien une centaine d'hommes avaient pu la regarder sous toutes les coutures. Certains avaient même eu l'impudeur d'effleurer ses fesses de la main lorsqu'elle se dirigeait vers le podium de danse. Elle n'arrivait pas à comprendre comment son amie pouvait avec un tel détachement vendre son intimité. D'un autre côté, Bee avait tout de même gagné près de cinq mille bahts en une soirée ! Une caissière au *7 – Eleven* à Bangkok devait travailler plus d'une semaine pour amasser pareille somme. Moon n'oubliait pas son obsession à rembourser sa dette auprès de ses parents. Mais elle n'était pas prête à payer ce prix avec son corps. Le jour était déjà bien avancé quand, épuisée, elle sombra dans un sommeil profond.

Bee la réveilla vers quinze heures :

— Moon, l'heure est venue de se réveiller. Voici le programme que je te propose. En bas dans la rue, il y a une petite échoppe. Ils font des *sumtams*[64] démentes. On va prendre aussi un *krapao*[65], des saucisses d'Issan et du poulet frit ! On va se faire un festin toutes les deux ! Je meurs de faim, pas toi ? Après, on s'accorde une petite sieste digestive. Et puis, on va se faire belle. Je t'emmène au salon de coiffure. Cela coûte trois cents bahts, mais cela en vaut la peine. Tu verras, c'est autre chose que le cagibi de coiffure de Yard Lao ! Ensuite, on se douche, on se maquille, on se bichonne, on se parfume, on se pomponne... Et, et, et après, un client m'a offert une bouteille de whisky, on va se torcher. Après, tu viens au bar avec moi ! OK ?

— OK ! s'entendit murmurer Moon. Était-ce vraiment elle qui avait répondu ?

---

[64] Sumtam est le plat populaire emblématique de la cuisine thaïlandaise. Il s'agit d'une salade de papaye verte (non mûre et non sucrée), tomates, citron vert, sauce de poisson et plein d'autres choses, mais surtout épicée à l'extrême. Un vrai perforateur d'intestin. Mais délicieux.

[65] Krapao est un plat de porc ou poulet à la sauce d'huître et basilique thaïlandais.

Peut-être dans son sommeil avait-elle pris conscience qu'elle n'avait tout bonnement pas le choix. Comment pourrait-elle autrement rembourser sa dette ? Avec les trois mille bahts en poche que sa mère lui avait donnés, elle ne pouvait que vivre aux crochets de Bee, pour le logement, la nourriture et les menues dépenses de la vie quotidienne. Elle lui fallait être forte, montrer qu'elle pouvait sacrifier sa pudeur s'il le fallait. Le chemin serait difficile, mais elle y arriverait. Après avoir payé sa dette, elle reprendrait une vie normale et la parenthèse sera fermée. Et ironiquement, elle pensa que ce serait des hommes qui allaient payer pour le péché originellement causé par un autre homme son ex-petit ami Toy.

Le scénario décrit par Bee se passa bien comme prévu. La *sumtam* était divinement délicieuse. La fusion entre le piment, le citron vert, le sucre et la sauce de poisson était subtilement réussie. Moon ressentait comme un volcan de saveurs dans sa bouche. « Saeb you ! [66]» s'esclaffa-t-elle devant Bee qui ne manqua pas de se moquer de son accent d'Issan. Ensuite, elles se rendirent au salon de coiffure non loin de là. Moon n'avait jamais mis les pieds dans un vrai salon de coiffure. Dans son village, sa mère ou parfois une voisine la coiffaient et, pour le reste, elle se séchait et lissait les cheveux elle-même. Le salon bourdonnait du bruit des sèche-cheveux. Des senteurs de shampoings et de laques flottaient dans l'air surchauffé. De nombreuses clientes, de l'âge de Moon, jacassaient, riaient, s'invectivaient dans une ambiance de cour de récréation. L'atmosphère était survoltée.

« Je les connais toutes, elles travaillent pour la plupart au même bar que moi », dit Bee. Moon prit beaucoup de plaisir au

---

[66] Délicieux en dialecte d'Issan du nord-est de la Thaïlande.

soin apporté à ses cheveux et sortit resplendissante du salon. Elles retournèrent ensuite au studio. Bee possédait une panoplie de produits de beauté et de lotions corporelles jamais vue par Moon. « Tu dois chouchouter ta peau, en prendre bien soin. Pour nous les filles de bar, notre corps c'est notre sécurité sociale, notre assurance, notre pension… » Elle expliqua où apposer quoi, quel type de maquillage lui siérait le mieux, quels endroits du corps parfumer. Le résultat était magnifique. Moon se sentait comme superstar de la télévision thaïlandaise. Elles s'attaquèrent ensuite à la bouteille de whisky. Elles jouèrent à pierre, ciseaux, papier, la perdante devant vider son verre cul sec.

— Tu dois choisir un surnom pour le bar ! dit Bee.
— Pourquoi ? J'ai déjà un surnom. Tu en as un, toi ?
— Oui, au bar, on m'appelle Jade. Pas Bee. Tu n'es pas obligée. Moi, j'aime bien avoir un surnom différent pour le bar. Que dirais-tu de Joy ?
— Joy ? Oui, ça me plaît. Merci Jade ! répondit Moon en riant. Les effets euphorisants de l'alcool commençaient à se faire sentir.

Bee vérifia l'heure sur téléphone et donna le signal du départ. Mécaniquement, Moon obéit comme un robot et se laissa entraîner, faisant le vide dans son cerveau. Elles arrivèrent à l'heure au bar. Il y avait toujours ce mur à franchir, dès que l'on passait le rideau de l'entrée, ce mur de l'obscurité déchirée par des éclairs stroboscopiques et les saccades de la *house music* (ℂ). La mamasan salua Moon d'un regard qu'elle prit comme un signe d'encouragement. Après s'être dévêtue avec pudeur comme pour une visite médicale, Moon respira un grand coup et descendit dans l'arène, gonflée à bloc. Elle marcha sans gêne et droite dans le bar entre les clients, mais sans regarder personne. Elle rejoignit Bee sans mot dire et avala d'un trait le shot qu'on lui tendit. Elle attendit sans mot dire accoudée au bar, les yeux fixés dans le vide. Quand ce fut son tour de monter sur l'estrade, elle esquissa maladroitement quelques pas. Elle jeta un œil aux autres filles à ses côtés. Certaines se bougeaient avec beaucoup de sensualité, pensa-t-elle. Sa voisine de danse lui toucha le bras et lui indiqua un client assis sur un tabouret devant le podium.

« Cela fait cinq minutes que ce gars s'agite pour te faire signe de venir près de lui », lui dit la fille.

Moon regarda l'homme et lui demanda : « Moi, vraiment ? » L'homme opina avec enthousiasme et Moon alla le rejoindre, non sans appréhension. Elle connaissait à peine quelques mots d'anglais et se demandait comment elle allait pouvoir faire la conversation.

Elle salua l'homme d'un *wai* et se planta devant lui. Il lui demanda comment elle s'appelait. Elle s'inventa un prénom comme Bee lui avait suggéré. Et, comme Bee lui avait également conseillé, elle demanda au client si elle pouvait commander une tequila coca. L'homme acquiesça tout en l'attirant vers lui de ses bras. Moon éprouva une sensation désagréable comme prise au piège. Il mit ses deux mains sur ces hanches. Moon aurait voulu s'enfuir, mais serra les dents. L'homme était un jeune coréen venu en bande avec d'autres amis pour s'encanailler dans la capitale siamoise. La serveuse apporta le petit verre de tequila et un grand de coca-cola. Moon prit une pincée de sel, pressa le citron vert dans sa bouche et avala d'une traite la tequila, réprimant à peine une mine de dégoût. Elle but assez rapidement son verre de coca, remercia le jeune coréen et tout en s'éclipsant rapidement, lui dit que c'était à son tour de danser. Bee ne l'avait pas quittée des yeux pendant toute la scène. Elle la rejoignit sur le podium.

— Moon, pourquoi, n'es-tu pas restée avec ce client ? J'ai bien vu que tu lui plaisais beaucoup. Il était sûrement prêt à te payer un second verre et plus encore. Il ne faut pas hésiter à demander quand tu sens qu'un client t'apprécie.

— J'ai surtout senti ses mains qui se baladaient vers mes fesses. Non, merci. Je n'ai pas envie qu'après il demande à partir avec lui.

— Tu peux toujours dire non. Mais, il y a de toute façon peu de risques. Quand ils viennent au bar en bande, les jeunes ne pensent qu'à boire et à s'amuser avec les filles, mais ils sont trop gênés pour emmener la fille. Un homme qui se rend seul ici éprouvera moins de retenue à prendre une fille avec lui.

— Pourquoi dis-tu que je lui plaisais ? demanda Moon intriguée.

— Tu as regardé ses yeux ?

— Non.

— Tu dois toujours regarder les yeux. Regarder dans les yeux et sourire, c'est la clef du succès. Et travaille ta danse. Tu ressembles à une momie !

Bee, moqueuse, esquissa quelques pas en l'imitant. Moon rit de bon cœur à la vue de Bee la mimant. « À part cela, je peux te dire que beaucoup d'hommes ne regardent que toi ! Je suis jalouse… Tu ne vas pas te faire que des amies ici… »

Bee avait dit cela avec gentillesse, mais Moon pouvait quand même percevoir un fond de vérité. Elle regarda autour du

160

podium. Beaucoup de clients n'avaient d'yeux que pour elle et cherchaient à établir un contact visuel avec elle. Elle s'en sentit flattée et se mit à sourire. D'un coup, échauffée par la tequila, elle retrouva soudain son instinct de séductrice qu'elle avait perdu entre les murs de Lard Yao.

La soirée s'emballa alors. Grisée par la tequila et allumée par le désir de ces regards, Moon se défaussa d'un coup de sa timidité. Elle alla vers un premier client et se présenta : « *Sawatdee ka ! My name is Moon, oh no, sorry, Joy. And you ?* » Elle but un verre puis deux, quitta l'homme pour un autre, déversa avec euphorie tous les mots d'anglais qu'elle connaissait, avala un autre *shot* et partit vers un autre client... L'ivresse montait. Elle avait l'impression que tous les hommes étaient venus pour elle. Elle était excitée, parlait fort, riait aux éclats, soutenait les regards, n'hésitait pas à provoquer les hommes qui répondaient par un sourire gêné en baissant les yeux... La timidité changeait de camp... Elle se sentait exaltée.

À une heure du matin, Moon était dans les bras d'un Japonais d'une trentaine d'années. Il était plutôt bien fait de sa personne. Il était encore en costume, sa petite mallette à ses pieds. Il était venu du boulot au bar sans passer se changer. Il la regardait, amusé, parler avec agitation. Il ne comprenait pas tout de son mauvais anglais, mais elle était à la fois drôle et si désirable. Il lui demanda si elle voulait bien venir avec lui à son hôtel. Elle répondit « oui évidemment. C'est trois mille bahts pour une fois ». Pendant que la mamasan réglait les détails financiers avec le Japonais, Moon remonta dans les vestiaires. Elle y retrouva Bee. Après lui avoir demandé comment elle allait, elle lui donna un petit sachet en plastique : « Tiens, prends ceci, tu dois toujours avoir des préservatifs de réserve dans ton sac. Ne t'inquiète pas, petite sœur. Tout va bien se passer. On se retrouve tout à l'heure ! »

De retour au studio, Moon retrouva Bee qui l'attendait, la prit dans ses bras, l'enlaça et sans bruit se mit à pleurer son innocence perdue. Elle voulut sécher ses larmes et ouvrit son sac. Les cinq billets de mille bahts gisaient là, froissés au milieu du fouillis de clefs, tube de rouge à lèvres et trousse de maquillage... En un jour, elle avait plus que doublé son capital !

Quatre heures trente, Moon commence à caresser avec lenteur le ventre du colonel et imperceptiblement glisse sa main vers le sexe de l'homme pour le saisir et lentement le masser. Aucun homme, même perdu dans un sommeil profond, ne peut être insensible à ses caresses. Le Sino-Thaï ne peut déroger à la règle. Il se réveille, et, le temps de redécouvrir les ondulations du corps allongé de Moon, émerge avec vigueur de sa léthargie. Moon prend rapidement les choses en main. Elle aspire à rentrer chez elle sans trop tarder. C'est à nouveau le même scénario en deux actes. Une première partie toute en fougue brutale où il la malmène pour mieux la posséder et une deuxième en douceur où il tente de l'amadouer. Moon serait bien en peine de dire ce qui lui déplaît le plus. Autant choisir entre la peste et le choléra... L'aménité du colonel lui est autant insupportable que sa frénésie. Et pourtant, tandis que l'homme jouit avidement, Moon jubile. C'est qu'elle a compris, pendant qu'il la pourfendait allègrement et puis effleurait son corps sensuellement, que le Sino-Thaï éprouvait des sentiments pour elle. Et elle devine à présent tout le parti qu'elle peut en tirer. Elle va le mener par le bout du nez. L'homme est riche et tant

162

pis s'il est marié – elle a remarqué l'alliance à son doigt – elle n'aura pas de scrupule à lui soutirer autant d'argent que possible. Le colonel est un profiteur. Il vole l'État par ses combines malsaines. Ce sera l'arroseur arrosé et c'est elle, Moon, qui tiendra l'arrosoir.

Moon attend quelques minutes que le colonel s'apaise après les spasmes de l'orgasme. Elle se lève ensuite et commence à enfiler ses vêtements pour quitter l'hôtel avant que le jour ne se pointe. Tout en s'habillant, Moon demande des nouvelles de la directrice.

— Ne me parle pas de cette chienne ! coupe sèchement le colonel.

Moon est surprise par la virulence de la réaction. Qu'a bien pu faire la directrice pour ainsi susciter l'ire du colonel ? Moon se hasarde à poser la question. La réponse du colonel fuse

« C'est une diablesse, cette femme. Je n'aurais jamais dû accepter son marché.

— Quel marché ?

— Eh bien, il y a quelques années, alors qu'elle était encore simple surveillante, elle est venue me trouver dans mon bureau. Elle m'annonça alors qu'elle postulait le poste de directrice du bloc 2. Je lui ai demandé de me convaincre qu'elle était la meilleure candidate. Elle m'a d'abord sorti le baratin usuel sur ses compétences et son expérience. Et puis, elle est venue avec cette proposition étrange. Tu devines laquelle ? » le colonel fixe sournoisement Moon.

— Quoi, trafiquer la comptabilité, c'était l'idée de la directrice ? s'exclame, incrédule, Moon qui en laisse tomber le soutien-gorge qu'elle agrafait.

Elle n'en revenait pas. La directrice l'avait bien menée en bateau en lui jouant la comédie de la pauvre victime face au méchant colonel. Décidément, il n'y en a pas un pour rattraper l'autre... Mais à la réflexion, ce n'était pas bien étonnant. C'était la même directrice qui avait arnaqué ses parents en leur extorquant des bakchichs quand elle était en prison.

— Oui, la brave et honnête directrice, c'est bien elle qui est venue avec cette idée. Et j'ai eu le malheur de trouver cette idée géniale !

— De quoi vous plaignez-vous ? Vous avez bien profité, je pense, du regard, Moon indique la *Patek* au poignet du Sino-Thaï.

— C'est vrai. Mais maintenant je suis pris dans l'engrenage et c'est impossible de faire marche arrière quand bien même, je le voudrais. Et cette chienne est de plus en plus gourmande. Elle a même exigé une part plus importante, en brandissant la menace de dénoncer la combine à la *NACC*[67]. J'ai réussi à la calmer en lui offrant une montre Dior, soupire le colonel.

Sur ces entrefaites, Moon a terminé de s'habiller et s'apprête à partir. Elle a presque la nausée d'entendre ces turpitudes. Mais il lui faut donner le change. Le colonel peut être une mine d'or pour elle. Le hasard l'a remis sur sa route. Elle serait bien folle, dans sa situation, de se permettre le luxe de laisser passer une telle occasion.

— Au fait, Colonel, par quel hasard, êtes-vous venu dans mon bar ? demande-t-elle curieuse.

— Le hasard n'y est pour rien, ma chère Moon, pardon Joy. J'ai demandé à ton amie Poor de se renseigner sur toi. Celle-ci

---

[67] National Anti-Corruption Commission.

a écrit à Bee qui lui a donné tous les détails. C'était un jeu d'enfant pour te retrouver, Moon frémit.

Cela confirmait bien ce qu'elle pensait. Le colonel en pinçait pour elle. Même si cela était de bon augure – ce ne serait que plus aisé pour lui soutirer le plus d'argent possible – il n'en restait pas moins que le colonel pouvait se révéler dangereux, et cela d'autant plus si la passion s'en mêlait. Peut-être le plus prudent était de fuir et de rester à l'écart de cet homme inquiétant ? Mais pouvait-elle laisser passer cette occasion de se faire beaucoup d'argent relativement facilement ? Un client comme le colonel valait bien dix clients normaux, des touristes de passage, qu'il fallait séduire sans lendemain… Cela valait sans doute la peine de prendre le risque. Quoiqu'un mauvais pressentiment la faisait hésiter. Le colonel l'interrompit dans ses pensées.

— Je veux te revoir, Moon, dit-il encore allongé nu sur le lit. Mais en dehors du bar. Je t'invite à dîner demain soir au restaurant en terrasse du *Sofitel* ! le ton est impératif, martial, celui d'un homme à qui on ne dit pas non.

— « Up to you »[68] colonel, mais…

— Appelle-moi Wim, je t'en prie !

— Eh bien Wim, ce serait avec plaisir. Malheureusement, je dois travailler demain. Cependant, tu peux venir me chercher au bar et, si tu es d'accord de payer le prix, quinze mille baths comme hier, nous pourrons aller dîner ensemble, bien entendu…

Moon laisse passer quelques secondes, puis sans attendre la réponse du Sino-Thaï reprend : « Ah, oui, et aussi le problème, c'est que je n'ai pas de belle tenue pour sortir dans un restaurant

---

[68] C'est comme tu veux.

aussi chic en ta compagnie », lui glisse-t-elle en le gratifiant de son plus beau sourire.

Moon quitte l'hôtel et se glisse dans la pénombre bleutée du petit jour. Moon, la chasseuse, savoure sa victoire. La pêche a été bonne hier soir. Elle a pris dans ses rets un beau spécimen de mâle dominant. Elle ressent une irrésistible envie de le mater, ce personnage imbu et malfaisant qui se croit tout dû, cet indigne représentant de l'establishment qui a détruit sa vie à elle, ce symbole de la gangrène prédatrice qui ruine son pays. Le colonel va maintenant payer pour les autres. Elle va l'ensorceler cet arrogant. Il va s'empêtrer dans les mailles de ses charmes. Elle jouera avec une subtile ambivalence les rôles de jeune fille docile et bien élevée en société et de femme lascive au lit. Les hommes ne résistent pas à cette ambiguïté qui, à la fois, rassure leur cortex et aguiche leur cerveau reptilien. Elle le sent, Wim va devenir sa chose et surtout un généreux donateur. Argent, parfums, bijoux, vêtements, il va la gâter... elle va le ruiner, lui et sa vie de privilégié. Elle la tient sa revanche !

Dans le taxi qui la ramène à son studio, Moon repense à cette époque, il y a cinq ans déjà, où elle payait les sorties et les caprices de son petit ami Toy, toujours fauché comme les blés. Un homme vivant à ses crochets, comme ce temps est bien révolu ! À présent, les hommes lui ouvrent grand leur portefeuille. Enfiévrés par le désir ardent de la posséder, ils paient le prix fort pour s'attacher ses services charnels.

Arrivée au studio, Moon se douche rapidement. Elle a hâte de retrouver son lit. Elle est lasse, épuisée par cette nuit, cocktail d'alcool, de sexe et d'insomnie. Comme à chaque fois, au retour d'une nuit passée avec un client, elle est en proie au même malaise. Le regard des gens « normaux » lui pèse. Le ton méprisant des chauffeurs de taxi quand elle embarque dans leur voiture avec un client au bout de la nuit, la mine méprisante de la réceptionniste de l'hôtel, les yeux qui roulent des employés de banque qu'elle croise, au petit matin, en chemin vers leur travail respectable... Tout cela lui fait honte. Une fois son million atteint, elle arrêtera ce métier sur le champ, c'est sûr. Mais entretemps, il lui faut vivre avec cette gêne. En guise de trivial antidote, il lui faut savourer le goût tout en amertume de cet argent qui coule à flots, jouir du pouvoir qu'elle exerce sur les clients, s'extasier de la fascination des hommes pour son corps, se rengorger de ses victoires dans la dure compétition avec les autres filles du bar... Car, en quelques mois, Moon s'est imposée comme la vedette incontestée du bar. La *mamasan* la chérit pour ses succès et la respecte même quand Moon refuse des clients qui ne sont pas de son goût. Par contre, elle suscite la jalousie féroce des autres filles qui la trouvent hautaine et envient son succès. Jusqu'à présent, cette agressivité s'est cantonnée à des invectives verbales, mais Moon reste sur ses gardes. Sans éprouver aucune peur. Quand on a survécu à l'enfer de Lard Yao, on n'a plus peur de rien... Au bar, elle n'a toujours qu'une seule amie, Bee. Et même chez elle, Moon sent parfois la jalousie pointer... Ce sentiment désagréable que ressent le maître quand il se rend compte que l'élève l'a dépassé... Mais leur amitié reste forte et solide. Bee est la seule personne à qui Moon peut se confier. Sa famille et Nam ignorent tout de son véritable travail. Elle s'est bornée à dire qu'elle travaille comme serveuse dans un bar-restaurant. Pour ses proches, Bangkok reste une ville mystérieuse et monstrueuse dans laquelle ils ne mettent jamais les pieds et certainement pas la nuit. De temps en temps, ils lui donnent des nouvelles de Toy. Le jeune homme s'est engagé dans l'armée. On ne lui connaît pas de nouvelle petite amie. Quand on l'interroge, il se contente de dire que, dans son cœur, Moon demeure la femme de sa vie et qu'il espère son retour. Mais pour Moon, la page est définitivement tournée. Elle ne croit de toute façon plus à l'amour et si elle décide de se marier un jour – pourquoi pas sur une plage comme dans son rêve ? – ce sera pour épouser un homme assez riche pour l'entretenir, et de préférence pas un Thaï, plutôt un homme d'affaires japonais. Mais elle n'y pense pas vraiment. Une seule préoccupation hante son esprit : réunir son million de bahts tout en prenant sa revanche sur la caste des mâles.

À la recherche du sommeil salvateur, Moon repense soudain à la malédiction du chaman. Serait-elle en danger ? Pourtant, il n'y a pas de raison de s'inquiéter. Les choses vont plutôt bon train et pour Bee et pour elle jusqu'ici et rien ne laisse présager d'un malheur imminent. Moon aimerait tant purger de sa mémoire les sombres prémonitions du vieil homme. Mais en vain, on ne se débarrasse pas comme cela des superstitions au royaume du Siam.

Il est six heures. Bangkok est déjà bien réveillé. Moon a sommeil. Elle s'endort enfin.

VI
La tour du destin

21 juillet 2016

La vue sur le fleuve Chao Phraya est étourdissante du haut du quarante-neuvième étage.

Malgré l'heure tardive, le trafic fluvial n'a pas perdu d'intensité. Des convois d'imposantes barges de riz, amarrées en file indienne, sillonnent les eaux boueuses du fleuve et se mêlent dans un ballet laborieux, tant le courant est fort, à la flotte de bateaux de croisière, ferries, bateaux-mouches, coquilles de noix, *speed boats* et autres vedettes qui encombrent le fleuve. Avant de se jeter dans l'océan, une trentaine de kilomètres plus au sud, la Chao Phraya découpe tortueusement la ville en deux, le Bangkok scintillant et trépidant et, sur la rive occidentale, Thon Buri, l'ancienne ville, déjà enveloppée dans l'obscurité de la nuit.

Bee tire avec avidité sur sa cigarette, Moon à ses côtés. Les deux femmes sont debout tout au bord de la terrasse du dernier étage, le quarante-neuvième. Au-delà, c'est le vide. Pas de garde-fou pour empêcher la plongée de près de deux cents mètres. Les jambes flageolantes, Moon se demande encore pour quelle raison Bee a tenu à l'amener à la *Sathorn Unique Tower*. Elle tremble de peur. Comme tous les Bangkokiens, elle connaît l'histoire de cette tour appelée communément la tour fantôme. Mais c'est la première – et la dernière – fois qu'elle y met les pieds. La construction de la *Sathorn Unique Tower* avait démarré début des années nonante en plein boom de l'économie thaïlandaise. Le projet consistait à ériger, en bordure du fleuve, un gratte-ciel de près de deux cents mètres abritant six cents luxueux appartements. La crise asiatique de 1997 sonna le glas des ambitions de son promoteur qui avait déjà dû se dépêtrer au préalable d'une ténébreuse affaire de meurtre. Les travaux sont alors arrêtés. Ils ne reprendront jamais. Aucun n'investisseur ne s'aventura par la suite à continuer la construction ou à la raser. Le gros œuvre avait néanmoins pu être terminé. Vue de la station de métro aérien *Saphan Taksin*, la tour offre le spectacle d'une constellation de balcons de style néo-grec et de baies béantes sur le mystère de ses entrailles. Battue par les vents, rongée par l'humidité, noircie par la pollution, elle offre un spectacle désolant et lugubre. La Sathorn Unique Tower est maudite. Tous les Thaïlandais le savent. La raison en est simple. Le terrain sur lequel a été construit l'immeuble se trouve être un ancien cimetière ! À raison, les esprits des morts ont pris ombrage de cette offense et ont jeté un sort sur la construction. Les travaux arrêtés pour l'éternité, ils hantent désormais la tour. Pourquoi Bee m'a-t-elle emmenée ici en pleine nuit ? se répète Moon. Une réponse absurde lui vient à l'esprit, mais elle se refuse d'y songer. Et si Bee, pour vaincre le mauvais sort du chaman voulait se débarrasser d'elle en la jetant du haut de la tour ? La malédiction serait ainsi accomplie et Bee serait libérée de ce poids qui la hante comme elle. Mais non, jamais Bee ne ferait une chose pareille… Je ne peux pas croire cela, calme-toi, se dit Moon, à moitié convaincue.

Le pourtour de la tour Sathorn est ceint par une haute clôture interdisant l'accès. Néanmoins, il demeurait possible de se faufiler à l'intérieur par quelques ouvertures aménagées dans le grillage par de précédents visiteurs. Bee et Moon avaient ainsi pénétré dans l'immeuble. Elles avaient progressé lentement dans les entrailles de l'immeuble. Il faisait nuit et les lampes de leur téléphone n'offraient qu'une clarté à peine suffisante pour se frayer un chemin sur la dalle spongieuse recouverte de mousse. L'endroit était lugubre et puait la pourriture. La progression dans les couloirs était incommode. Il fallait éviter les trous des cages d'ascenseur et des canalisations ouvertes, les outils abandonnés qui jonchaient le sol, les piquets de fer tordus qui d'un coup se dressaient dans l'obscurité. Moon était épouvantée. Au gré du faisceau des lampes, des ombres fugitives surgissaient à l'improviste sur les murs. Moon sursautait à chaque fois de frayeur. Elle s'imaginait les esprits des morts courroucés d'être dérangés dans leur antre par les deux filles. Moon semblait distinguer des bras, des jambes, des corps qui fuyaient sur leur passage pour réapparaître au détour du prochain couloir. Elle aurait voulu s'arrêter, faire marche arrière, ficher le camp de cet endroit maudit. Mais devant elle, Bee menait la marche imperturbable, sans un regard en arrière pour son amie. Quelle mouche l'avait donc piquée ? Ces derniers temps, Bee semblait dépressive, lasse de son travail, de sa famille, de sa vie… elle enchaînait les cigarettes et ne pouvait s'endormir sans calmants, les mêmes que ceux de l'infirmerie de Yard Lao. Bee n'allait pas bien au grand désarroi de son amie. Mais pourquoi Bee l'emmenait-elle dans cette tour infernale s'interrogeait Moon tout en prenant soin d'éviter les cafards qui pullulaient sur le sol moisi.

Les deux filles gravirent ainsi un par un les étages. Arrivée au quarante-troisième étage, Bee fit une halte. « C'est ici ! » dit-elle, désignant ce qui aurait dû être une luxueuse salle de bain si les travaux avaient pu être menés à leur terme. Moon jeta un œil aux lieux. La baignoire comme le lavabo affichaient une sinistre teinte verdâtre. Des coulées brunâtres d'eau perlaient sur les murs et dessinaient des formes luisantes à la lumière des téléphones. Une interminable scolopendre noirâtre frayait son chemin à travers l'écheveau de câbles et de tuyaux sanitaires. Par terre, des mégots de cigarettes trempés témoignaient du passage de précédents visiteurs. Moon interrogea Bee du regard. « Il y a deux ans, on a trouvé ici le corps d'un *Farang*. Sans doute un suicide », répondit Bee laconiquement. Moon tressaillit. Il lui sembla que quelque chose bougeait derrière le rideau de douche. Le fantôme du suicidé, pensa-t-elle.

« Bee, j'en ai assez, on redescend, cet endroit est horrible ! » Mais, imperturbable, Bee reprit son ascension, suivie à regret par Moon, incapable de redescendre seule dans les méandres de la tour.

Cela fait maintenant plus d'un quart d'heure que les deux filles sont perchées sur la terrasse du quarante-neuvième étage. Elles contemplent silencieusement la vue panoramique qui s'offre à elles. À leurs pieds, la nuit de Bangkok scintille de millions de phares, lampadaires, néons, enseignes, lanternes, gyrophares… Il n'y a pas de rambarde. Le vide est là à leurs pieds. Moon se tient en retrait d'un bon mètre, peu rassurée. Bee s'est avancée à quelques centimètres du bord. Moon la regarde avec inquiétude. Elle ne semble pas dans son état normal. Pour quelle raison impérieuse a-t-elle tellement insisté pour l'emmener dans cette tour ?

— Bee, que faisons-nous ici ?

Bee ne répond pas.

« Ne t'approche pas si près du bord. C'est dangereux avec le vent. Et le sol est glissant… dis tu m'écoutes ? »

Pour toute réponse, Bee se contente d'allumer une cigarette. À la flamme du briquet, Moon distingue le visage fermé de son amie.

Ces derniers temps, Moon avait remarqué un changement dans les humeurs de son amie. Bee était déjà d'humeur versatile et mélancolique quand elles s'étaient connues à Yard Lao. Mais depuis peu, ces moments de dépression devenaient plus fréquents, semblaient s'ancrer plus profondément en elle et duraient aussi plus longtemps. Elle s'enfermait alors dans de longs silences hermétiques. Lorsqu'elles en parlaient ensemble, Bee évoquait la lassitude de sa vie de fille de bar et le harcèlement incessant de sa famille qui lui réclamait toujours plus d'argent. Moon s'inquiétait de l'état de santé de son amie. En plus de la dépression, Bee sombrait dans la dépendance. Elle était devenue accro aux somnifères, les mêmes que ceux de l'infirmerie de Lard Yao. Et, tous les soirs, avant de partir travailler au bar, elle s'enfilait sa dose de *Yabaa*.

— On redescend maintenant ! lance Moon d'un ton qui se voulait ferme et impératif, mais qui suintait l'inquiétude.

Sans répondre, Bee fait un pas en avant à la grande stupeur de Moon. Elle se trouve maintenant les deux pieds sur le bord de la terrasse. Glacée d'effroi, Moon pressent le scénario du pire. Son amie va se jeter dans le vide devant elle. Bee est d'un calme irréel.

— Bee, éloigne-toi du bord. Ne fais surtout pas de bêtise. Je suis là pour parler avec toi de ce qui ne va pas... supplie Moon, atterrée de voir Bee si proche de la chute fatale.

— *Ma, Moon, Ma*[69] d'un signe de la main, Bee l'invite à venir la rejoindre. N'aie pas peur... chuchote Bee d'une voix suave.

Moon hésite. La peur la tenaille. Mais le désir de venir en aide à son amie est plus fort. Elle s'avance donc prudemment en direction du bord et rejoint son amie. Elles sont là toutes les deux, avec à leurs pieds, Bangkok qui scintille de mille feux. Moon ose à peine jeter un regard en bas. Elle dévisage Bee qui a les yeux rivés sur le sol, comme si, aspirée par le vide, elle se préparait à plonger. Moon voudrait emmener son amie loin du bord, mais elle n'esquisse aucun mouvement, paralysée par la peur.

— Bee, nous allons toutes les deux faire un pas en arrière, d'accord ? Bee fait un signe de dénégation.

— Laisse-moi d'abord finir ma cigarette, c'est ma dernière cigarette, son regard est étrange, à la fois absent et déterminé.

Comme si Bee venait de prendre une décision terrible et de s'y perdre. Et soudain, Moon est prise de panique. Elle se remémore la malédiction du chaman. Une d'entre elles va subir un sort funeste, avait-il dit. Et si Bee, dans un éclair de folie, voulait la précipiter dans le vide et accomplir ainsi la prédiction

---

[69] Viens, Moon, viens.

à son avantage ? Bee tente de se raisonner. Bee ne ferait jamais une chose pareille. Mais est-ce encore Bee qui se tient à côté d'elle ? La jeune femme semble comme possédée par un esprit maléfique. Moon repense à l'histoire de cette tour maudite construite sur un cimetière, aux esprits des morts qui hantent ses couloirs, au fantôme de *Farang* suicidé qu'elle se jure d'avoir vu dans la salle de bain du quarante-troisième étage… Bee ensorcelée par la tour infernale… et Moon qui sent la folie la gagner également. Moon esquisse un pas en arrière, mais Bee agrippe sa main et la retient fermement ! « Reste ici près de moi ! »

Les deux filles sont debout, dans le silence, main dans la main, au sommet vertigineux de la tour *Sathorn*, face à la pleine lune – quelle funeste ironie… pense Moon, elle ne pensait pas retrouver son astre chéri dans pareille circonstance. Une légère brise balaie leurs cheveux. Le temps s'écoule, silencieux. Moon a compris que Bee va l'emmener dans sa chute mortelle. Paralysée par cette révélation, elle se sent impuissante à réagir. Si Bee l'entraîne dans le vide, elle ne résistera pas. Elle est résignée à son karma, prison, prostitution, destruction… Ce monde peu amène qui ne l'a pas épargnée, elle est prête à le quitter. Elle pense à ses parents bien-aimés. À son frère Pod aussi. Elle regrette la discussion orageuse qu'ils ont eue la dernière fois qu'elle était passée à la maison familiale. À table, Pod avait insidieusement lancé une remarque perfide sur les filles qui travaillaient dans les bars à Bangkok. Heureusement, ses parents n'avaient pas perçu que l'insinuation visait Moon. Plus tard dans la soirée quand ils s'étaient retrouvés seuls à deux, Pod lui avait bien fait comprendre qu'il n'était pas dupe de la nature de son travail. En furie, Moon avait rétorqué violemment que s'il se hasardait encore une fois à faire une allusion devant ses parents, elle le tuerait. Depuis, ils ne s'étaient plus parlé. Elle s'en veut maintenant d'avoir prononcé ces mots. Ah, si elle pouvait effacer ces paroles et ne pas les emporter dans une nouvelle vie, elle partirait le cœur plus léger... Mais il est trop tard pour avoir des regrets. Étrangement calme, Moon attend maintenant le signal de son amie dont le visage brille au clair de lune.

Bee aspire une longue bouffée de cigarette, jette le mégot qui tourbillonne avant de disparaître dans le vide. Rompant le long silence, elle se tourne vers Moon et lui annonce d'un ton résolu :

— Voilà, c'était ma dernière cigarette ! J'ai pris ma décision...

Interloquée, Moon s'interroge. Et si tout simplement, Bee avait décidé d'arrêter de fumer ! Mais, oui, c'est l'évidence même ! Elle s'en veut d'avoir été aussi idiote et de s'être imaginé de tels scénarii morbides.

— C'est bien que tu arrêtes. C'est une super nouvelle, ça ! Tu m'inquiétais à fumer tant ! On peut redescendre maintenant ? lui répond Moon, soulagée, mais toujours aussi désireuse de quitter les lieux.

— Moon, ne devines-tu pas ?

— Que dois-je deviner ?

— Je suis enceinte...

— Pardon ? médusée, Moon se répète en boucle les mots prononcés par son amie avant de prendre conscience de leur signification.

— Je ne saisis pas... Tu prends la pilule pourtant...

— Non, j'ai arrêté. Cela me faisait grossir...

Moon connaît l'obsession de son amie pour son poids. Elle a tenté à plusieurs reprises de la réconforter à ce sujet, mais rien n'y fait. À tort, Bee se trouve trop ronde et envie la taille de guêpe de son amie. Mais arrêter la pilule s'avère pour le moins hasardeux dans son métier...

— Et tu es certaine de... ?

— Oui, j'étais en retard de mes règles. Au début, je ne m'inquiétais pas trop. Mais après cinq jours, j'ai fait le test. Et je l'ai répété plusieurs fois ensuite. Il n'y a pas de doute.

Moon se tourne prudemment vers son amie. Le sol glissant ne demande qu'à se dérober. Elle l'enveloppe dans ses bras. Bee se laisse faire et poursuit d'une voix monocorde : « J'ai voulu que tu viennes ici avec moi. Je voulais réfléchir le temps de l'ascension et prendre ma décision, arrivée au sommet. Soit, je me décidais à garder le bébé, soit... elle montre le vide. Soit, je plongeais... »

Des larmes coulent sur ses joues. Moon se met également à pleurer.

— Je vais garder le bébé, Moon, quoi qu'il m'en coûte.

— Bee... je ne comprends pas. Tu demandes toujours aux clients de mettre un préservatif, n'est-ce pas ?

— Ce n'était pas avec un client, Moon...

Moon réfléchit un court instant, le temps de comprendre.

— ... Oh ! Koh Chang ?

— Oui, Koh Chang...

Moon se souvient. C'était il y a un bon mois, début juin. Elles s'étaient rendues toutes les deux sur l'île de Koh Chang. Moon avait invité Bee sur cette île sise près de la frontière cambodgienne pour célébrer son premier demi-million de bahts. Bee avait été impressionnée par l'efficacité de Moon. En, à peine, neuf mois, son amie avait pu déjà récolter la moitié de l'objectif qu'elle s'était fixé. Elles avaient pris le bus à Bangkok et puis le ferry de Rayong pour rejoindre l'île. Moon avait réservé une chambre pour deux nuits dans un petit hôtel sans charme, mais donnant sur la plage. Elles avaient passé l'après-midi dans la chambre à discuter et surfer sur internet. Une fois le soir tombé, telles des créatures nocturnes, elles étaient enfin sorties de leur tanière. La première soirée s'était passée plutôt calmement. Les filles étaient fatiguées du voyage et, de surcroît, elles avaient toutes deux travaillé la veille. Elles s'étaient installées au bar de la plage et avaient siroté modérément quelques *mojitos*. Leur quiétude n'avait été interrompue que par la sonnerie du téléphone portable de Moon. C'était le colonel. Moon pesta : « Il ne peut pas me laisser tranquille, celui-là ? »

Elle ne décrocha pas. Comme prévu, le colonel s'était entiché d'elle. Il venait régulièrement au bar et n'avait d'yeux que pour elle, jamais pour une autre fille. Moon n'éprouvait aucune pitié pour lui. À ses yeux, Wim personnalisait à la fois l'appareil policier et la gent masculine qui avaient bouleversé sa vie. Elle lui faisait et lui ferait payer le prix fort de sa revanche.

« C'est nouveau, cela ? » demanda Bee en désignant la montre au poignet de Moon.

« Cadeau du colonel ! » répondit Moon, le sourire sardonique aux lèvres. Wim lui avait offert une montre Dior comme à la directrice. Au troisième appel, Moon se résigna à décrocher. Pendant qu'elle conversait au téléphone avec le colonel, Bee dévisagea Moon et prit conscience de la métamorphose de la jeune fille. Elle l'avait d'abord entrevue, encore innocente, dans les couloirs du commissariat et avait ensuite fait véritablement sa connaissance en prison. Passés les premiers moments de stress et de détresse, elle avait pu remonter la pente. C'était

178

surprenant de constater comment un petit bout de femme avait pu ainsi en imposer par sa personnalité, comment son regard pénétrant et expressif avait pu reprendre le contrôle de son destin, comment, même fagotée en uniforme de prisonnière, elle avait toujours gardé une certaine prestance. Elle était parvenue à tenir son rang dans le monde des bagnardes, gagnant le respect des caïds et des surveillantes. Quand, plus tard, Bee l'avait revue dans sa maison des faubourgs de Bangkok, elle avait redécouvert une jeune fille simple, modeste, ébranlée par le choc d'une nouvelle désillusion. Bee l'avait emmenée dans le l'univers interlope de la nuit. L'apprentissage avait été douloureux, mais Moon avait rapidement appréhendé les codes de la nuit. Elle était devenue Joy. Maintenant, elle avait pris de l'aplomb. Ses regards n'étaient plus innocents. Ses gestes étaient posés. Tout en maîtrise, elle était devenue sûre d'elle. La découverte de son pouvoir sur les hommes l'avait transfigurée. Bee gardait intacte son affection pour Moon, mais désormais, elle éprouvait comme un malaise. Sa réussite avait un côté insolent. Elle avait le don d'ensorceler les hommes par sa danse, son corps parfait, son regard et son sourire. Suivant le conseil de Bee, elle s'était employée pendant des heures à peaufiner sa chorégraphie seule devant son miroir. Elle avait observé attentivement des clips de danse érotique sur *YouTube*. Danser nue exigeait une maîtrise parfaite du corps, une synchronisation fluide des mouvements des bras, des jambes, du ventre et du fessier, une lenteur sensuelle et hypnotique… à des années-lumière des gesticulations en discothèque. Désormais à l'aise dans toutes les situations, Moon alternait avec égal bonheur le registre angélique ou sulfureux. Plus étonnant encore, jamais, elle n'éprouvait un moment de faiblesse, jamais, elle ne confessait la honte de faire ce métier, jamais, elle ne fondait en larmes à la pensée d'être désormais astreinte à vendre son corps... Était-elle trop fière pour l'avouer, était-elle trop orgueilleuse pour se l'avouer ?

— Moon, cela ne te dégoûte pas parfois de coucher avec tous ces hommes, de les sentir en toi, d'être comme un objet ? avait demandé Bee quand son amie eut terminé sa conversation téléphonique.

— Hum... Je vais peut-être te surprendre, mais je ne pense pas à tout cela. J'ai pris du temps à me comprendre moi-même. Comment pouvais-je faire ce métier ?

— Ah, oui, je me rappelle quand je t'ai amené la première fois au bar... L'innocente petite Moon a bien changé ! Bee se met à mimer Moon à ses débuts, recroquevillée sur elle-même, les mains en guise de cache-sexe.

— Comment dire ? Au bar, je me sens comme une machine de guerre, tous mes sens sont aux aguets, en alerte maximale, mes gestes, mes mouvements, mon regard, mon sourire, mon corps sont au service de mon instinct de chasseuse d'homme. Je choisis ma proie. Physiquement, d'abord, il faut que l'homme me plaise au moins un minimum, un beau visage, pas de panse, qu'il ait une certaine prestance. Pas trop jeune, un homme plus âgé s'avère généralement plus aisé à contrôler... et plus généreux. Ma préférence va aux hommes élégants. Une apparence soignée témoigne souvent d'une saine hygiène. Je n'accepte jamais d'accompagner un client à son hôtel sans avoir pris le temps de discuter avec lui. Quelques minutes suffisent souvent. On peut discerner beaucoup de choses dans les yeux d'un homme. Je jauge son regard. Si j'entrevois du respect à travers le désir, j'accepte alors son invitation. Mon intuition m'a rarement trompée jusqu'à présent.

Les paroles de Moon résonnaient comme un conseil mâtiné de reproche adressé à son amie. Bee ne gambergeait pas longtemps quand un client portait son choix sur elle. D'instinct, elle pensait à l'argent d'abord. Et au plus vite cela se passait, au mieux cela était. Il lui était déjà arrivé d'enfiler trois clients en une seule soirée. Mais, revers de la médaille, elle avait eu à souffrir de mauvaises expériences à maintes reprises. Un client qui exclut de prendre une douche, un autre qui tente de renégocier le prix convenu, ou encore qui refuse de mettre un préservatif, ou celui qui ne veut pas payer, car il n'est parvenu pas à jouir, Bee ne comptait plus les mauvais coucheurs. Généralement, tout rentrait dans l'ordre quand elle menaçait de faire un esclandre dans le couloir de l'hôtel ou même d'aller se plaindre à la police.

— Je n'ai pas de honte à l'avouer, quand l'homme que j'ai choisi me veut, cela me fait plaisir, confessa Moon qui, à chaque fois, ne pouvait réfréner cette fulgurance jubilatoire, jaculatoire, la jouissance de la victoire.

— Tu ne réponds pas à ma question. Je peux m'imaginer que tu aimes ce pouvoir de séduction. Mais après ? Le moment de vérité venu, quand tu te retrouves nue devant cet étranger, le sexe dressé ? Parfois, moi j'en ai la nausée…

Moon hocha la tête évasivement et préféra ne pas répondre. En neuf mois de travail au bar, elle en avait connu des hommes au lit. Certains prétendaient lui faire l'amour, d'autres la baisaient comme s'ils voulaient la détruire avec leur dard. Certains bandaient à peine, la trique en berne, d'autres étaient durs à n'en plus finir. Certains étaient furtifs, d'autres s'appesantissaient sans fin sur elle. Certains ne juraient que par le confort du lit, d'autres étaient tentés de tester toutes les surfaces disponibles de leur chambre d'hôtel. Certains jouissaient meuglant un torrent d'éructations, d'autres étouffaient timidement leur plaisir. Sans parler du Colonel, le schizophrène du sexe tantôt bête féroce, tantôt doux comme un agneau. La plupart du temps, Moon se sentait étrangère à son corps, comme spectatrice de la scène du plaisir des hommes. Mais, si elle restait indifférente à leurs ébats, elle, la menue et frêle Moon, ne pouvait réfréner une jouissance toute cérébrale de mater ces mâles, pourtant si imposants et arrogants qui croyaient la dominer.

Bee n'avait jamais éprouvé ce genre de sensations. Seule la vue des billets de mille bahts avait de la saveur. Mais ce bonheur s'évanouissait quelque peu à la pensée de devoir reverser une partie de l'argent à sa famille. Elle s'était rendue dans sa famille dans la région d'Ubon, à l'est de la Thaïlande, le mois dernier. Elle en était revenue déprimée. Sa mère y avait acheté là-bas, une maison près de la frontière laotienne. La maison était la dernière du village qui comptait à peine une centaine d'âmes. La bâtisse était encore en construction. Le chantier évoluait en fonction de l'argent que Bee envoyait à sa mère. Pour l'instant, la famille dormait sur des matelas posés à même la chape de béton. L'éclairage se limitait à quelques lampadaires. La salle de bain, une petite pièce à ciel ouvert, se résumait à une grande jarre d'eau de pluie pour la toilette et un grand trou en guise de fosse d'aisances. Le voyage, de dix heures en bus, avait été épuisant. Arrivée sur place, elle avait découvert la maison que sa mère avait achetée… avec son argent. Une maison en chantier au milieu de nulle part. Le 7 – *Eleven* le proche se trouvait à dix kilomètres à la ronde ! Le soir, elle avait mangé avec sa famille

– ses frères et sa mère – et des voisins, dehors sous une petite cahute en face de la maison. Son père n'était pas là. Elle apprit qu'il était parti s'installer avec une autre femme. Tout ce petit monde se mit à boire, énormément, de la bière et du whisky thaïlandais en écoutant de la musique *Luk Thung* (ℂ). Pendant que les femmes préparaient à manger, son frère exhibait fièrement, devant les voisins, le révolver qu'il avait acheté au marché noir. Bee espérait qu'il n'allait pas commettre de bêtises avec cette arme. Il ne manquerait plus que cela dans sa famille ! Malgré la nuit tombée, il faisait étouffant. Les insectes attirés par la lumière pullulaient autour des plats. Sa mère commença à geindre. Elle avait besoin d'argent pour les travaux de la maison. Ses frères n'avaient pas de travail. Forcément, dans ce trou perdu, c'était facile de ne pas trouver un job, pensait-elle. Bee étouffait. Sa mère savait pourtant de quel genre de travail provenait l'argent de sa fille. Cela n'avait pas l'air de la gêner de réclamer encore plus. Les parents de Moon, eux, ignoraient tout des activités nocturnes de leur fille. Ou du moins, préféraient-ils ne pas savoir. Vers minuit, Bee marcha malencontreusement sur un nid de fourmis rouges. Les petites bêtes se vengèrent instantanément et ses pieds furent en un clin d'œil couverts de piqûres. Bee décida que c'en était assez et partit se coucher sur une natte étendue à même le sol dans la maison. Elle éprouva du mal à s'endormir. Un mauvais rêve hanta son sommeil. Le chaman était pendu au plafond de la maison, tandis que le corps de Moon baignait dans le sang. Elle regardait son frère, un révolver à la main, qui lui disait « petite sœur, je t'ai sauvée de la malédiction ! ». Le matin, elle se réveilla à l'aube. Toute la famille dormait encore. Elle rassembla rapidement ses affaires, déposa une enveloppe avec des billets sous la porte de la chambre de sa mère et sortit silencieusement de la maison. Elle tomba nez à nez avec deux petites vieilles qu'elle ne connaissait pas, en train de boire du whisky thaïlandais au petit matin. Elle les salua et leur demanda de prévenir sa mère à son réveil qu'elle avait dû partir précipitamment. Elle se précipita dans la rue en courant de peur que quelqu'un ne la voie et la retienne. À l'aube, le paysage des rizières endormies dans la brume matinale était vraiment magnifique, mais elle n'en avait cure. Elle deviendrait neurasthénique si elle devait rester là plus longtemps. Quelle famille de dégénérés que la sienne ! Bee était bien décidée à mettre un terme à cette triste lignée. Jamais elle ne ferait d'enfant, elle en était convaincue.

Une déflagration avait extirpé brusquement Bee de ses sombres pensées. Des jeunes locaux avaient improvisé un feu d'artifice sur la plage. Elle proposa alors à Moon de rentrer se coucher à l'hôtel. Elle se sentait fatiguée. La réminiscence de son voyage dans sa famille l'avait aussi quelque peu accablée. Demain, elle ferait la fête avec Moon pour gommer tout cela. Les deux filles rentrèrent à l'hôtel se coucher. Par-delà la porte de la salle de bain, Moon perçut des bruits assourdis de crachotements. Elle ne s'en inquiéta pas outre mesure. Bee avait coutume de se faire vomir après les repas. Son poids l'obsédait sans relâche. Les deux amies s'endormirent rapidement malgré l'agitation de la plage toute proche.

Le lendemain matin, elles se promenèrent sur la plage. Elles sautillèrent dans les vagues sans s'aventurer loin du rivage, aucune d'entre elles ne sachant nager. Elles restèrent couvertes de la tête au pied pour éviter tout bronzage. Bee avait une peau plus pâle que Moon et elle en était assez fière. Moon enviait le teint opalin de son amie qui lui donnait une apparence d'adolescente japonaise. Bee dépensait pas mal d'argent à entretenir la blancheur de sa peau. Comme tous les Thaïlandais, elle pensait que pâleur était synonyme de bien-être et de réussite sociale. Et ses clients asiatiques appréciaient son teint à la japonaise. Seuls, les *Farangs*, incompréhensiblement, aimaient les peaux bronzées… Mais, à l'instar de Moon, Bee évitait les clients occidentaux.

Les deux filles déjeunèrent assez tard. Au menu, riz sauté aux grosses crevettes, des petits crabes à carapaces molles frits à l'ail et du maquereau sauce soja. La nourriture était délicieuse. Elles commencèrent doucement à boire vers seize heures, de la bière pour commencer. Elles avaient, toutes deux, envie de s'enivrer. Vers dix-neuf heures, elles remontèrent dans leur chambre pour se doucher et se préparer pour la soirée. Elles optèrent pour des tenues plutôt sexy, short échancré et top moulant. Elles s'installèrent au bar de la plage et commandèrent des *Long Island*. Elles s'amusaient des regards appuyés que leur lançaient de jeunes Thaïlandais. Enjouée, Bee narra pour la première fois les événements qui avaient suivi sa sortie de prison. Elle avait recommencé à travailler au bar. Après quelques semaines, elle y avait rencontré un homme d'affaires chinois qui possédait une entreprise à Chang Mai dans le nord-ouest de la Thaïlande et y vivait avec sa famille. Séduit par Bee, il lui avait proposé d'être sa *mia-noï*[70]. Il l'avait installée dans un appartement moderne qu'il possédait à Thonlor, un quartier chic de Bangkok.

— Plus tout jeune, le corps dodu, le visage disgracieux, ce n'était pas vraiment l'homme de mes rêves. Il ne passait avec

---

[70] Concubine en thaïlandais.

moi qu'une à deux nuits par semaine quand il avait des rendez-vous d'affaires à Bangkok. Ce n'était guère contraignant et en contrepartie, je disposais d'un logement confortable et je disposais de beaucoup de temps libre. De plus, il me versait un « salaire » de quarante mille bahts par mois.

— Pas mal ! Et que s'est-il passé ?

— Hum… Quarante mille bahts par mois, cela paraît une belle somme. Mais il y avait déjà la moitié qui filait vers ma famille. Et puis, quand tu prends en compte toutes les dépenses, comme le coiffeur, manucure, salon de beauté, traitement au botox… il me restait plus tellement d'argent en fin de compte. Tu comprends ?

— Que dois-je comprendre ?

— Eh bien, j'ai continué à travailler sur le côté…

— Oui, je pense que j'aurais fait de même.

— Sauf que le Chinois avait mis une condition sine qua non pour bénéficier de l'appartement et du salaire : je devais m'arrêter de travailler pour de bon.

— Et comment a-t-il pu deviner que tu travaillais ?

— Un matin, il a débarqué dans une rage folle, avec l'agent de sécurité de l'immeuble. Il m'a hurlé dessus, me demandant de déguerpir sur le champ, jetant mes affaires dans le couloir. J'étais paniquée. J'ai tenté de le calmer, mais en vain. Je n'ai eu d'autre choix que de m'enfuir en fourrant mes affaires dans un grand sac.

— Et il ne t'a pas dit comment il l'avait appris ?

— Sur le moment, il m'a juste traitée de traînée. J'avais déjà compris qu'il savait. Et l'air goguenard de la concierge de l'immeuble m'a mis la puce à l'oreille. Plus tard, il m'a envoyé des images des caméras de surveillance. Le Chinois avait demandé au personnel de l'immeuble de me surveiller moyennant rétribution. J'aurais dû m'en douter. Je n'ai pas été assez prudente sur le coup.

— Tu ne l'as plus revu depuis ?

— Non, il a continué à m'envoyer des messages menaçants pendant plusieurs jours. Je n'ai pas tenté de recoller les morceaux. J'ai compris qu'il ne me pardonnerait jamais et que c'était retour à la case-bar pour moi.

Bee avait raconté son histoire sans trop manifester d'émotions, mais elle était bien consciente d'avoir commis une erreur. Sa vie serait maintenant bien plus commode si elle s'était montrée plus prudente. Moon la ramena à la réalité en lui montrant du regard deux hommes qui n'arrêtaient pas de les reluquer depuis un moment. « Pas mal, répondit Bee. Mais il me semblait que les hommes thaïlandais ne t'intéressaient plus ». Moon fit la moue. En guise de réponse, elle adressa un sourire engageant aux deux hommes.

« C'est parti ! » dit-elle, l'air enjoué, en voyant les deux jeunes hommes s'approcher pour venir s'installer à leur table. La conversation démarra bon train. Les filles étaient déjà éméchées et les deux garçons bien résolus à séduire les deux jolies vacancières. Ils travaillaient tous deux à Bangkok dans le centre commercial de Siam Centre. Les deux jeunes filles s'inventèrent un job de serveuse dans un restaurant pour *Farangs* de Sukhumvit. Moon était particulièrement au sommet de son art. Jamais, les garçons n'auraient pu deviner qu'elle était une fille de bar. S'appuyant sur sa bonne éducation, elle jouait à la perfection le rôle d'une jeune fille bien élevée qui, prise d'ivresse, desserrait innocemment l'étau de la pudeur. S'ajoutait à cela sa maîtrise du jeu de séduction. Bee était moins à l'aise. Les quatre jeunes gens s'amusaient beaucoup. L'alcool coulait à flots. Ils en étaient maintenant à boire des *shots* de tequila en jouant à pierre-papier-ciseaux. Les garçons devenaient plus pressants avec la montée de la nuit. Au détour d'une chanson délicieusement à double sens, Moon s'étant fendue d'une danse ambiguë devant les deux garçons ébahis (©). Les deux hommes l'avaient fixée intensément, subjugués par la sensualité de Moon. Ils étaient tous deux d'un physique plaisant, bien éduqués et drôles, et si le destin n'en avait pas décidé autrement, ils auraient pu parfaitement convenir comme petits amis. Mais pour Moon, ces jeux d'amourette dataient d'une époque désormais révolue. Marchant à peine droit, les deux filles se rendirent bras dessus, bras dessous aux toilettes.

— *Yak païnoorn*[71], dit Moon. Je suis complètement saoule.
— Comment ? Non, pas maintenant ! Moi, aussi, je suis bourrée, mais on s'amuse bien, non ?
— Oui, mais si on reste, tu sais comment cela va se terminer…
— Eh oui, mais pourquoi pas, ils sont mignons et drôles.
— Ils sont mignons et drôles, certes. Mais, ils ne m'amusent déjà plus. Je m'en lasse déjà. Et puis, comme tu le sais, les hommes thaïs, c'est terminé pour moi. Je rentre à la chambre !
— Comme tu veux, moi, je reste.

Bee rejoignit les deux garçons en pestant contre son amie. Elle annonça aux garçons que Moon, malade, était partie se coucher. Les deux hommes étaient déçus. Bee avala furieusement un autre *shot*. Franchement, pour une fois, qu'elles pouvaient s'amuser ensemble avec de jeunes gens de leur âge ! Que préférait Moon ? Passer la soirée avec de vieux clients

---

[71] Je veux aller dormir.

rabougris qui la pelotent ? Bee avait décidé de rester et de s'amuser. La suite, elle verrait bien.

La suite, Bee la connaît maintenant... Une pluie battante s'est mise à tomber sur la tour Sathorn. Un éclair strie la nuit siamoise. Après un long moment de silence interrompu par le tonnerre, Moon reprend :

— Et le père ? L'as-tu revu depuis Koh Chang ?

— Non, mais avons gardé le contact sur *Line*. Il désirait me voir à nouveau. J'ai refusé. Pour moi, ce n'était qu'une aventure d'un soir. Hum, maintenant, c'est différent. Je dois lui parler. Peut-être, sera-t-il d'accord de m'aider ?

Moon s'abstient de répondre, mais intérieurement elle n'y croit pas trop. Pour elle, c'est clair, les Thaïlandais sont toujours prêts à baiser comme des lapins et ensuite à détaler comme des lièvres.

— Moon, je ne sais pas comment je vais m'en sortir financièrement. Enceinte, je ne vais pas pouvoir travailler pendant de longs mois... Je peux oublier mon rêve de petite maison en Issan loin de tout et surtout des hommes, dit-elle en soupirant.

Elle se tait un moment, et puis lève la tête vers le ciel voilé de pluie en disant : « Crois-tu que ce qui m'arrive, c'est... la malédiction ? »

Moon ne sait que répondre et, impuissante, laisse Bee éclater en sanglots. Les larmes de la jeune fille ruissellent sur son beau visage, se mêlent à la pluie et tombent comme des gouttes insignifiantes dans l'abîme du destin.

VII
Règlement de compte à l'île corail

5 janvier 2018

La vue sur la mégalopole s'étire jusqu'à l'horizon teinté d'orange. Du haut du 77e étage, la ville se contemple à 360 degrés. Les gratte-ciels illuminés dans l'obscurité grandissante s'impriment sur un ciel sans nuage. La lune, pleine, semble plus proche que les voitures engluées tout en bas dans le trafic. D'ici, on peut deviner la frénésie de la capitale siamoise, sans être emporté par elle. L'air, doux, respirable s'est délié de la lourdeur de l'après-midi. Une légère brise fait tanguer la bougie sur la table. Benoît retrouve enfin son ami après plus d'un an depuis son départ. Mario a choisi le *Mahanakhon Skybar*, le bar-restaurant en plein air le plus haut perché de Bangkok, pour la première soirée de Benoît en Thaïlande, choix judicieux pour faciliter l'acclimatation, mais onéreux. Ils se contenteront d'avaler quelques bières avant d'aller manger dans un restaurant de rue – si du moins Mario arrive à convaincre Benoît que cela ne comporte aucun risque pour sa santé. Mario verse des glaçons dans son verre de bière au grand dam de Benoît. Mario lui explique qu'il lui a bien fallu se résoudre à cette pratique au demeurant barbare.

— C'est cela ou de la bière tiède sous ce climat tropical ! lui assène-t-il. Je vais avoir du mal à aimer ce pays, pense Benoît.

— Mais ce n'est pas dangereux les glaçons ? J'ai lu sur internet que... demande-t-il à Mario.

— Benoît, si tu ne veux pas que ton séjour ici devienne un enfer, tu as intérêt à pas trop faire ton *nareux*[72] ! coupe Mario. C'est *safe* ici, relax !

— OK ! Dis, tu peux commander un verre d'eau pour moi ? Je dois prendre mes pilules contre la malaria. Je risque sinon d'oublier...

— La malaria ? *Allez* ? Mario le regarde, interloqué. Tu comptes faire un camp de survie dans la jungle du Triangle d'or ? Ici, et partout ailleurs en Thaïlande, si tu ne sors pas des sentiers battus, tu ne risques rien. Alors, *alstublief*, arrête de *ziverer*[73] !

Benoît ne répond pas. Il n'a pas envie de polémiquer sur le sujet. Il connaît son ami. Avec lui, on ne risque jamais rien. Après s'être documenté sur les sites spécialisés dans les maladies tropicales, Benoît, lui, préfère être prudent. Il ignore encore comment son corps va appréhender ce séjour à dix mille kilomètres de son cocon bruxellois.

— Comme je comprends, la bière ici, c'est foutu. Quid des autres plaisirs de la vie ? La musique ? demande Benoît pour changer de sujet.

— Hum, il y a des trucs pas mal. J'aime bien le *Luk Thung*, une sorte de musique country traditionnelle influencée par le jazz, le blues et le rock. Sinon, il y a choses bien dans le *String*.

Mario sourit : « Non, ce n'est pas ce que tu crois. C'est comme cela qu'on appelle ici la Pop Thaï. Ce sont souvent des

---

[72] Expression belge signifiant « Délicat ».
[73] Expression belge signifiant « Alors, s'il te plaît, arrête de radoter ».

duos avec beaucoup de trémolos. Il faut un peu de temps pour s'y habituer... »

— Je vois... Et le foot ?

— Ah là, ils sont vraiment nuls. Question de taille, je suppose.

— Eh bien, tout cela m'a l'air super ! ricane Benoît.

— Mais la bouffe est démente ! s'empresse d'ajouter Mario. Et puis les gens sont gentils. Ce n'est pas une légende... Et il y a aussi... Enfin, tu verras...

Benoît dévisage son ami. Il le trouve quelque peu vieilli, amaigri, les traits du visage tirés. Mais, sans doute, Mario doit se faire la même réflexion à son propos. Sous le couvert de sa gouaille restée intacte, Mario cache mal sa nervosité. Lui, qui était un fumeur occasionnel, enchaîne maintenant les cigarettes.

— Bon quoi, Mario, tu vas enfin m'avouer pourquoi tu m'as-tu demandé de venir d'urgence ici ?

À l'époque, Benoît avait été interloqué par l'annonce de Mario de son intention de quitter la Belgique pour s'installer en Thaïlande. Il avait essayé de le raisonner, le bombardant de questions. Pensait-il vraiment que l'herbe serait plus verte ailleurs ? Lui, le citadin, s'imaginait-il vivre sur une île quasi déserte ? Cela ressemble à un paradis, oui certes pour des vacances, mais y vivre, c'est autre affaire... Avait-il réfléchi aux implications concrètes de s'établir loin de la civilisation ? Qu'arriverait-il s'il tombait sérieusement malade ? N'éprouverait-il pas de la solitude, loin de ses amis ? Avait-il encore l'âge pour s'engager dans une telle lointaine aventure ? Et croyait-il vraiment qu'il allait pouvoir vivre décemment en vendant des pizzas à quelques hirsutes routards désargentés ? Benoît multipliait les arguments, parfois des plus futiles, comme les bières belges qui allaient lui manquer... Intérieurement, Benoît doutait de sa propre bonne foi. Sa volonté de dissuader Mario avait-elle pour dessein le bien-être de son ami ? Ou plus prosaïquement, Benoît redoutait-il de se retrouver bien seul après son départ ? Quoiqu'il en soit, malgré les arguments, Mario s'arc-boutait sans faiblir à son idée comme s'il avait enfin trouvé la voie ! Plus encore, il contre-attaquait en reprochant à Benoît de traîner misérablement les savates de son petit confort bourgeois, de vivre sans illusions, de simplement se regarder vieillir, parce que, de toute façon, il n'y a rien d'autre à espérer. Benoît en nourrit même quelque ressentiment et bouda son ami durant les semaines de préparatifs qui précédèrent son départ.

Mario, après avoir effectué un voyage de reconnaissance en avril, partit définitivement le 1er juillet 2016, après avoir pris le temps de liquider ses affaires en Belgique. Il n'avait pas d'enfant, ni de proche famille, ce qui simplifia le processus de désincarcération de son terroir. Il vendit sa maison et le magasin, ainsi que sa voiture. En outre des CD, Benoît hérita d'un poisson rouge qu'il baptisa « Mario » et d'un ficus à qui il donna le nom « Reviens ». Mario passa sa dernière nuit en Belgique chez Benoît. Les deux amis profitèrent de leurs derniers moments ensemble à boire de la *Westvleteren,* écouter de la musique belge et célébrer leurs futures certaines retrouvailles (©). Mario reviendrait sûrement lui rendre visite en Belgique ou, il l'avait assuré sans y croire, il irait voir Mario en Thaïlande. Le lendemain, il conduisit Mario à l'aéroport. Ils gardèrent le silence dans la voiture tout au long du court trajet vers l'aéroport. La gorge serrée, Benoît regarda Mario s'éloigner vers le hall d'embarquement. Il se consola en pensant que son ami reviendrait assez rapidement à la raison et à Bruxelles, une fois sa crise de la cinquantaine passée. Dès la première confrontation avec les épines du paradis tropical, Mario n'avait pas une volonté de fer, il le savait. Il lui donnait six mois, un an tout au plus, pour endosser le rôle du fils prodigue. Dans l'attente de ce retour, ils échangèrent fréquemment sur *Skype*. Mario le tenait informé des étapes de son établissement sur place. Il avait d'abord rejoint Yohan sur Koh Lanta. Dans un premier temps, la phase d'observation, comme il disait, il avait choisi de faire des petits boulots pour Yohan, préparer et nettoyer le matériel de plongée, accompagner les clients lors des excursions, servir de chauffeur… cela lui plaisait à ce stade. Il vivait simplement au rythme du soleil. Benoît s'abstenait de lui demander s'il avait ainsi retrouvé le sens de la vie. Inutile de rallumer le feu de la dispute. Surtout qu'il n'aurait pu éviter une pointe de sarcasme dans le ton de sa voix. Mario remontait régulièrement sur Bangkok pour prendre les contacts nécessaires avec les fournisseurs de sa future pizzeria. Après quelques mois, il sembla à Benoît que les séjours de Mario à Bangkok tendaient à être plus nombreux que ceux à Koh Lanta. Là encore, il évita tout commentaire. Mario lui demandait régulièrement comment il allait. Benoît lui répondait que professionnellement, les choses filaient plutôt bon train alors que sentimentalement, le convoi était plutôt resté à quai. Côté émotions, Benoît n'avait pas eu grand-chose à se mettre sous la dent depuis belle lurette. La flamme de la passion semblait définitivement éteinte. Il lui arrivait de se regarder dans la glace et d'interroger désespérément le miroir : « Qui voudrait encore enlacer, câliner, caresser, chérir, aimer cet homme d'âge mûr ? »

Il avait le cœur serré à la pensée des années de désert sentimental qui l'attendaient encore.

Un soir de juillet 2017, lors d'une de leurs conversations sur *Skype*, Mario lui avait annoncé triomphalement :

— *J'ai quelqu'un*[74] ! Je ne suis plus sur le marché ! avait-il claironné.

— Ah ! Tout juste à temps, tu arrivais presque à date de péremption !

— Très drôle, surtout venant d'une personne en obsolescence amoureuse programmée !

— Touché ! Benoît sentait que son ami était d'humeur joyeuse.

« Laisse-moi deviner, tu as séduit une jeune Suédoise qui n'a pas honte de voyager malgré son empreinte carbone ? » Benoît connaissait le faible de son ami pour les blondes.

— Et non, me voilà plutôt adepte d'une gestion éthique et responsable des relations amoureuses ! Autrement dit, je consomme local !

— Ah, tu m'en vois ravi ! Et l'heureuse élue se trouve donc être une Thaïlandaise ?

— Oui, une Siamoise, mignonne à croquer. Je pense que cette fois-ci, c'est la bonne !

— Ah, super ! Dis-m'en plus ! Qu'est-ce qu'elle fait ? Comment s'appelle-t-elle ?

— Eh bien, heu, elle travaille dans une parfumerie. Elle s'appelle Jade. C'est un surnom en fait. Les Thaïs ont tous un nom et un prénom officiels. Mais ils utilisent plus couramment des surnoms, souvent anglophones, parfois drôles, qu'ils se

---

[74] Expression belge signifiant « être en couple ».

donnent. Jade en change fréquemment en fonction de ses humeurs.

— Ah, je te sens enthousiaste. Et tu l'as rencontrée à Koh Lanta ?

— Non, à Bangkok. Ah, j'ai oublié de te dire, il y a eu un changement de programme... J'ai longuement réfléchi ces derniers temps et la rencontre avec mon amoureuse a précipité les choses en quelque sorte.

— Ne me dis pas que tu as abandonné ton projet de *Robinson Crusoé pizzaiolo* ? Je l'aurais bien parié ! Benoît ne pouvait dissimuler sa satisfaction d'avoir vu clair.

— Vois cela plutôt comme un aménagement de l'idée originale, Benoît réfréna avec peine un léger gloussement sarcastique qui n'échappa pas à Mario.

— *OK, fieu, tu peux faire de ton nez, tu avais bon*[75], c'est vrai, je ne suis pas fait pour vivre sur une île à *hout-si-plou*[76]. Je suis un citadin dans l'âme. La ferveur de la ville me manquerait trop.

— Heureux de t'entendre revenir à plus de sagesse !

— Attention ! Je n'ai pas abandonné l'idée d'ouvrir une pizzeria ici en Thaïlande. Que du contraire, je suis même de plus en plus convaincu du potentiel. Mais, pas sur Koh Lanta, à Bangkok, la métropole la plus cosmopolite de l'humanité, la destination la plus prisée au monde, la ville qui ne dort jamais, la capitale des plaisirs culinaires, entre autres ! Jamais rassasiés, les Thaïlandais mangent toutes les trois heures ! Et la cuisine européenne a le vent en poupe ! Et, après de nombreuses recherches, j'ai enfin déniché un emplacement assez fréquenté, idéalement placé pour installer ma pizzeria.

---

[75] Expression belge signifiant « OK, mon gars, tu peux être fier, tu avais raison ».
[76] Expression belge signifiant « dans un trou perdu ».

— Ah, tu me sembles sûr de ton coup, lâcha Benoît, perplexe devant cette nouvelle donne.

— Oui, j'ai pas fait les choses *à pouf*[77] ! j'ai bien étudié les choses. J'ai mon plan marketing. Ne rigole pas, je vais faire de la pub dans ce fameux journal, le Bangkok… ?

— Le Bangkok Journal, heu non, *Bangkok Post* !

— Bravo, tu t'améliores ! Je suis *chaud boulette*[78], Benoît ! Et d'avoir rencontré ma *Miss* ici à Bangkok, c'est un signe ! Me voilà prêt à démarrer ma nouvelle vie !

Benoît n'avait su que répondre. Bien sûr, il était heureux pour Mario. Mais entendre son ami si réjoui loin de lui l'avait quelque peu déconfit. Par la suite, il s'efforça de dépasser cette pointe d'amertume bien égoïste. À chaque appel téléphonique, il fit mine de partager l'enthousiasme de son compère et l'encouragea dans ses initiatives. Les mois passèrent. Mario ouvrit son restaurant. Et le succès fut bien au rendez-vous comme pressenti. Seule, la cherté des loyers de la capitale siamoise empêchait encore de déclarer l'entreprise florissante. Pas de quoi tempérer l'optimisme de Mario. Les bénéfices viendront, ce n'est qu'une question de temps, avait-il affirmé. À chaque détour de conversation, Mario ne manquait pas de glisser un mot sur sa jeune compagne thaïe. Il se révélait prolixe et dithyrambique sur la plastique de son amie, mais elliptique et laconique sur les caractéristiques de sa personnalité. Mario lui avait confié que la vie était âpre en Thaïlande, pour ceux, nombreux, qui n'avaient pas le privilège d'appartenir à la classe aisée. De quoi forger un caractère au fil des adversités. Mario était sans conteste amoureux. La réciproque était-elle vraie ?

---

[77] Expression belge signifiant « Au hasard ».
[78] Expression belge signifiant « Très excité ».

Mario répondait par l'affirmative, mais il ne pouvait cacher que la jeune femme, apparemment attachée à son indépendance, le faisait parfois souffrir. Elle disparaissait parfois une nuit entière sans donner de nouvelles et réapparaissait le lendemain « après avoir fait la fête avec une amie ». De même, il lui arrivait de partir visiter sa famille en province et elle ne donnait que parcimonieusement signe de vie pendant trois à quatre jours. « Le réseau est vraiment merdique là-bas », avançait-elle comme excuse. Quoiqu'il en soit, Mario ne doutait pas des sentiments de Jade à son égard. Benoît éprouvait quelque difficulté à comprendre. Mario avait toujours été un dur à séduire en vrai. Benoît ne l'avait jamais senti profondément amoureux. Il gardait toujours un coussin de sécurité qui empêchait la flèche de cupidon de progresser vers le cœur. Aussi, Benoît était étonné de voir son ami subitement rendre les armes devant une femme de trente plus jeune que lui, de culture profondément différente et ne parlant pas la même langue. La jeune femme devait posséder des qualités exceptionnelles pour ensorceler ainsi son ami. Mario était avare en explications, sauf à répéter qu'il l'aimait et que la réciproque était vraie. Et pour le reste, ses explications partaient en phrases inachevées et confuses. « Elle est tellement, si… comment dire… différente des autres femmes que j'ai connues, tu comprends ? » Pas vraiment, pensa Benoît, mais même s'il ne pouvait gommer une certaine inquiétude, il choisit de se réjouir du bien-être amoureux de son ami. Et si sa relation amoureuse semblait parfois traverser des crises, ce n'était que bien naturel quand la passion vous anime. Benoît ne prêta donc pas une attention démesurée aux doléances de Mario lorsqu'il se plaignait d'une nouvelle absence de sa dulcinée.

Un soir cependant, c'était il y a un peu plus d'une semaine, la veille du réveillon de Noël, Mario l'avait appelé dans un état d'excitation extrême. « Elle a disparu depuis cinq jours maintenant. Je l'ai cherchée dans tout Bangkok. Elle ne répond pas à mes appels. Elle m'a bloquée sur les réseaux sociaux. Je ne sais plus quoi faire. Elle me rend *zot*[79] ! Benoît, j'ai besoin de toi. J'aimerais que tu viennes ! »

Répondant à l'appel pressant de son ami, Benoît avait donc pris son billet pour Bangkok. Le jour du départ venu, sous une pluie battante et un ciel plombé, Benoît referma la porte de son appartement, non sans appréhension. Ce voyage vers les tropiques inconnus ne l'inspirait guère. Enfin, Mario avait réussi son coup. Il était parvenu à l'emmener en Thaïlande. Le trajet qui l'avait amené à l'aéroport de Bruxelles-national avait creusé plus encore le trou de ses idées noires, le chauffeur de taxi se révélant être un fan prosélyte et inconditionnel de Soprano (©). Après le décollage de l'*Airbus* de *Thai Airways*, Benoît avait enclenché une liste de lecture sur son smartphone qu'il avait conçue méticuleusement pour son voyage. L'écoute de la playlist se révéla cathartique. Elle purgea les résidus de Soprano encore présents dans ses oreilles. Surtout, c'était un décor sonore initiatique destiné dans ce voyage vers l'Orient lointain et incertain. Sitôt la frontière franchie, Benoît s'était délecté d'écouter très fort *Deutschland* (©), *Roll over Beethoven* (©) avec une pensée émue pour son ex-femme mélomane au-dessus de l'Autriche, Goran Bregovic (©) en survolant l'ancienne Yougoslavie, *L'Oriental* (©) au moment de franchir le détroit du Bosphore, *Kashmir* (©) à la vue de la lumineuse

---

[79] Expression bruxelloise signifiant « Fou ».

frontière indo-pakistanaise, *Bangladesh* (©) en distinguant de très loin la plaine veinée du delta du Gange... Le long vol s'était passé sans encombre. Pour passer le temps, Benoît avait parcouru distraitement un exemplaire du *Bangkok Post* si cher à son ami Mario. On y vantait abondamment la réussite de la politique économique menée par le gouvernement sous l'égide bienveillante du nouveau roi Rama X. Plus loin, son attention fut attirée par un articulet aux relents tragico-comiques repéré dans la rubrique des chiens écrasés du journal. Les yeux écarquillés, Benoît lut l'article. On y relatait l'histoire d'une épouse thaïlandaise, qui, voulant couper court aux infidélités répétées de son mari, avait sectionné son pénis pendant son sommeil. On y apprenait également que ce genre de mésaventures était loin d'être un cas isolé. Des cliniques spécialisées se faisaient d'ailleurs fort de recoudre l'organe orphelin s'il avait été conservé dans la glace pas plus de quelques heures. Mais dans le cas présent, l'épouse avait astucieusement trouvé la parade. Soucieuse d'en être débarrassée une fois pour toutes, elle avait suspendu l'objet du délit d'adultère à un ballon et lui avait souhaité bon vent. Benoît était sidéré. Il avait immédiatement pensé à Mario. Son ami à la volatilité sexuelle exacerbée serait bien avisé de ne pas s'attirer les foudres d'une femme jalouse s'il voulait préserver son intégrité physique ! Il en toucherait un mot à Mario à l'occasion. Malgré un somnifère et quelques bières, Benoît n'avait pu trouver véritablement le sommeil dans l'avion. Il était arrivé au petit matin à Bangkok dans un état comateux. La chaleur humide au sortir de l'aéroport lui avait donné la nausée. À peine engouffré dans le taxi, il s'était couché sur la banquette arrière, déclinant toute amorce de dialogue avec le chauffeur pourtant prêt à lui vanter les délices sulfureux de la capitale siamoise. Il somnola ainsi pendant la petite heure du trajet le menant à son hôtel dans le quartier de *Sukhumvit*. Il ne sut pas s'il rêva, mais il lui sembla entendre Elvis Presley chanter en thaï dans le taxi (℃). Quand il ouvrit un œil, sa première vision de Bangkok, à travers la fenêtre du taxi, fut l'enchevêtrement inextricable de fils électriques et de câbles télécom emmêlés et entortillés qui surmontaient les rues. Ils chevauchaient les trottoirs pendus aux pylônes et se mélangeaient dans une jungle aérienne, un maquis fuligineux, dont parfois, un câble, ayant perdu son chemin, s'échappait et pendait au sol misérablement telle une liane urbaine.

Groggy, Benoît avait passé sa première journée sous les tropiques, allongé sur le lit de sa chambre d'hôtel. Mario était venu le chercher à dix-huit heures à la réception et ils s'étaient donc rendus au *Mahanakhon Skybar*. Une bière rafraîchie par la glace, une légère brise et le panorama géant sur les lumières de la ville du haut de la terrasse perchée au sommet de la tour haute de trois cent quatorze mètres… Benoît se laisse étourdir par la fatigue du voyage. Avec pour *spotlight* une lune brillante dans un ciel sans nuage, un *flow hip-hop* déclame la mégalopole siamoise (℃). Benoît peut s'endormir là. Mario le ramène à la réalité. Il lui propose de commander un dernier verre et ensuite, ils passeront ensuite à la pizzeria. La cuisine de rue thaïlandaise, ce sera pour une prochaine fois ! Mario n'a pas encore évoqué ses problèmes sentimentaux. Benoît le sent nerveux, mais ne pose pas de question. Fatigué et le ventre vide, il manque d'énergie pour affronter ce qu'il pressent être un déluge émotionnel. Ils demeurent ainsi tous deux silencieux un long moment, Benoît les yeux perdus dans la nuit, Mario le regard rivé sur son smartphone. Mario prend alors brusquement la parole, en fixant le sol.

— Tu sais, ces derniers jours, je me suis senti tellement mal. Et, à chaque fois, je me disais. Attends le soir. La nuit va descendre et t'apporter le calme. Pour beaucoup d'étrangers ici, c'est l'inverse. C'est le moment où, accros à la vie nocturne, ils partent faire la fête et prendre une dose de plaisir.
— Baudelaire ! s'exclame soudain Benoît comme illuminé.

Mario lève la tête et jette un regard ébahi sur son ami. Benoît se met à déclamer d'une voix lente, sous l'œil médusé de Mario :

Sois sage, ô ma Douleur, et tiens-toi plus tranquille.
Tu réclamais le Soir ; il descend ; le voici :
Une atmosphère obscure enveloppe la ville,
Aux uns portant la paix, aux autres le souci.

Pendant que des mortels la multitude vile,
Sous le fouet du Plaisir, ce bourreau sans merci,
Va cueillir des remords dans la fête servile,
Ma douleur, donne-moi la main ; viens par ici.[80]

Mario opine : « Oui, mon ami poète, c'est précisément cela que je ressens. Ce soir, après dîner, je t'emmène dans ces lieux de fête servile. Tu comprendras mieux. »

La pizzeria de Mario se trouve à quelques encablures du soi 11 de *Sukhumvit*, une des rues les plus animées de Bangkok. Bars, boîtes de nuit, restaurants s'y entassent en rangs serrés.

---

[80] Extrait de « Recueillement » de Baudelaire.

L'exploit consiste à parcourir les 500 mètres de la rue sans avoir entendu plus d'une fois *Wonderwall* (℃) s'échappant d'un des innombrables bars jalonnant la rue. On y croise une faune bigarrée. Des jeunes Anglais, bières à la main dès le matin, le visage écarlate, des Japonais serrant d'une main leur sacoche par peur d'un improbable voleur et de l'autre leur Japonaise au teint de craie, vêtue de blanc et la tête couverte d'un chapeau de paille, des vieux Australiens sosies de *Crocodile Dundee*, flanqués de leur jeune compagne thaïlandaise, des éphèbes allemands torse nu – mais où est donc la plage ? – des grappes d'Indiens palabrant pendant des heures durant sur le trottoir les bras ballants, des Chinois habillés comme dans les années soixante crachant à tout va, des Français maudissant les serveurs de restaurant pour ne pas comprendre la langue de Voltaire... Le soir, les tuk-tuk[81] pétaradants rajoutent une couche de fureur sonore au tumulte ambiant et des créatures sortent de la nuit pour hanter les trottoirs défoncés de *Sukhumvit*. Le tout dans une chaleur accablante de jour comme de nuit... Comment Mario peut-il se plaire ici ? s'interroge Benoît avec une moue de dégoût.

Le restaurant de Mario, avec sa façade couleur ocre, aguiche le regard des badauds. Passée la porte en bois, le visiteur découvre de petites tables carrées revêtues de nappes traditionnelles italiennes à carrés rouges et blancs avec pour décor sonore de la musique italienne (℃). Ornent les murs, de vieilles photos couleur sépia de Capri, une de son père tout jeune en costume traditionnel napolitain et un poster du dieu Maradona, trônant non loin d'un discret crucifix – Italien de

---

[81] Taxis traditionnels thaïlandais à trois roues bruyants à cause de leur moteur deux-temps et d'une sono souvent poussée à fond.

souche, Mario était croyant par défaut. Des senteurs appétissantes de pizza vous accueillent, en même temps que les serveuses revêtues du maillot bleu ciel du *Napoli FC* – sur ce point, Mario avait visiblement sacrifié l'esthétisme à l'amour du foot. Le restaurant affiche complet. Pour la plupart, les convives sont des hommes occidentaux accompagnés de femmes thaïlandaises, mais il y a également une grande table d'employés thaïlandais occupés à fêter joyeusement un anniversaire de bureau et même deux policiers sanglés dans leur uniforme étriqué.

— *Tcheu* dis, *ça a de l'allure*[82] ton resto ! Tu as bien fait cela ! Et ça marche bien maintenant ! dit Benoît, mis en appétit par le fumet de la pâte rôtie.

— Oui merci. Tu imagines pas le *brol*[83] que c'était quand je l'ai repris. Avant, c'était un *caberdouche*[84] un peu louche ! Le *baas* précédent s'est taillé en laissant une fameuse ardoise, Mario fronce les sourcils en regardant deux filles thaïes en train de siroter leur mojito.

— Quel sacrilège ! boire un cocktail avec une pizza *Bresaola* ! Ces Thaïlandais quand même, ce qu'ils peuvent être kitsch parfois !

Après avoir grignoté une délicieuse *Friarelli Bianca* arrosée d'un *Aglianico del Vulture*, élégant vin rouge de Basilicate, Mario emmène Benoît dans l'arrière-cuisine. « Regarde, j'ai de quoi éviter tout mal du pays », dit-il en montrant un casier de *Westvleteren*. Au mur pend un portait de son amie, Jade. C'est

---

[82] Expression belge signifiant « Être de bon ton ».
[83] Expression bruxelloise signifiant « Désordre ».
[84] Expression bruxelloise signifiant « Bar, café ».

vrai qu'elle a l'air d'un ange dans une légère robe blanche en dentelle. Mario ouvre ensuite un petit coffre pour y glisser une enveloppe avec une partie de la recette du jour. À côté de l'enveloppe, Benoît entrevoit subrepticement un pistolet. Surpris, il interroge Mario du regard le doigt pointé sur l'arme.

— Oui, un Glock 23. Je l'ai acheté au marché noir au port de *Khlong Toey*[85], répond Mario sur un ton détaché.

— Pourquoi ? C'est dangereux ici ? demande Benoît en se retournant pour vérifier s'il n'y a personne dans son dos.

— Non, c'est pas ça ! C'est très *safe* ici. D'ailleurs, tu as vu les deux flics qui sont venus manger une pizza tout à l'heure ? Benoît opine du chef.

« Et tu as remarqué qu'après m'avoir chaleureusement salué, ils sont partis sans payer ? Eh bien, voilà, il faut le voir comme une prime d'assurance. Ici, être généreux avec la police, c'est ta couverture *omnium*[86]. De toute façon, tu n'as pas le choix. Tous les commerçants casquent ici. Commissaire de police à Bangkok, c'est un job en or ! J'ai entendu dire que les nominations se faisaient au plus offrant... »

Benoît l'écoute à moitié. Il se demande si cela est vraiment une bonne idée de posséder une arme non déclarée dans un pays étranger. Et imaginer son ami armé, alors qu'il ne semble pas être dans son état normal, le trouble au plus haut point.

— Mais alors, Mario, pourquoi avoir un flingue ? demande-t-il.

— Je sais que cela n'a pas de sens et que c'est même un peu risqué... Mais depuis le meurtre de mes parents, c'est plus fort que moi. Je ne me sens pas vraiment en sécurité sans une arme.

---

[85] Port fluvial de Bangkok sur le fleuve Chao Praya.
[86] Terme belge en matière d'assurance signifiant « Tous risques ».

C'est un conforte psychologique en fait. Je n'ai aucunement l'intention de m'en servir, dit Mario d'un ton qui se veut rassurant. Allez Benoît, reste pas planté là, on y va, là ! lance Mario avec entrain pour couper court à la conversation.

Benoît préférerait de loin se coucher, mais Mario se montre insistant. Il tient absolument à lui faire découvrir *Bangkok by night*. Benoît se montre perplexe. Mario ne lui a pas encore touché un mot de son amie. Pourquoi tient-il à l'entraîner dans une tournée des bars au lieu de s'asseoir à l'écart du brouhaha et de discuter calmement ? Fatigué, Benoît n'offre qu'une faible résistance et finit par céder. Ils grimpent dans un taxi. Le taximan, auquel il manque quelques dents, lâche, goguenard : « *Farangs boom-boom girls thai tonight* ! » Mario ne répond pas, mais cela ne semble pas entamer la bonne humeur du taximan qui monte aussitôt le volume de sa sono surdimensionnée. Une version stridente de *One Night in Bangkok* (℃) raye le tympan de Benoît qui se languit de son lit. Il a l'impression d'être dans un *Tomorrowland* de quatre mètres carrés d'autant que l'habitacle du véhicule est illuminé de spots qui scintillent au rythme de la musique. Le taxi se fraye péniblement un chemin dans le trafic dense malgré l'heure tardive. Vingt minutes plus tard, les deux compères se retrouvent assis l'un à côté de l'autre dans un bar du *Nana Plazza*, un des quartiers chauds de Bangkok. « On commence par celui-ci. Après, je t'en montrerai deux autres », lui dit Mario. Au milieu de salle, sur un podium, une vingtaine de filles, jeunes, en bikini ou pour certaines *topless*, se trémoussent au son de *YMCA*, sous les sunlights multicolores (℃). Certaines sont enjouées, d'autres émoussées et lorgnent de temps à autre leur montre. Toutes, en tout cas, scrutent les clients mâles assis sur trois rangées de banquettes aménagées en escalier autour de l'estrade et tentent d'accrocher leur regard en vue de se faire payer un verre. La particularité de ce bar, explique Mario très sérieusement, c'est la fessée. Les filles ont toutes un bâton en plastique, avec lequel, soit elles fessent les visiteurs, soit elles se font fesser. Le tout sans mal et dans la bonne humeur. Les hommes présents, essentiellement des Occidentaux, agrémentent les châtiments de quelques cris. Même si tout cela paraît bon enfant, Benoît se sent mal à l'aise. Le spectacle de ces gamines de vingt ans feignant de s'amuser à tapoter le derrière de vieux mâles ventrus lui semble, au mieux, grotesque, au pire, sordide. Mario, lui, demeure absorbé par le spectacle des filles. Il donne l'impression de les dévisager une à une. Benoît recommande une *Singha* pour lui et son ami. Une jeune fille aux seins lourds lui tend le bâton et lui présente son postérieur bien galbé, mais il décline poliment.

« Franchement, Mario, comment peut-on trouver du plaisir à perdre son temps ici ? Oh, j'ai passé une merveilleuse soirée, j'ai fessé dix filles ! Et j'ai eu le plaisir de montrer mes fesses également ! C'était géant ! Sans compter la fabuleuse musique, dit-il ironiquement. Les gars ici n'ont rien d'autre à faire de leur soirée franchement ? »

Mario hausse les épaules et réclame une autre bière à la serveuse. « Décoince mon ami ! Les gens ici s'amusent. Les filles gagnent leur vie. Personne ne les oblige à venir travailler ici. Elles sont majeures. Il n'y a pas de macs qui les exploitent. Elles se font là plus d'argent en une semaine qu'une vendeuse dans un magasin en un mois. Oublie tes préjugés ! Bon, *Schtroumpf* grognon, finissons notre bière et je t'emmène dans un autre bar. Autre style ! »

Après avoir réglé leurs consommations, les deux hommes se lèvent pour gagner la sortie. Juste avant de franchir le rideau qui fait office de porte, Mario échange quelques mots avec une fille. Benoît l'attend dehors au milieu d'une foule d'hommes en goguette.

Le bar suivant est en effet différent. Le principe de base demeure cependant identique. De jeunes filles en tenue légère dansent sur une estrade devant des rangées d'hommes. Première impression, l'air est glacial, la climatisation étant poussée à paroxysme. L'ambiance y est aussi plus feutrée. La musique aux relents *lounge* joue en sourdine. « Un remix électro de *Caravan* de Dizzy Gillepsie », avait reconnu Mario en connaisseur (ℂ). Et l'assistance est en grande majorité constituée de Japonais. Sur la piste, les filles semblent plus timides et plus réservées. Leur chorégraphie se résume à quelques pas mesurés. Différence majeure, elles sont habillées, et non en bikini. Elles portent des baskets blancs, une courte jupe bleue plissée et un chemisier blanc largement déboutonné. Benoît est partagé. D'un côté, il trouve l'endroit plus avenant que le précédent, et au moins les corps des filles ne sont pas crûment exposés, mais, d'autre part, le fantasme de la jeune écolière, qui semble être le cheval de bataille de ce bar, lui semble encore plus glauque que la fessée ! « Tu n'as rien remarqué ? » lui demande Mario, l'œil goguenard. Il lui fait signe de lever la tête. Le bar dispose d'un étage supérieur. Celui-ci est séparé du rez-de-chaussée par un plafond en verre. En levant les yeux, on peut ainsi apercevoir les filles du premier étage occupées à danser. Benoît jette un œil et ne peut s'empêcher de s'exclamer « Mais elles n'ont rien sous leur jupe ! Mario éclate de rire. Bienvenue à Bangkok, mon ami ! »

Gêné, Benoît baisse la tête et fixe le fond de son verre.

— De quoi as-tu parlé avec la fille dans l'autre bar ? lui demande-t-il pour faire diversion.

— Je me renseignais pour toi.

— Pardon ?

— Oui, sur les prix.

— Quels prix ?

— Eh bien, je me disais que tu avais besoin d'une petite relaxation. Tu as l'air stressé. Depuis combien de temps, n'as-tu plus baisé ? Ne me dis pas que tu n'as pas la floche qui te chatouille ? Les filles demandent ici deux mille à trois mille bahts pour une heure et le double pour toute la nuit. J'essayais de négocier le meilleur prix pour toi.

— Je te remercie pour ta sollicitude, mais l'amour tarifé, très peu pour moi ! Je préfère encore la veuve poignet, rétorque Benoît, espérant que son ami plaisantait.

— Tu as tort. Si on analyse froidement les choses, en Europe, tu ouvres aussi ton portefeuille. Tu offres un restaurant, des fleurs, un voyage… En fin de compte, tu douilles aussi pour baiser ! assène Mario, l'air satisfait de sa démonstration.

— Tu sembles oublier une petite différence. La fille qui couche avec moi, c'est parce qu'elle en a envie, pas pour l'oseille ! Je rêve ou les tropiques t'ont rendu maboul. Reviens sur terre mon pauvre ami ! Tu me prends pour un pervers ? Benoît s'exaspère, Mario perd ses repères élémentaires, rumine-t-il.

— OK, tu te calmes et tu vides ton verre, mon petit *Bonhommet*, on va passer au dernier volet du triptyque.

À l'entrée du troisième bar, des saccades de musique syncopée prennent aussitôt à la gorge (℃). Un torrent de décibels. L'air vrombit, vibre, gronde, emporté dans le déluge sonore. L'obscurité règne, entrecoupée par des secousses stroboscopiques de lumière, crue, blanche, pointant brutalement les danseuses sur la scène surélevée. L'espace est étriqué, le bar est bourré, bondé. Les deux hommes se frayent un chemin, corps à corps, fendant la foule de clients et de filles. C'est la jungle et comme dans la jungle, les filles sont nues comme Ève ! Ébahi, Benoît tente d'avancer vers un siège de libre. Il effleure des peaux, des corps, des seins, des ventres, des fesses… Il ne peut s'empêcher d'éprouver un début d'érection qu'il s'efforce de réprimer. Par honte. Et puis, il ne veut pas donner cette victoire à Mario. Il s'excuse timidement auprès d'une fille pour lui avoir touché un sein par mégarde.

« *Maï Pen Laï*[87] ! *Sawadee Khaaa*[88] ! Welcome in Bangkok ! My name is Joy. See you later ! » lui répond suavement la fille avec un grand sourire avant de disparaître dans la masse des corps.

« *Amaï zeg*[89] ! T'es un fameux chançard, toi, tu te fais aborder tout de suite par la plus jolie ! » ricane Mario en lui pinçant le bras. Ils trouvent enfin deux tabourets, juste au pied du podium, à quelques centimètres des jambes des danseuses.

« Ah, oui, là, c'est le pompon ! » constate Benoît.

« Ah, non, le pompon, ce sont les bars de *ladyboys*, mais je t'ai quand même épargné cela ! réplique Mario. La prochaine fois, sans faute ! » Le spectacle est impressionnant : une

---

[87] Pas de problème !
[88] Bonjour !
[89] Expression bruxelloise signifiant « Eh bien, dis ! ».

cinquantaine de filles entièrement nues se déhanchent sans pudeur sur une musique saccadée.

« C'est du *reggaeton* thaïlandais, dit Mario, c'est un peu *spéce*[90], j'avoue... » Il suffit de tendre le bras pour caresser leurs cuisses. Certaines filles se penchent et approchent leur entrejambe de la tête des clients qui ne résistent pas longtemps et les invitent à prendre un verre à leur côté. Sur la scène, Benoît a repéré la fille de tout à l'heure, celle qui lui a souhaité la bienvenue. Il a déjà oublié son nom. Elle danse lascivement toute proche de lui. Benoît la dévisage pendant qu'elle semble regarder ailleurs. Elle a des yeux noir jais, une bouche corail et de longs cheveux d'ébène. Benoît se rend compte que cette description pourrait correspondre à l'immense majorité des filles présentes dans le bar. Et pourtant, il ne voit qu'elle. Sa silhouette est parfaite, alternant minceur et courbes avec volupté, mais c'est la sensualité de sa danse qui aimante les yeux des hommes, cette façon de faire onduler son corps accompagnée de subtiles flexions de ses jambes, ses bras tanguant avec paresse en un lâche accord. Mario a suivi le regard de son ami.

« Eh bien toi qui aimes les courbes... Joy devrait te plaire ! »

Benoît est interloqué. Comment son ami connaît-il le nom de la fille ? Il lui pose la question. Mario ne répond pas. Au lieu de cela, il adresse un signe à la fille. Celle-ci s'avance vers lui et s'accroupit sur l'estrade pour lui parler. Benoît peut distinguer son intimité exposée sans pudeur. Il détourne timidement le regard. Mario échange quelques mots avec la fille en thaï. Joy fait la moue en agitant la tête, lance une œillade aguichante à Benoît et reprend ensuite sa place sur la scène de danse. Mario

---

[90] Expression belge signifant « Spécial, bizarre ».

212

avale une gorgée de bière et prend une longue inspiration. Benoît sent que c'est le moment. Mario se décide enfin à parler.

— Tu te demandes sans doute pourquoi je t'ai emmené dans ces trois bars pour ton premier jour à Bangkok. Eh bien, l'explication est toute simple. Ce sont les trois bars dans lesquels Jade travaille, Mario a lâché la bombe, d'une voix neutre.

— Pardon ? Jade travaille dans ce genre de bar ?

— Oui, elle danse, prend des verres avec des clients et... plus si affinité, Mario n'avait pas perdu son sens de l'humour malgré tout.

— Tu m'avais pourtant dit qu'elle travaillait dans une parfumerie !

— Si je t'avais raconté la vérité, tu serais parti dans de grands discours moralisateurs. Je n'avais pas le courage d'entendre cela. Et je ne l'ai toujours pas. Alors, s'il te plaît, ne me juge pas.

— Promis ! Raconte-moi, comment vous êtes-vous connus ?

Benoît ne voit plus Joy sur la scène.

Ses yeux font le tour de la salle et il l'aperçoit, assise un verre à la main, occupée à discuter avec un client. Elle surprend son regard, lui sourit et lui fait signe de trinquer avec elle. Benoît lève sa bière en sa direction.

— Eh bien, tu te rappelles que je suis venu assez souvent à Bangkok pour préparer mon installation. J'avais des contacts à prendre avec les services de l'immigration, des importateurs et les douanes pour mon matériel de cuisine. Le soir, je me retrouvais seul et, bien sûr, j'ai fini par aboutir dans ce bar. J'ai avec le temps repéré quelques filles qui avaient quelque chose de spécial, Joy notamment.

Mario sourit. Benoît s'abstient de réagir, mais ne peut réprimer une mimique d'agacement.

— Et Jade, sa copine évidemment... Cela va te sembler bizarre, mais j'ai passé ici plusieurs soirées à tenter de capter le regard de Jade, mais en vain. La fille m'ignorait complètement, Mario s'abstient de dire que Joy également avait longtemps joué à l'anguille avec lui.

Instinctivement, Mario pensa qu'il valait mieux éviter ce sujet.

« Ce petit jeu a duré quelque temps. À chaque fois, le même cinéma, je la regarde, elle m'ignore. Je lui propose un verre, elle me répond qu'elle est désolée, mais un autre client l'attend. Et puis, un soir, comme par enchantement, Jade est venue s'asseoir auprès de moi. J'aime les hommes patients, a-t-elle confié. On a conversé une dizaine de minutes. Mais je t'avoue que je n'ai pas trop traîné à lui proposer de l'emmener à mon hôtel. Je ne voulais pas laisser passer ma chance. Je voulais être seul avec elle, l'avoir rien que pour moi. Tu ne vas pas me croire, mais j'ai eu un choc quand elle est revenue des vestiaires. Je ne l'avais jamais vue habillée. Elle était toute mignonne, vêtue d'un jean et d'un simple t-shirt blanc, des baskets au pied. C'est d'habitude l'inverse. Tu dragues une fille pendant un certain temps. Et puis, un jour, tu as cette émotion de la découverte de son corps. Et ici, après l'avoir contemplé tant de fois dans le plus simple appareil, j'étais ému de la voir habillée comme une fille normale. Je suis sorti en rue avec elle, et je me sentais incroyablement bien, avec elle à mes côtés. Je lui ai proposé d'aller manger dans un petit boui-boui. Elle m'a remercié de cette attention. Souvent les clients ne pensent qu'à l'amener dans leur lit au plus pressé. Après le repas, nous avons rejoint mon hôtel. Elle a voulu se rendre dans la salle de bain pour prendre une douche avant de faire l'amour. Je lui ai répété que je ne voulais pas coucher avec elle, simplement lui parler pour apprendre à la connaître. Elle était plutôt interloquée. J'avais payé pour toute la nuit, donc j'avais droit à deux fois du sexe, m'a-t-elle répondu d'un ton péremptoire. Elle a donc filé à la salle de bain et est revenue avec une serviette nouée sur sa poitrine. Elle m'a fait signe que c'était à mon tour d'aller se doucher. Quand je suis revenu me glisser dans le lit, elle a descendu sa main vers mon bas-ventre et a souri en disant "OK, pas trop gros".

— Mario, si tu peux m'épargner ce genre de détail, merci ! » Benoît hausse les yeux au ciel.

Il s'attendait au récit d'une histoire romantique aux contours dramatiques et il n'aura pas fallu attendre longtemps pour que Mario tombe dans l'anecdote graveleuse.

— OK, bon, ça va ! Je lui ai donc retiré sa main et je lui ai demandé de me parler d'elle et pourquoi m'avait-elle ignoré pendant si longtemps au bar ? Elle m'a alors expliqué que, physiquement, elle préférait les Asiatiques. Les *Farangs* lui inspiraient de la crainte. À cause de la grande taille supposée de leur sexe, mais aussi, car ils étaient différents, exubérants, imprévisibles, impudiques. Mais dernièrement, elle avait eu des clients européens et cela s'était bien passé. Alors, elle s'était dit pourquoi pas avec moi, j'avais une bonne tête, j'avais l'air d'avoir bon cœur, j'avais été patient, voilà, c'était aussi simple que cela. Jade me parla alors d'elle-même. Elle m'expliqua son histoire. Enfin, pas toute son histoire ce soir-là. Elle avait sa famille à nourrir et travailler au bar était finalement la meilleure solution pour gagner de l'argent rapidement. On n'a pas baisé ce soir-là. Elle s'est endormie à côté de moi. Je n'ai pas fermé l'œil de la nuit, n'ayant de cesse de contempler son visage d'ange. Le lendemain matin, elle m'a proposé de passer à l'acte. Je lui ai répété que non, je ne voulais pas. Elle a été vexée. Quoi ? Tu ne me trouves pas excitante ? a-t-elle demandé, vexée. Je l'ai assurée que la prochaine fois, je la ferais grimper au rideau. Elle a trouvé cela drôle. Je l'ai embrassée quand elle m'a quitté au petit jour. Elle m'a dit que j'étais un type bien et que la prochaine fois que je reviendrai au bar, elle ne me fera plus attendre si longtemps.

— Et je suppose que vous vous êtes revus ? Benoît buvait les paroles de son ami, médusé par son histoire. Il en avait oublié le cirque érotique des filles qui se déhanchaient devant lui.

— Oui, plusieurs fois, je suis devenu son client attitré en quelque sorte. J'ai appris à mieux connaître sa personnalité. Jade est d'apparence calme, mais c'est quelqu'un de déterminé. Elle est vulnérable néanmoins. Son passé la hante. Sans honte, elle a choisi de travailler dans un bar pour aider sa famille. Jade est courageuse et j'ai beaucoup de respect pour elle. Elle a appris à me faire confiance. Et petit à petit, notre relation a grandi. J'ai alors décidé de m'installer plutôt à Bangkok pour être près d'elle. Je crois qu'elle a de vrais sentiments pour moi. On est passé de *up to you* à *up to me* et enfin à *up to us*.

— Pardon ?

— Au début quand tu sors avec une fille de bar, si tu lui demandes ce qu'elle veut faire, elle te répondra invariablement « *up to you* ! ». Sous-entendu, tu es le client, tu paies, on fait ce que tu veux. Avec le temps, si vous vous voyez souvent, la fille prend confiance, elle mesure l'emprise qu'elle a sur toi et considère qu'elle est devenue la boss. C'est elle qui décide : « *up to me* ! ». Si par la suite, la fille commence à éprouver des sentiments pour toi, elle ne voit plus uniquement son propre intérêt et entrevoit les choses différemment. Elle change de perspective et commence à penser…

— *Up to us* ! Pigé ! Mais alors, où est le problème ?

— J'y viens. Ainsi que je lui ai demandé, Jade a arrêté de « travailler ». Elle m'a demandé de lui verser un « salaire », si on peut dire, pour compenser son manque à gagner. Je lui donne ainsi tous les mois quarante mille bahts. Elle considère cependant que ce n'est pas suffisant pour ses besoins et ceux de sa famille. Je me demande bien où passe tout cet argent. Enfin soit ! Donc, elle s'accorde le droit de faire de temps à temps un extra.

— Que veux-tu dire ? Avec un client ? demande Benoît effaré.

— Oui, cela me rend dingue ! Elle a gardé un portefeuille d'anciens clients, des touristes ou des hommes d'affaires, qui, quand ils viennent en Thaïlande, demandent à Jade de les accompagner pour quelques jours. Mais elle ne me dit jamais avec qui, où, pendant combien de temps. J'en deviens *zot*[91] ! J'ai bien tenté de m'y opposer, mais alors elle se cabre. Elle me rétorque que je suis un égoïste, que je ne la comprends pas, que la vie est facile pour un *Farang* comme moi. Mais elle, elle n'a pas le choix vu que je ne lui donne pas assez d'argent. Elle doit nourrir sa famille et économiser pour l'avenir. Elle reste avec moi amour, mais elle pourrait gagner beaucoup plus en retournant travailler au bar !

— Et sa famille, l'as-tu rencontrée ?

— Non, jamais. Elle ne veut pas que je les voie, elle a trop honte d'eux. Comme je le comprends, ce sont un peu comme des *barakis*[92] thaïlandais…

---

[91] Expression bruxelloise signifiant « Fou ».
[92] Expression wallonne signifiant « Beoufs, cas sociaux ».

— Et… que vient faire Joy dans tout cela ? demande Benoît. La question lui brûlait les lèvres depuis longtemps.

— Joy est la meilleure copine de Jade. Je lui ai demandé si elle savait où se trouvait Jade pour l'instant, mais elle m'a répondu l'ignorer. Elle ment bien sûr ! Mario inspecte du regard les recoins du bar qui lentement se vidait.

— Ah, je ne la vois plus. Elle a dû partir avec un client. Joy est rarement seule. Il ne te reste plus qu'à revenir demain. Tu as pu lire son numéro de badge, accroché à son poignet ? C'est important si un soir tu veux te renseigner si elle est là, Joy est un faux nom, ici, elle est plutôt connue par son numéro.

— 69 ! répond Benoît avec une spontanéité qu'il regrette aussitôt.

— Oui cela ne s'invente pas, sourit Mario. Viens, on va se coucher, je suis *sketté*[93] et demain, je dois me lever tôt. J'ai plein de bricoles à régler au restaurant.

Benoît met du temps à trouver le sommeil. Il est passé deux heures du matin, mais l'effervescence du soi 11 est encore bien perceptible de sa chambre d'hôtel. Mario l'inquiète vraiment. Au début, il avait imaginé une simple histoire de cul comme son ami était coutumier. Mais non, Mario semblait vraiment épris, et au point de perdre toute lucidité. Il n'avait pas conscience de l'énormité de la situation. Il croyait vraiment qu'une petite pute d'une vingtaine d'années pouvait décemment tomber amoureuse de ses beaux yeux cernés de cinquantenaire. Il ne voyait pas que ce qui l'intéressait, c'étaient les quarante billets de mille bahts à la fin du mois. Pas de doute qu'au moindre retard de paiement, Mario recevrait son préavis à effet immédiat. Et en plus, cette petite traînée ne se gênait pas pour tapiner sans

---

[93] Expression wallonne signifiant « Cassé ».

vergogne à la moindre occasion venue. Mario était-il devenu aveugle à ce point ? Benoît réfléchit au moyen d'extirper son ami de cette mauvaise farce. Il va lui falloir agir avec tact. Mario a les nerfs à vif. Benoît ne peut se permettre de lui dire ce qu'il pense vraiment. Et puis, il a décidé de venir en Thaïlande pour l'aider, non pour l'enfoncer plus encore. Benoît décide d'être patient. Même si cela devait prendre du temps, il attendra le bon moment opportun pour lui parler calmement les yeux dans les yeux.

Apaisé par cette sage résolution, Benoît croit trouver enfin le sommeil. Son *iPhone* affiche quatre heures dix du matin. Il cherche désespérément à faire le vide dans son esprit. Mais en vain. Il se lève, diminue la climatisation, se recouche, se relève, la raugmente. De guerre lasse, il prend une bière dans le frigo et jette un œil sur la rue par la fenêtre. Les trottoirs commencent à se vider. Les boîtes de nuit ferment à quatre heures du matin à Bangkok. Une queue sans fin de taxis attend les derniers fêtards pour les ramener dans leurs hôtels. Quelques filles font de même, espérant décocher un dernier coup. Après avoir fini sa bière, Benoît se recouche. Il n'ose pas regarder l'heure. Le visage de Joy, enfin numéro 69, lui revient à l'esprit. Joli sourire, jolis yeux, jolies courbes. Mario a raison. Cela fait longtemps qu'il n'a plus fait l'amour… Il finit par s'endormir. Numéro 69 vient dans son rêve qui tourne rapidement au cauchemar. La jeune fille se promène nue dans la rue quand soudain la grappe de câbles se décroche du pylône et tombe sur elle. Benoît découvre alors avec horreur que les épais fils sont en réalité de longs serpents noirs qui s'enroulent autour de numéro 69. Benoît assiste impuissant à la scène. Sa phobie des serpents le paralyse. Du sang s'échappe de la masse grouillante qui a englouti le corps de la jeune fille et s'écoule sur le trottoir de sable blanc pour se rejoindre la mer en un mince filet rouge.

La sonnerie de son téléphone le réveille. Il treize heures déjà. C'est Mario. « Dis, la marmotte, tu te crois en vacances ? Allez *biloute*, enfile tes *slashes*[94], ton bermuda et ton *singlet*[95] et viens prendre un *macchiato* à la pizzeria ». Benoît parcourt dans la fournaise les cinq cents mètres séparant son hôtel du restaurant. Comment Mario peut-il bosser par cette chaleur ? se demande-t-il en s'épongeant le front. À l'intérieur de la salle à manger, la climatisation mène un combat acharné au four à pizza, sans clair vainqueur. « Comment ça va ? » demande Benoît. Mauvaise question. Rien ne va en fait. Une serveuse a fait faux bond et on est vendredi, jour de grande affluence au restaurant. La livraison de mozzarella est bloquée à l'aéroport et l'agent en douane ne répond pas aux appels. Le frigo à vin avait rendu l'âme et le réparateur ne pouvait venir le dépanner aujourd'hui. Et bien sûr, le pire, toujours aucune nouvelle de Jade… Benoît grignote quelques antipasti en compagnie de Mario qui bougonne durant tout le repas. Il retourne ensuite à l'hôtel et monte au dernier étage, là où se trouve la piscine. Il peine à dénicher un transat de libre. L'hôtel est squatté par une légion d'Australiens en vacances. Il somnole ainsi pendant près de deux heures, après s'être demandé ce qu'il fait vraiment là. Il commence à s'ennuyer autant qu'à Bruxelles. Un coup de klaxon de *tuk-tuk* venant de la rue en contrebas le sort de son rêve ridicule : il était occupé à batailler avec la réceptionniste de l'hôtel qui voulait l'empêcher de monter dans sa chambre avec le kangourou qu'il tenait en laisse. Le réceptionniste s'entêtait en désignant le

---

[94] Expression belge signifiant « Tongue ».
[95] Expression belge signifiant « Marcel ».

220

panneau « *no pets allowed in the rooms*[96] ». Il retourne dans sa chambre, se douche, enfile un jean et une chemise à longue manche pour se protéger des moustiques. Il sort dans la rue. À son grand étonnement, la nuit est déjà tombée, il est pourtant à peine dix-huit heures. L'agitation nocturne peut commencer. Il longe des étals de vendeurs ambulants. Il se dit qu'il goûterait bien ces cuisses de poulet frit ou ces petites saucisses de porc, mais l'idée que la viande a mijoté en plein soleil pendant tout l'après-midi le rebute. Ce serait bien sa veine de choper un virus ! Benoît est en avance. Il s'arrête à une table d'un pub australien et commande une bière. Assis à une table donnant sur la rue, il observe le manège des badauds reluquant les quelques filles court-vêtues déjà présentes malgré l'heure peu avancée. Le bar est tapissé d'écrans géants qui retransmettent pêle-mêle des parties aussi incompréhensibles qu'interminables de cricket, des matchs de football ovale joués en marcel et un succédané de basketball plus proche du jeu de cour de récréation que d'une partie de *NBA*. Au sommet du brouhaha s'ajoute une couche épaisse de musique rock australienne (ℂ). La clientèle est majoritairement masculine et apparemment fière de l'être. Benoît tend l'oreille pour écouter les conversations épicées de ses voisins de table, visiblement des activistes du *climax* vivant de sexe et de bière fraîche. Les anecdotes grivoises fleurissent entrecoupées de toasts portés en l'honneur des beautés de la nuit thaïlandaise. Ils finissent par partir et s'enfoncent dans la nuit à la recherche du bâton du plaisir pour se faire battre. Un homme seul d'une quarantaine d'années vient s'installer près de lui. Il se présente. Il est Gallois, journaliste couvrant l'Asie du Sud-Est pour *Bloomberg*. Ils éclusent quelques bières ensemble. Après avoir échangé quelques banalités, la conversation dérive

---

[96] Animaux domestiques interdits dans les chambres.

sur l'économie. Benoît se dit impressionné par les bons chiffres la croissance de l'économie thaïlandaise. Il cite de mémoire les chiffres lus dans le *Bangkok Post*. Le journaliste réagit sèchement : « À quoi sert la croissance, si elle ne sert qu'à enrichir les nantis ? La Thaïlande est un des pays les plus inégalitaires au monde. Les salaires sont de misère. Un Thaïlandais moyen doit cumuler deux ou trois jobs pour vivre dignement. Il n'y a pas de filet social ici. Pas étonnant que tant de filles se prostituent dans les bars de Bangkok, faute de pouvoir gagner leur vie décemment ». Acerbe, il continue : « Et, non contente de maintenir ce système social injuste, la junte militaire au pouvoir se sucre au passage en taxant le petit peuple de ses multiples prébendes. La corruption généralisée jusqu'au sommet de l'État étouffe la Thaïlande... Thaïlande veut dire littéralement le pays des hommes libres, mais en réalité, ce n'est qu'une monarchie bananière ! » lâche-t-il sarcastique. Benoît écoute sans rien dire. Il se sent mal à l'aise. Il est hôte de ce pays et prêter l'oreille à telles virulentes critiques lui semble inconvenant. Lassé autant par la conversation que par la musique du bar (©) qui joue de plus en plus fort au fur et à mesure que le jour décline, il décide brusquement de prendre congé du journaliste. Dehors, une averse aussi soudaine qu'intense a inondé la rue. En sortant du bar, il voit une horde de touristes français, trempés jusqu'aux os, venant chercher refuge dans le bar. « Fameuse *drache*[97], hein ? » leur lance-t-il en croisant leur regard médusé d'incompréhension.

Benoît rejoint Mario au restaurant. Ils mangent ensemble une pizza napolitaine avant que le gros des clients ne débarque. « Je ne peux pas sortir avec toi ce soir », lui lâche Mario,

---

[97] Expression belge signifiant « Averse ».

nerveusement. La tension dans sa voix est pesante comme l'air de Bangkok.

« Je ne peux pas les abandonner. On est trop juste au niveau personnel pour le service ».

Benoît propose de rester l'aider. Il s'imagine mal partir en goguette, seul, dans cette ville qu'il ne connaît pas. Mais Mario insiste pour qu'il sorte. Il souhaite lui confier une mission. « J'aimerais que tu te rendes dans le dernier bar que l'on a visité hier soir. Repère Joy, Miss 69, tu te souviens d'elle, n'est-ce pas ? » Benoît perçoit l'insinuation, mais ne cille pas.

« Et offre-lui un verre et même plusieurs. Fais-la boire. En échange, demande-lui de te dire où Jade se trouve. Peut-être auras-tu plus de chance que moi. »

Benoît trouve ce plan plutôt foireux, mais finalement n'oppose qu'une légère résistance.

Vingt-deux heures. En raison de la forte affluence, Benoît n'a pu trouver qu'un coin de place sur une banquette défraîchie dans un coin obscur du bar. Éloigné du podium, il ne jouit pas de la même vue que la veille. Il se sent troublé. Seul, sans Mario, il s'imagine ressembler à un vieux pervers en train de mater une sortie d'école. À intervalle régulier, il scrute la porte d'entrée avec anxiété comme si un voisin ou un proche allait débarquer pour le surprendre en flagrant délit de débauche caractérisée. Il doit représenter une proie facile, car en un quart d'heure pas moins de cinq filles sont venues se présenter et demander si elles pouvaient s'asseoir à côté de lui. Il a refusé avec à chaque fois moins de conviction. Toujours pas de Miss 69 en vue. Il envoie un message à Mario pour le tenir informé de l'état de sa mission. Après une heure d'attente, il se lève et se dirige vers la sortie quand il tombe nez à nez sur Joy qui pénètre dans le bar, habillée d'une élégante robe noire. Elle l'a reconnu également. « *Welcome back*, dit-elle. Tu pars déjà ? Sans m'offrir un verre ? »

Elle le regarde avec un sourire insistant. Benoît ne sait que répondre. Elle prend sa main et le reconduit vers la banquette. « Assieds-toi. J'en ai pour cinq minutes. Je me déshabille et je te rejoins. D'accord ? » Benoît acquiesce d'un hochement de tête et, penaud, se rassied. Les cinq minutes durèrent près d'une demi-heure.

Joy était bien redescendue des vestiaires. Elle se promenait dans le bar avec une aisance naturelle malgré sa nudité. Plusieurs hommes autour de la scène l'avaient interpellée. À chaque fois, elle s'était arrêtée pour parler avec eux. Elle souriait, riait, et de temps à autre lançait un regard à Benoît qui semblait dire, un peu de patience, tu vois, je suis fort demandée, mais j'arrive bientôt. Benoît ne l'avait pas quittée des yeux. Il avait failli se lever pour aller la chercher, mais elle était finalement venue à ses côtés.

— Je savais que tu allais revenir, lui dit-elle, moqueuse.

— Ah, et pourquoi ?

— J'ai vu cela dans tes yeux hier. Tes beaux yeux bleus. J'aimerais tant avoir des yeux bleus comme toi. Un client vient de me proposer d'aller avec lui. Mais j'ai refusé à cause de toi.

— Merci. Tu es venue travailler au bar plus tard aujourd'hui. J'ai failli te manquer.

— Non, mais j'ai déjà eu un client. Le pauvre ! dit-elle en riant, la main sur sa bouche.

— Pourquoi le pauvre ?

— Complètement saoul ! *Boum-Boum* pas possible ! et elle repart de plus belle dans un grand éclat de rire en mimant l'infortune de son client.

— Tant pis pour lui, il a payé pour rien, elle pose soudainement sa main sur l'entrejambe de Benoît. Mais toi ? Tu peux, je pense ! elle le regarde dans les yeux. Cela te choque que je te parle ainsi ?

— Je suis un peu timide. Je n'ai pas encore assez bu, je pense. Je voudrais discuter avec toi. J'ai quelques questions à te poser. Je peux t'offrir un verre ?

— Hum, monsieur les yeux bleus, j'ai une meilleure idée. Emmène-moi hors du bar. Tu auras toute la soirée et la nuit pour me poser toutes questions que tu veux ! dit-elle en lui offrant son plus beau sourire.

La sonnerie de son téléphone portable retentit dans la chambre. Benoît se réveille en sursaut. Mario ! Cinq heures trente du matin. Benoît sort du lit et file dans la salle de bain pour répondre à l'appel.

« Où es-tu ? Pourquoi ne réponds-tu pas à mes messages ? Bon Dieu, je n'arrive pas à fermer l'œil. Je m'inquiète ». Benoît est confus. Il aurait dû donner de ses nouvelles à son ami.

« Mario, je suis désolé, ma batterie a rendu l'âme. J'ai trop bu hier. Je suis rentré à l'hôtel et je me suis endormi séance tenante ». Benoît respire un bon coup pour avaler son mensonge et prononce les mots magiques qui vont lui apporter la clémence de son ami : « Krabi, plage de Ao Nang, c'est là que se trouve Jade avec un client. J'ai parlé longtemps avec numéro 69 et elle m'a avoué où elle se trouvait ».

Benoît ne peut contenir un léger timbre de satisfaction dans le son de sa voix. « Fantastique, tu es un frère ! Boucle ta valise, je réserve illico les vols pour Krabi. On part cet après-midi ».

Benoît s'apprête à protester, mais, trop tard, Mario a déjà raccroché.

Ao Nang, petite station balnéaire du Sud de la Thaïlande, ne manque pas de charme. Animée, mais pas trop, elle est un point de chute pour les vacanciers qui souhaitent visiter la myriade d'îles qui lui font face, et surtout pour les amateurs de plongée. Assis à la terrasse d'un café, Benoît fulmine intérieurement à l'encontre son ami. Deux jours qu'ils sont là, attablés à la terrasse d'un bar, à ne rien faire d'autre que de scruter les filles qui passent, guetter les entrées d'hôtel et arpenter la plage dans l'espoir de repérer Jade. En vain ! Mario est assis à côté de lui, tapotant sa tasse de café avec sa cuillère, plissant les yeux pour mieux distinguer une fille de l'autre côté de la rue. Soudain, il se lève, court jusqu'au bord de la rue, s'arrête et puis revient, penaud.

— Ce n'est pas elle ! Elle ressemblait à Jade pourtant ! Mais où donc se terre-t-elle ?

— Arrête de *pesteller*[98], Mario. Ça me rend nerveux. On va la trouver. Ce n'est pas très grand ici. La fille-là, Joy – Benoît prend un air dégagé en prononçant le prénom – m'a bien assuré que Jade était ici, à Ao Nang.

— Ouais, j'espère que numéro 69 ne t'a pas mené en bateau…

— À propos de bateau, Mario, j'aimerais profiter d'être à la mer pour faire un peu de snorkeling. Jusqu'à présent, les seuls

---

[98] Expression belge signifiant « Trépigner ».

poissons que j'ai pu admirer sont ceux de l'aquarium du restaurant...

Le lendemain, après une nouvelle nuit infructueuse de chasse à la femme fantôme, les deux compères prennent le ferry pour Koh Lanta. Mario est d'humeur maussade. Il s'est résolu à quitter son poste de guet pour contenter Benoît. Mais Jade hante ses pensées. Yohan les attend sur le quai de débarquement. Les deux hommes savourent leurs retrouvailles avec force démonstration que Benoît estime exagérée. Yohan les amène dans son pick-up *Toyota* jusqu'à la *guesthouse* qu'il tient avec son épouse thaïlandaise. Dès le premier regard, Benoît a compris qu'il n'aimait pas Yohan. Il le trouve trop sûr de lui, condescendant, faussement décontracté. L'antipathie est sûrement réciproque, car Yohan lui adresse à peine la parole. Il doit le considérer comme un petit bourgeois conformiste à la vie définitivement inintéressante. Mario et Benoît passent l'après-midi sur la plage. Au grand soulagement de Benoît, Yohan les a quittés pour partir en mer avec des clients. Benoît préfère se taire et contempler l'océan. Il a bien tenté de parler avec Mario, mais la conversation bute invariablement sur la disparition de Jade. Benoît est las de ce mauvais roman. Soit Mario se fait une raison et accepte les absences « professionnelles » de Jade. Soit il trouve la volonté nécessaire pour décrocher de cette mauvaise histoire d'amour – en tout cas, c'est ainsi que Benoît envisage rationnellement les choses. Mario se montre réfractaire au raisonnement de son ami. Leur amour triomphera. Il suffit d'un peu de temps. Il est persuadé de pouvoir la convaincre d'arrêter de voir des clients. Encore jeune, elle est marquée par son histoire. Il doit être patient et lui parler. Mais pour cela, il lui faut la retrouver. Ils mangent ensemble avec Yohan le repas du soir à la *guesthouse*. L'atmosphère est plaisante. Yohan n'est pas avare en anecdotes sur sa carrière de pilote et la vie sur les îles. Mario boit ses paroles avec avidité. Nan, l'épouse de Yohan, leur a cuisiné un savoureux wok de poissons au curry rouge. Elle partage leur repas sans trop comprendre la discussion des hommes en français. Nan est d'une beauté simple, rustique. Sa réserve et sa timidité tranchent net avec l'exubérance des filles de bar... Le repas terminé, Benoît décide d'aller se coucher tôt. Ici, pas d'endroits où traîner le soir. Sa chambre, simple et propre offre un confort sommaire. Il n'y a pas de conditionnement d'air, mais au plafond, les pales d'un grand ventilateur malaxent paresseusement les nappes d'air chaud. Il peine à s'endormir, se retournant sans cesse sur le matelas. Des images de la nuit passée avec Miss 69 fourmillent dans sa tête. Dans un demi-sommeil, il revoit sa silhouette ondulante dans la pénombre de la chambre d'hôtel. Mutine, elle lui avait susurré à l'oreille :

— Mets une musique sur ton téléphone et je vais danser pour toi, rien que pour toi... Sauf si cela te gêne bien sûr !
— Heu... Non, non... Qu'est-ce que tu veux comme morceau ? avait-il bredouillé, les yeux écarquillés.
— Comme tu veux ! Oh, si tu peux trouver, Takkatan Chollada (℃) !

Le spectacle ondoyant du corps sinueux de Miss 69 finit par s'évaporer de son esprit et Benoît s'endort enfin pour sombrer en plein cauchemar. Il marche seul dans une plantation de bananiers. Soudain, il voit un serpent qui saute d'arbre en arbre et se rapproche vers lui. D'autres serpents sauteurs apparaissent dans les arbres. Ils se jettent dans les airs, planent, ondulent, dessinent des formes dans le ciel. Il lui semble distinguer des chiffres, des six et des neufs. Il panique, tente de fuir et s'enfonce dans la forêt de bananiers. Les serpents pullulent dans les arbres et dans le ciel. Les branches se transforment elles-mêmes en serpents. Il court désespérément. Il veut prendre son téléphone pour appeler Miss 69 à l'aide, mais il se rend compte qu'il est complètement nu dans la forêt. Il a oublié de s'habiller. D'un coup, tous les serpents s'abattent sur lui. Leur peau est visqueuse et froide. Il est submergé de peur et de dégoût. Mais incroyable, il trique ferme. Son sexe est dressé fièrement. Un serpent s'enroule autour. Il se réveille en nage et haletant. Il maudit Yohan. Lors du repas, celui-ci a raconté voir souvent sur l'île des *chrysopelea,* ces fameux serpents volants. « Un spectacle magique », avait-il commenté. Quel con ! Il est deux heures du matin. Benoît gratte nerveusement ses piqûres de moustiques jusqu'à saigner. Il regrette la fraîcheur de son appartement bruxellois. Il pense aux yeux de Miss 69. Il sait qu'il ne va pas se rendormir. Le rendez-vous est fixé à six heures à l'embarcadère. Il prend une bière dans le frigo et attend l'aube avec patience.

Midi, le cauchemar de la nuit s'est transformé en rêve, bien éveillé celui-là. Yohan leur a mis à disposition un petit bateau à moteur. Mario a de l'expérience et connaît suffisamment les fonds marins pour naviguer sans moniteur. Ils sont partis donc à deux au soleil levant. Durant toute la traversée, Mario n'a quitté pas sa posture maussade, mais Benoît a pris le parti de l'ignorer. Il en faut plus pour gâcher la vue majestueuse de l'océan déroulé jusqu'à l'horizon. L'air est lumineux. Seul le ronronnement du moteur trouble la quiétude des flots. Mario a jeté l'ancre dans une petite crique aux eaux limpides près d'un bout de terre appelé Île Corail. Ils sont seuls dans ce petit paradis. Mario déballe le casse-croûte que Nan a préparé pour eux. Il y a des *thod mun pla*[99], des *moo ping*[100], des *gluay thod*[101] et du riz gluant. C'est délicieux à manger avec les doigts ! Benoît décapsule des bouteilles de *Chang*. Insensible à la moue revêche de Mario, Benoît sent des bouffées de bonheur monter en lui. Le cadre est idyllique, la nourriture succulente, et, quelque part, en lui, malgré lui, brille encore le souvenir de la nuit passée avec Joy. Il manque un peu de musique de circonstance. Il trifouille dans son *iPod* et met sur sa petite enceinte portable *Johnathan Livingston Seagull*. Il fredonne *Be* en dodelinant de la tête, perdu dans la contemplation extatique de l'horizon azuré (☾).

— Dans le genre musique pompier, ça, c'est niveau expert ! grogne Mario, cassant la magie du moment.

— OK OK, Benoît coupe la musique. Tu préfères sans doute un petit poème ? Parfait, *fieu* ! il se lève et se met à déclamer avec l'emphase d'un jeune premier :

Homme libre, toujours tu chériras la mer !
La mer est ton miroir ; tu contemples ton âme
Dans le déroulement infini de sa lame,
Et ton esprit n'est pas un gouffre moins amer.[102]

— Bon tu as gagné, allez, on y va, on plonge ! coupe Mario, peu réceptif à l'élan lyrique de son ami.

Ils revêtent leurs palmes, masque et tuba et plongent dans l'eau cristalline. En bas, à quelques mètres de profondeur, le paysage est féérique. Benoît n'en croit pas ses yeux embués.

---

[99] Beignets de poisson.
[100] Brochettes de porc grillé.
[101] Bananes frites.
[102] Extrait de *L'homme et la mer* de Charles Baudelaire.

D'innombrables bancs de poissons multicolores tournoient autour de coraux enchevêtrés dans un décor turquoise. Benoît est heureux comme un bébé flottant dans son liquide amniotique. C'est une révélation pour lui. Plutôt habitué des piscines d'hôtel, il n'a jamais autant éprouvé de bonheur dans l'eau de mer. La vue d'un petit poisson *Nemo* le transporte au bord de l'excitation, comme un enfant.

Après une heure d'exploration voluptueuse, Benoît remonte sur le bateau. Mario l'y attend, son téléphone portable à la main. Le soleil, à son zénith, miroite sur l'eau. Le bateau tangue doucettement. Benoît retire son masque. Les deux hommes se font face debout sur le pont du bateau.

« Tu as vu le *Nemo* ? » demande Benoît, encore enjoué.

Mario le fixe intensément et puis explose : « Mais qu'est-ce que tu crois ? Je n'en ai rien à foutre, mon pauvre vieux ! Putain, je suis en train de crever, tellement elle me manque, et toi, tu me demandes si j'ai vu *Nemo* ou *Dory* ? »

Benoît reçoit comme un uppercut l'agressivité de son ami. Il reste sonné sans voix pendant quelques secondes. La griserie qui l'habitait, il y a quelques instants à peine, reflue d'une traite refoulée par la colère qui l'envahit. « Bordel, Mario ! Arrête de *braire* ! Ce n'est rien qu'une petite pute ! Ouvre les yeux ! Elle n'en a rien à faire de toi, c'est ton pognon qui l'intéresse ! Tu te demandes où elle est ? Je vais te le dire, elle est en train d'écarter les jambes dans sa chambre d'hôtel, pendant que toi, tu chiales comme un con ! » Mario le regarde sans rien dire. Il détourne son regard, scrute l'océan un moment et fixe à nouveau Benoît. Son visage arbore un rictus mauvais. Les paroles de Benoît ont taillé une plaie. La purulence se met alors à sortir de sa bouche : « Et toi, tu n'es qu'un pauvre intellectuel méprisant, retourne lire tes poèmes moyenâgeux, va vivre dans ton petit monde guindé du barreau... Je comprends que tu ne trouves plus de gonzesse, tu es devenu incapable d'être naturel, d'être toi-même, tu es devenu un poisson froid ». Mario éructe ces mots froidement. « Au fond de toi, il n'y a plus d'humanité, rien que du mépris et de l'arrogance. Tu es juste un être cynique et égoïste ». Benoît frémit. Sa tête bouillonne. Il ne maîtrise plus rien, ni son corps ni son esprit. Une seule pensée martèle son cerveau. Faire taire Mario. Sur le champ. Comme étranger à lui-même, il voit alors son poing se crisper et, fulgurant, partir s'écraser sur le visage de Mario. Du sang gicle. Mario titube, perd l'équilibre et, les bras en l'air, valse par-dessus bord. Pétrifié par son geste, Benoît se sent d'un coup misérable. Comment a-t-il pu frapper son ami ? Ce pays l'a-t-il rendu fou lui aussi ? Il se fait honte. Soudain, la sonnerie du téléphone de Mario, tombé sur le plancher du bateau, retentit. Benoît se baisse et le ramasse. Sur l'écran éclairé, apparaît alors le nom de l'appelant, Jade, accolé d'un *emoji* à la forme de cœur.

VIII
Nagoya, l'impossible amour

11 mars 2018

À travers la grande fenêtre ovale cerclée de chêne japonais, le soleil se couche en toute majesté sur le mont Ogato.

Au premier plan, nue dans le jacuzzi de la chambre, le corps constellé de mousse, Moon prend la pose, un verre d'*umeshu*[103] soda à la main, sous le regard émerveillé de Yuki. Dans l'air flottent des notes capiteuses de *shamisen* [104](ℂ). Le temps semble délicatement suspendu dans ce lieu haut perché au bout de l'Asie.

Moon savoure son séjour nippon. Le Japon lui paraît tellement différent de la Thaïlande. À son arrivée à Nagoya, Moon a été frappée par la propreté de la ville et la découpe ordonnée des artères, aux antipodes du désordre des rues de Bangkok. Les gens semblent aussi plus riches, mieux habillés, bien portants. Leur blancheur de peau fait preuve de leur bonne

---

[103] Umeshu est un alcool japonais populaire à base de prunes macérées dans de l'alcool de riz et du sucre.
[104] Instrument à quatre cordes de musique traditionnelle japonaise.

santé, s'était dit Moon en débarquant. La vie doit être bien plus confortable ici qu'en Thaïlande. Mais le plus surprenant était que personne ne souriait. Tout le monde semblait préoccupé, stressé, pressé, sérieux, austère, triste, accablé par ses obligations professionnelles ou familiales. La vie paraissait manquer de saveur comme la nourriture. Les épices et le piment de la cuisine thaïlandaise lui manquaient déjà après moins d'une semaine.

C'est son deuxième voyage au Japon. Lors de sa première visite, la rencontre tant souhaitée avec la famille de Yuki s'était mal passée. Moon avait été invitée à prendre le thé dans la maison familiale dans les faubourgs cossus de Nagoya. Moon s'était présentée et avait salué la mère de Yuki. Celle-ci l'avait toisée du regard et, après quelques secondes à peine, s'était levée et avait quitté la pièce sans mot dire. Son jugement était définitif et sans appel. Il était hors de question que Yuki ramène encore cette fille thaïlandaise dans le sanctuaire familial, avait-elle dit... Cela signifiait la fin des espoirs que Yuki entretenait avec ferveur depuis des semaines. Officialiser sa relation avec Moon auprès de sa famille lui tenait tellement à cœur. Depuis cette rencontre avortée, Yuki était persona non grata dans la maison familiale. Un bannissement familial cruel dans un Japon encore traditionnel.

Pour son deuxième séjour, Yuki l'a emmenée dans les alpes japonaises. Pour la première fois de sa vie, aujourd'hui, Moon avait vu de la neige. Elle l'avait touchée, pris une poignée et mise en bouche. Emmitouflée dans sa canadienne, elle avait fait ses premiers pas sous le craquement sourd de ses grosses bottines sur l'étendue opaline. Elle s'était couchée en étoile sur la neige pour mieux éprouver cette sensation de froid inconnue jusqu'ici. Quel émerveillement ! Comme tous ses compatriotes, Moon est fascinée par la montagne et les pics enneigés. Pour elle aussi, la Suisse représente ainsi le summum du voyage exotique. Mais le Japon et ses monts sont un substitut appréciable. Moon serait éternellement reconnaissante de l'avoir emmenée là, au sommet et d'avoir tant fait pour elle.

Le corps à peine dissimulé par une fine couche de mousse, Moon se laisse photographier par Yuki. La vapeur du bain commence à brouiller la vue sur les montagnes à travers la fenêtre. C'est la première fois qu'elle se laisse photographier nue. Elle préfère ne pas imaginer ce qui se passerait si, un jour, par vengeance ces photos devaient apparaître sur les réseaux sociaux. Ce serait la disgrâce de trop. Elle se donnerait la mort plutôt que d'imposer un nouveau déshonneur à sa famille. Mais elle n'a d'autre choix que faire confiance à Yuki. Elle lui offre sa nudité en guise de gratitude. Elle avait pourtant longtemps hésité avant d'accepter son invitation à se rendre une nouvelle fois au Japon. Les choses avaient en effet bien changé depuis sa première visite à Nagoya.

L'esprit engourdi par l'alcool et la chaleur du bain, Moon se rappelle leur première rencontre. C'était en mars 2017, il y a un an déjà. Elle s'en souvient précisément, car Bee venait d'accoucher d'un petit garçon. Bee comptait confier le bébé à sa famille et revenir rapidement travailler au bar. Elle avait cruellement besoin d'argent pour rembourser la somme qu'elle avait empruntée durant son inactivité. Durant la grossesse de son amie, Moon s'était sentie bien seule sur la piste de dance de la maison folle. Elle avait toujours autant de succès auprès des hommes. Mais, elle manquait d'entrain en l'absence de Bee. Cela se ressentait sur son travail. Il lui arrivait plusieurs fois de rester le soir dans son studio à flâner sur son lit. De même au bar, il n'était pas rare qu'elle décline toutes les invitations des clients, ne trouvant aucun homme à son goût. Et les visites au bar du colonel s'étaient faites moins fréquentes. Non pas que son attirance pour Moon eut décliné, loin de là, mais le Sino-Thaï avait été muté à la prison centrale de Chiang Mai dans le nord du pays. Il ne pouvait descendre dans la capitale qu'une fois par mois, tout en plus. Moon ne s'en plaignait pas trop, tant elle éprouvait de plus en plus de dégoût à côtoyer intimement cet être malsain. Mais ses rentrées financières en pâtissaient en conséquence. On était loin de l'euphorie des six premiers mois au bar. À cela s'ajoutait une longue période d'inactivité fin 2016. Le 13 octobre 2016, le roi Rama IX avait rendu son dernier soupir. À cette annonce, la police était descendue dans les bars pour les obliger à fermer en respect du deuil. Moon se souvient encore de sa frayeur. Des policiers, vociférant, avaient fait irruption dans le bar, rallumé les lumières, chassé sans ménagement les filles nues vers les vestiaires et poussé les clients à déguerpir sans demander leur reste. S'ensuivit une longue période de deuil national avec en corollaire la fermeture des bars pendant plusieurs semaines. Un fameux manque à gagner !

En mars 2017, elle avait donc fait la connaissance de Yuki. Ce soir-là, Moon s'était rendue au bar sans trop d'enthousiasme. Du haut du podium, elle avait jaugé l'assistance comme elle le faisait d'habitude. Elle échangea quelques sourires avec deux, trois hommes, masquant à peine sa lassitude. Elle ne fit pas attention, au premier abord, à un couple de Japonais, assis dans le fond du bar. Une serveuse lui fit remarquer que l'homme lui faisait signe de venir. Elle descendit donc de l'estrade et vint saluer l'homme, un Japonais d'une trentaine d'années. L'homme parlait le thaïlandais et lui proposa de s'asseoir entre lui et la femme pour prendre un verre. Moon n'était pas étonnée outre mesure. Il arrivait de temps à autre qu'un couple vienne s'encanailler au bar. C'était, supposait-elle, une façon de pimenter leur vie sexuelle. Cependant, Moon avait toujours refusé d'accompagner un couple à son hôtel. Cela l'aurait mis mal à l'aise. Elle risquait de perdre le contrôle. Il y avait une personne de trop, qu'elle considérait comme voyeur. Cependant, elle ne voyait aucun inconvénient à prendre un verre et à discuter à trois. C'était même plutôt drôle. La femme parlait aussi le thaïlandais. Lui travaillait dans un hôtel d'une chaîne japonaise et elle était médecin terminant un stage d'un an dans un hôpital de renom destiné à une clientèle aisée et aux expatriés vivant à Bangkok. Ils lui avaient dit être amis et non pas mari et femme comme Moon l'avait d'abord imaginé. Elle s'était installée entre eux deux et leur posait les questions traditionnelles : est-ce qu'ils aimaient son pays, la cuisine thaïlandaise, ne faisait-il pas trop chaud pour eux, où habitaient-ils, trouvaient-ils les filles thaïlandaises jolies, que pensaient-ils de sa danse, de son corps... ? L'homme ne la toucha pas. Sans doute, imagina-t-elle, par gêne, pour son amie. S'il était seul, assurément, il n'aurait pas été si timide. Peut-être, attendait-il que son amie s'éclipse pour s'aventurer quelque peu à poser sa main sur sa cuisse et à lui demander quel était son prix. Après avoir terminé leur verre, ils prirent congé, non sans avoir tous deux complimenté Moon pour sa plastique. Moon retourna danser. Il était une heure du matin. Dans un une bonne heure, elle rejoindrait seule son studio. Elle louait un studio de vingt mètres carrés non loin du bar. À l'exception de Bee, elle n'y avait jamais reçu personne. À l'idée de rentrer seule chez elle au milieu de la nuit, elle éprouvait à chaque fois une légère angoisse. Elle frémissait en imaginant que Toy l'attendait dans l'ombre du porche mal éclairé de son immeuble. C'était toutefois improbable. Il ne connaissait pas son adresse à Bangkok, Bouddha merci ! Mais elle ne pouvait se défaire de cette pensée. Ses parents lui avaient remis, il y a quelques semaines, une lettre de Toy à son attention qu'ils avaient reçue. Son ancien petit ami lui déclarait son amour éternel, espérait qu'elle lui pardonnerait un jour, l'assurait qu'il était devenu un homme différent maintenant avec un vrai job. Il avait joint dans l'enveloppe une photo de lui en uniforme, posant fièrement avec une arme de guerre. Il avait incorporé les forces spéciales de l'armée royale thaïlandaise. Cette photo l'avait glacée d'effroi et elle s'était empressée de la déchirer rageusement et de la jeter à la poubelle.

Moon dansait machinalement perdue dans ses pensées. Elle ne réagit pas tout de suite quand une main se posa délicatement sur sa cheville. Elle baissa enfin la tête et aperçut la jeune Japonaise, apparemment seule, qui lui faisait signe de descendre la rejoindre. Moon s'exécuta et lui demanda en souriant : « Vous êtes donc revenus ? Où est ton ami ? » La Japonaise lui répondit qu'elle était seule et sans tergiverser lui expliqua qu'elle désirait la prendre pour la nuit. Moon ne put cacher son étonnement. Elle n'avait jamais auparavant été confrontée à une telle demande. « C'est que... je ne fais pas cela avec des filles, je suis désolée... », répondit-elle avec gêne. Cela ne découragea pas la Japonaise qui insista. « Je comprends. Mais ne t'inquiète pas. Tu n'auras rien à faire, je voudrais juste parler avec toi et caresser doucement ton corps. Quand je t'ai vue danser, cela m'a fait un choc, tu as une silhouette magnifique et de si beaux yeux. Je t'en prie, accepte… et ne t'inquiète pas, l'argent n'est pas un problème pour moi. ». Ce dernier argument finit par convaincre Moon. Elle appela la *mamasan* et celle-ci régla les arrangements financiers avec la jeune Japonaise, à savoir sept cents bahts pour le bar et six mille bahts pour elle. Les deux femmes restèrent silencieuses durant le trajet en taxi. Elles en descendirent dans le quartier chic de Thonlor, à l'est de Sukhumvit et entrèrent dans un luxueux immeuble à appartements, comme Bangkok en recèle abondamment.

« *Khun russak Takkatan Chollada chaimai* ?[105] » Moon acquiesça timidement. À son grand étonnement, la Japonaise s'exprimait avec aisance en Thaïlandais. Sa voix était douce, mais le ton était assuré. De quoi renforcer encore l'embarras de Moon, troublée de se retrouver dans cette configuration inédite pour elle. Contrairement à d'autres filles du bar, jamais, elle n'avait eu de relations intimes avec une femme. Elle manquait de repères. « Moi, j'aime beaucoup ! » reprit la Japonaise. Elle mit le dernier CD de la chanteuse dans le lecteur de disque (ℂ). « Oh, mais je ne t'ai même pas dit mon prénom », s'exclama-t-elle, en effleurant délicatement de la main le genou de Moon. En pareille circonstance, un homme aurait déjà agrippé fermement sa cuisse, pensa Moon. « Je m'appelle Yuki. C'est un prénom mixte, donné aussi bien aux garçons qu'aux filles. En Japonais, cela signifie neige. Tu as déjà vu de la neige ? ». Elle était habillée de façon classique, portant un chemisier blanc sur un pantalon de marque. Elle était mince, ni laide, ni jolie,

---

[105] « Tu connais Takkatan Chollada, n'est-ce pas ? » Takkatan Chollada est une chanteuse renommée de la scène pop thaï.

une femme japonaise parmi tant d'autres. Moon apprit plus tard qu'elle avait déjà quarante ans. Elle ne les paraissait pas, plutôt une petite trentaine. « Tu veux boire quelque chose. Je peux te proposer de l'*umeshu*, un alcool japonais, c'est rafraîchissant avec de l'eau pétillante. » Les yeux baissés, Moon opina de la tête, elle ne connaissait pas cette boisson, mais tout alcool serait bienvenu dans ces circonstances inhabituelles pour elle. Elle se sentait mal à l'aise. Les hommes, c'était son rayon, elle connaissait leurs envies, comment les manipuler, mais une femme, c'était l'inconnu. Elle sortait de sa zone de confort. Pourquoi donc avait-elle accepté de se rendre dans l'appartement de Yuki ?

C'était ainsi qu'elle l'avait rencontrée. Après cette première nuit, Yuki était revenue deux soirs de suite au bar et à chaque fois l'avait amenée chez elle. Moon aurait bien été en peine d'expliquer le plaisir que Yuki éprouvait au lit en sa compagnie. Elles s'allongeaient toutes deux nues côte à côte. Moon s'abstenait de tout geste. Yuki semblait s'accommoder de sa passivité et se masturbait en caressant le corps de la jeune fille. Cela semblait lui suffire et lui plaire. Moon n'en demandait pas tant. C'était finalement de l'argent facilement gagné. Elles avaient beaucoup parlé. Moon se sentait beaucoup plus à l'aise désormais. Yuki la respectait et la traitait avec douceur. Moon lui avait raconté toute son histoire, sans rien cacher. Yuki lui avait expliqué qu'elle était bisexuelle. Jeune, elle alternait les flirts avec des garçons et des filles. Mais cette différence était malaisée à vivre dans un Japon encore conservateur. Tant bien que mal, elle s'était efforcée de refouler son attirance pour les filles. Plus tard, elle s'était mariée à un de ses patients à l'hôpital. Celui-ci était décédé, il y a un an, d'une infection

240

pulmonaire. Elle avait alors décidé de quitter le Japon et de venir faire une spécialisation en Thaïlande. À l'issue du troisième soir, Yuki prit un ton grave et lui annonça qu'elle rentrait au Japon le surlendemain. L'air de rien, elle demanda combien d'argent lui manquait-il encore afin de rembourser sa famille.

— Quatre cent mille bahts, lui répondit Moon. D'ici quelques mois, le compte devrait être bon.

— Moon, écoute-moi bien. Cela va te paraître insensé et même moi, j'ai peine à y croire. Dès que je t'ai vue le premier soir, j'ai ressenti quelque chose de fort au fond de moi. Une irrésistible attraction. Ces derniers jours, je n'ai de cesse que penser à ces nuits passées avec toi. Ton corps est un régal pour les yeux. J'aimerais pouvoir le caresser sans arrêt. Ta personnalité me touche beaucoup aussi. Ton histoire m'a vraiment émue. Je veux t'aider. Nul besoin de réfléchir longuement. La décision a germé tout naturellement dans mon cœur. Demain, je me rendrai à la banque et je te verserai ces quatre cent mille bahts.

Yuki se tut. Elle avait prononcé ces mots, d'une traite, sans intonation comme si elle les avait appris par cœur. Moon, interloquée, resta un moment sans mot dire. Rendait-elle les gens fous ? Comment après trois nuits, et sans, à proprement parler, coucher ensemble, sans la connaître vraiment, une femme, de surcroît, pouvait-elle perdre la raison au point de lui donner une telle somme ? Cela la fascinait, non sans la gêner. Mais sa situation ne lui permettait pas de dédaigner pareille aubaine.

— Yuki, es-tu sérieuse ?

— Tout à fait sérieuse. Mais il y a deux conditions, Moon se raidit quelque peu.

Elle n'aimait pas se soir imposer des contraintes. Mais l'enjeu était ici trop important.

— Lesquelles ?

— Tout d'abord, je voudrais que tu arrêtes de travailler dans un bar. Maintenant que tu peux rembourser ta dette, je souhaite que tu trouves un travail normal.

— Oui, d'accord, Moon acquiesça rapidement.

Cela semblait aller de soi. Il n'y aurait désormais plus aucune raison de vendre son corps pour de l'argent.

— Et la deuxième condition ?

— Je dois retourner au Japon. Mon stage hospitalier en Thaïlande se termine. Mais je reviendrai régulièrement ici pour te voir. Tu dois me promettre de rester avec moi quand je viens.

— Oui, je te le promets.

C'était bien la moindre des choses. Yuki allait lui permettre de démarrer une nouvelle vie. Bien que l'idée d'une relation avec une femme lui paraissait déroutante et saugrenue, elle pourrait s'y accoutumer, surtout si les visites de Yuki étaient espacées.

— Merci, Yuki fit une pause, puis soupira.

— Je t'aime beaucoup. Peut-être qu'un jour, je pourrai t'emmener vivre au Japon avec moi, qui sait ?

Moon frémit à cette idée, mais elle ne laissa rien paraître. Il était hors de question qu'elle quitte la Thaïlande !

Yuki avait tenu parole. Moon avait reçu l'argent. Elle avait fait son retour à la maison familiale, telle la brebis égarée. Mais contrairement au fils prodigue, elle ne revenait pas les mains vides. Elle avait viré sur le compte de sa mère son million de bahts. Elle était fière d'avoir relevé ce défi, d'avoir remonté la pente de la déchéance et de pouvoir permettre à sa famille de retrouver un certain confort. Le chef du village avait été remboursé de son prêt. Moon avait piqué une colère noire quand elle s'était rendu compte que l'homme avait profité du désarroi de ses parents pour leur extorquer des intérêts usuraires. Ses parents ne lui avaient posé aucune question sur la provenance des fonds. Cela n'avait plus d'importance. Le passé était gommé à tout jamais. Il fallait maintenant s'atteler à la recherche d'une maison, assez spacieuse, pour installer confortablement toute la famille. Un bonheur ne venant jamais seul, elle avait enfin reçu son diplôme des mains du nouveau roi Rama X. Elle s'était rendue à l'université de Sukhothai Thammathirat accompagnée de ses parents. Ils étaient fiers de leur fille qui comme toutes les étudiantes avait revêtu son costume d'apparat, une aube blanche couverte d'une étole émeraude et or. Elle avait tressé ses cheveux à la française et enduit abondamment le visage d'une poudre blanche qui donnait à son teint une pâleur virginale. Elle avait rampé les quelques mètres qui la séparaient du monarque afin qu'il lui délivre enfin le précieux le diplôme. Elle avait gardé les yeux baissés, de crainte de croiser son regard. Le nouveau roi Rama X inspirait plus que le respect, il faisait peur… Cette journée avait été la plus belle de sa vie. Pendant quelques heures, elle avait tout oublié, ses années de prison, sa vie de fille de bar, les hommes et leur emprise…

La seule ombre à ce tableau idyllique demeurait l'attitude et le comportement de son frère. Son hostilité envers elle n'avait pas faibli. Mais en outre, il donnait l'impression de se renfermer, chaque jour davantage, dans sa coquille. Sa mère lui prêtait de mauvaises fréquentations, sans pouvoir vraiment étayer ses dires. Il était difficile de faire la part des choses, entre une crise d'adolescence prolongée outre mesure et les prémices d'une dérive toxique. Moon ne pouvait faire grand-chose. Son frère ne lui parlait plus. Elle décida, elle aussi, de l'ignorer. Il ne parviendrait pas à gâcher son nouvel élan.

Moon avait, comme demandé par Yuki, cessé ses activités nocturnes. Elle s'était mise en quête d'un job normal. Travailler dans une grande entreprise comme ses amies lui étant impossible au vu de son casier judiciaire, elle avait fini par trouver un emploi d'hôtesse d'accueil dans un institut de soins esthétiques. Désormais, elle se levait à l'heure où précédemment elle se couchait, pour se rendre, dans son ensemble strict jupe-tailleur, via le métro aérien, à son lieu de travail situé dans le quartier de Thonlor. Ce changement de vie s'accompagnait d'une drastique diminution de revenus. Elle en était réduite à quinze mille bahts par mois à présent, en travaillant six jours par semaine, à raison de neuf heures par jour. C'était un salaire de misère en comparaison des soixante mille bahts, sinon plus, qu'elle engrangeait précédemment tous les mois. Elle avait dû réduire drastiquement les dépenses de coiffeur, de soins esthétiques et de produits de beauté. Son corps n'étant plus son outil de travail, elle y consacrait désormais à regret moins de temps et d'argent. Chaque soir, elle pensait avec nostalgie aux longs moments passés à le gommer, le lisser, le polir, le bichonner… Restait encore à payer son loyer qui ne dévorait pas moins de la moitié de son salaire. Elle avait souhaité demeurer à Bangkok pour y vivre et travailler, en tout cas en attendant que la nouvelle maison familiale soit achetée et aménagée.

Heureusement, Yuki était revenue une première fois et lui avait donné cinquante mille bahts. Elle avait séjourné une semaine à Bangkok, séjour qui ne démarra pas sous les meilleurs auspices. À peine descendue de l'avion, Yuki s'était rendue dans un salon de massage traditionnel thaïlandais dans l'espoir d'apaiser les courbatures du voyage. Lors d'une mauvaise manipulation, un nerf du dos se coinça et elle avait souffert le martyre pendant la majeure partie du temps. De plus, Moon était le plus souvent d'humeur maussade. Elle se sentait irascible. Elle avait conscience de ne pas adopter un comportement à la hauteur des attentes de Yuki. Elle éprouvait de la culpabilité, sachant tout ce qu'elle lui devait. Mais c'était plus fort qu'elle. Il lui arrivait de la repousser, de lui répondre brutalement, de dire non à tout et de s'enfermer dans un silence de plusieurs heures. Elle s'excusait ensuite et câlinait Yuki qui avait tôt fait de lui pardonner ses sautes d'humeur. La Japonaise semblait néanmoins heureuse en compagnie de Moon. Elle semblait aussi s'accommoder du rôle purement passif de Moon lors de leurs ébats sexuels. Ses yeux gourmands ne pouvaient mentir, l'attirance charnelle demeurait intacte. Retenant ses larmes, elle prit congé de Moon à la fin du séjour. Il lui tardait de revenir et de l'enlacer à nouveau.

Moon retrouva avec plaisir sa solitude. Depuis qu'elle avait déménagé à Bangkok, elle avait appris à vivre seule et à apprécier sa liberté et son indépendance. Cette semaine avec Yuki en permanence à ses côtés lui avait lourdement pesé. Yuki était prévenante et toujours aux petits soins avec elle. L'intention était louable, mais Moon trouvait cela plutôt lassant sur la longueur. Elle n'avait même plus à séduire. Le terrain était conquis d'avance. Elle s'y enfonçait. Mais sans plaisir. Yuki acquiesçait à tous ses caprices. Elle aurait apprécié plus de résistance, que Yuki l'ignore, boude, se révolte, qu'excédée, elle pique une colère et la fasse trembler de peur. Mais elle était patiente, et pis encore, sa seule défense était d'afficher une mine de chien battu. Cela avait le don de faire enrager Moon plus encore et de vouloir enfoncer le couteau dans la plaie. Et puis, Yuki était une femme et Moon préférait se mesurer aux mâles. Quoi de plus excitant que de dompter leur testostérone ? Et enfin, même si elle ne se l'avouait pas vraiment, la sensation la plus désagréable, c'était de se sentir prisonnière du deal passé avec Yuki. Elle n'était plus maîtresse de son destin, de ses envies et de ses rêves désormais.

Une semaine avant son premier voyage au Japon, Moon avait revu Bee en septembre 2017. Les deux jeunes femmes étaient parties manger ensemble dans une petite gargote dans le quartier des bars. On parvenait à la salle du restaurant après un dédale de couloirs. Les murs étaient tapissés de vieilles photos des manifestations de 1973 et de slogans à la gloire des centaines d'étudiants contestataires tombés alors sous les balles de la police. La cuisine y était simple, mais délicieuse. Les piments rouges incandescents fourmillaient comme des vers dans le *morning glory*[106] de Moon et le *khao pad nam prik na rok*[107] de Bee semblait tout droit sorti des feux de l'enfer. Les deux femmes tentaient d'apaiser leur gosier enflammé à coup de grandes lampées de *Leo*. Bee s'était bien remise de son accouchement. Elle avait retrouvé sa ligne d'antan bien qu'elle se trouvât encore trop grosse à son goût. Elle avait confié son petit garçon, maintenant âgé de six mois à sa famille. La venue

---

106 Plat à base d'épinards d'eau poêlés à la sauce d'huître et à l'ail.
107 Littéralement, riz frit au piment de l'enfer.

du bébé avait transfiguré sa mère. Elle était méconnaissable. Sa mère avait arrêté de boire et s'occupait du bébé avec beaucoup d'amour et d'attention. Bee avait donc pu reprendre ses activités au bar. Elle avait cruellement besoin d'argent. Sa situation financière l'angoissait et elle s'était remise à fumer frénétiquement. Bee avait repris contact avec le père de son bébé. Celui-ci s'était heureusement engagé à lui verser quinze mille bahts par mois.

— Il s'est bien comporté avec moi. Il a tout de suite été d'accord d'assumer une partie des charges. Il m'a même proposé de vivre ensemble, mais j'ai refusé.
— Pourquoi ? Réfléchis, cela m'a l'air d'être un gars bien.
— *Me dai*[108] ! Je peux encore changer d'avis, mais je ne me vois pas faire ma vie avec lui, ni d'ailleurs avec quiconque. Je suis incapable d'aimer quelqu'un, je crois.
Bee s'interrompit un instant, perturbée par ce brusque aveu. Puis elle reprit :
— Il faut que je trouve une solution pour gagner assez d'argent tant que je suis encore jeune et que je plais aux hommes. Je veux moi aussi mon million pour acheter une maison en Issan et m'y retirer, et ne plus voir jamais un homme de ma vie, sauf mon fils.
Elle fit nouvelle une pause, puis ajouta :
— On m'a proposé d'aller travailler en Corée...
— En Corée ? Et pour quel genre de travail ?
— À ton avis ? On attend les clients dans une pièce. Ils prennent la fille de leur choix – tu ne peux pas refuser, tu dois tout accepter – et ensuite, ils ont droit à vingt minutes, pas une seconde de plus. C'est plutôt mal payé, mille bahts la passe,

---

108 Impossible !

mais vu que cela ne dure pas longtemps, tu peux en faire beaucoup. Une fille du bar est revenue avec cent cinquante mille bahts après un séjour de trois semaines sur place.

— Cela fait plus de dix clients par jours ! Je ne pourrais jamais ! dit Moon après un rapide calcul.

— Je sais. Mais moi, j'en serais capable parce que je n'ai pas le choix. Je n'ai pas la chance d'avoir une riche petite amie. À propos comment va-t-elle, ta chère Yuki ?

Moon n'apprécia pas le sarcasme de son amie qu'elle mit sur le compte de son anxiété. Elle préféra répondre sur un ton badin.

— Toujours aussi amoureuse. Elle m'a invité chez elle au Japon pour une semaine. Elle souhaite que je rencontre ses parents…

— Cela devient sérieux, dis-moi ! Heureusement que le mariage homosexuel n'est pas permis, ni ici ni au Japon, sinon cela te pendrait au nez ! Ah dommage, cela m'aurait plu d'être ta demoiselle d'honneur !

Elles éclatèrent toutes deux de rire. Bee partit dans une quinte de toux.

— À propos de mariage, tu te souviens de Wim, le colonel ? Quand je travaillais encore au bar, figure-toi qu'il m'avait proposé de devenir sa *mia-noï*, sa maîtresse officielle. Vu qu'il habitait désormais à Chiangmai avec son épouse, il avait imaginé que je devienne sa seconde épouse ici à Bangkok ! Quelle arrogance ! J'avais refusé tout net. Je venais juste de rencontrer Yuki. Et puis, il y a un mois, il a repris contact avec moi. Il voulait me revoir à tout prix. Je lui avais répondu que ce n'était pas possible, car ma vie avait changé et je ne voyais plus de clients. Mais il a insisté, je lui manquais et il avait une surprise pour moi m'avait-il confié…

— Oui, je me souviens de lui, un bel homme. Et tu as accepté de le voir, je parie ?

— Oui, nous nous sommes vus hier, avoua Moon mal à l'aise.

Moon avait omis de mentionner cette rencontre à Yuki et cette cachotterie l'embarrassait. Le colonel l'avait invitée à passer à son hôtel, mais prudente, elle avait préféré le rencontrer en terrain neutre. Elle avait envie de pizza et ils s'étaient donc donné rendez-vous dans une pizzeria du quartier de Sukhumvit. Moon prit le temps de se préparer comme si elle partait travailler au bar. Wim l'attendait déjà depuis près d'une heure, sanglé élégamment dans son costume bleu Armani et la *Patek* au poing lorsque Moon fit enfin son entrée dans le restaurant. Mais ce n'est pas Wim qui attira son premier regard, mais bien un autre homme qui semblait être le responsable du restaurant. Elle le reconnut de suite. Son visage lui était familier. C'était un client habituel du bar. Peut-être même, elle n'en était pas absolument certaine, ce *Farang* qui l'avait regardée avec insistance le jour où elle avait rencontré Wim, il y a plus d'un an déjà. L'homme lui avait décoché un sourire complice, façon de lui signifier que lui aussi se souvenait d'elle. Pour une raison qu'elle ignorait, Moon omit de mentionner ce détail à Bee et se contenta de narrer son entrevue avec Wim.

— Cela ne s'est pas très bien passé…

— Laisse-moi deviner : il n'a pas voulu payer le prix plein ? demanda Bee qui connaissait l'intransigeance de Moon sur les tarifs.

— Non, tu n'y es pas. Pendant le dîner, après m'avoir longuement complimenté, il m'a annoncé avoir pris une grande décision. Il a demandé le divorce.

— En quoi cela te concerne-t-il ?

— Eh bien, après le divorce, il veut m'épouser...

— *Djing* [109]?

— *Djing djing* [110]!

La suite du repas avait été tendue. D'abord éberluée par cette demande en mariage qu'elle n'avait pas vue venir, Moon avait peiné à trouver les mots adéquats. C'était inattendu de la part de Wim. Ils se voyaient plus depuis qu'elle avait arrêté de travailler au bar. Et auparavant, leurs rencontres s'étaient espacées à la suite de la mutation du colonel à Chiangmai. Pour Moon, il n'était qu'un client, généreux, soit, mais un client qu'une part d'elle-même haïssait profondément. Comment Wim en était-il venu à vouloir l'épouser ? Sans doute, voulait-il la posséder en exclusivité, en faire sa chose. Il était hors de question qu'elle accepte. D'abord parce que le mariage était une chimère qui ne la faisait plus rêver. Et l'argent de Wim ne pouvait rien y changer. Et ensuite, elle se sentait engagée vis-à-vis de Yuki. Sans qu'elle perçoive clairement les tenants et les aboutissants de cet engagement.

Passé le choc, Moon avait dû, courtoisement d'abord, et fermement ensuite, repousser sa demande. Elle avait dû manœuvrer avec habileté, car elle pressentait que Wim, habitué à la puissance de l'argent, supporterait difficilement d'être éconduit. La meilleure façon était de le convaincre qu'elle, fille

---

[109] Vraiment ?
[110] C'est la vérité !

de bar n'était pas digne d'être son épouse, qu'elle-même serait mal à l'aise dans ce rôle. La vérité était toute autre.

— La vérité, c'est que je ne l'aime pas, expliqua-t-elle à Bee en croquant un piment. Il est arrogant, convaincu que l'argent peut tout acheter. J'ai pu voir en prison sa véritable nature, la perversion du personnage. Et de l'avoir côtoyé intimement je sais que c'est un véritable psychopathe ! Enfin, bref, après avoir insisté, lorsqu'il a compris que mon consentement n'était pas à vendre, il est entré dans une colère noire et a causé un esclandre dans le restaurant. Il a tapé son poing sur la table, jeté sa serviette par terre et m'a menacée en haussant la voix. Tout le monde nous regardait, incrédule, dans le restaurant. Le patron a tenté de calmer Wim, mais en vain.

— Il t'a menacée ? Qu'a-t-il dit ?

— Que je regretterais amèrement de l'avoir humilié, qu'il avait les moyens de me faire payer chèrement mon refus, qu'il connaissait parfaitement tous les généraux de l'armée thaïlandaise, qu'il était puissant et moi un simple cafard sous sa botte…

Sur le coup, Moon avait été choquée. Elle tremblait. Wim, l'air mauvais, avait jeté quelques billets de mille bahts sur la table et avait quitté le restaurant en furie. À ce moment le patron du restaurant était intervenu. Il lui avait dit de rester à table et avait demandé à une serveuse de lui apporter un verre de *grappa*. Sous l'effet puissant de l'alcool, Moon avait retrouvé son calme. Le patron était venu s'asseoir à table. Il lui avait dit avec une voix douce qu'elle pouvait rester le temps le temps de se remettre de ses émotions.

— Ah, écoutez la musique qui passe ! Cela parle de ma région, la Basilicate ! avait-il dit en fredonnant les paroles (©).

— Basilicate ? C'est où ? Je ne connais pas.

— C'est dans le fond de l'Italie !

— Ah ! Vous êtes italien !

— Heu… Enfin, non, mon père était italien. Je suis belge en fait…

— Ah d'accord. Et qu'est-ce qu'il y a de bien en Belgique ? avait demandé Moon, sans savoir exactement où se trouvait ce pays.

— Eh bien la Belgique est renommée pour ses bières…

— Ah… avait soupiré Moon, peu convaincue par l'argument.

— Et le chocolat !

— C'est déjà mieux, avait souri Moon.

— Et c'est le centre mondial du diamant… avait ajouté Mario, sûr de son effet.

— Waw ! Vraiment ? Alors je dois vraiment me marier avec un homme belge alors, s'était exclamée Moon en riant de bon cœur.

— Cela peut se trouver…

— Ah, non, merci ! Je n'ai besoin ni de mari ni de petit ami !

Sur ce, Mario lui avait alors demandé quel jour elle travaillait au bar, comme si la question le taraudait depuis un moment déjà. De nouveau, Moon avait dû expliquer qu'elle ne travaillait plus comme cela et qu'elle avait désormais un job normal.

« Ah Dommage ! avait répondu Mario. Vous portiez le numéro 69, hein ? Je me rappelle. Vous voir danser était le spectacle le plus excitant de Bangkok ! » Moon avait répondu par un sourire gêné. Mise mal à l'aise par ce compliment sans fard, elle avait compris à ce moment qu'il valait mieux quitter la pizzeria et elle avait donc pris congé de Mario en le remerciant encore. À cette époque, Moon ignorait tout de la relation naissante entre Bee et Mario, mais, pour une raison qu'elle ne s'expliquait pas, elle préféra ne pas mentionner à Bee cette conversation.

— Tu crois Wim capable de mettre ses menaces à exécution ? demanda Bee en la fixant des yeux, elle semblait plus effrayée encore que Moon.

— Non, enfin, je ne crois pas. Il a dû prononcer ces mots sous le coup de la colère. Son calme retrouvé, il m'oubliera et retrouvera vite une autre fille pour le consoler.

Moon tentait de se rassurer, mais, en elle-même, flottait une nappe d'anxiété. Wim était dénué de tout scrupule. Il était armé jusqu'aux dents et pouvait compter sur ses dans l'armée thaïlandaise. Il était capable de tout et avait les moyens de parvenir à ses fins criminelles. Encore heureux qu'il ignorât où Moon habitait.

— Oublions cela, parlons d'autre chose si tu veux bien ! Comment va le bébé ?

— Super ! Six mois déjà ! Je n'en reviens pas comme ma mère s'en occupe bien. Ce bébé l'a transfigurée. Elle a même arrêté de picoler ! Bee esquissa un sourire fugace, elle se renfrogna aussitôt. Mais c'est un budget, un bébé. Tu ne te rends pas compte. Heureusement que j'ai repris le boulot, ne fût-ce que pour payer les couches-culottes ! Je pense que je n'arriverai jamais à m'offrir cette maison de mes rêves en Issan loin de tout et surtout des hommes, soupira-t-elle. Mais toi, parle-moi de ton nouveau travail normal, Bee ne put s'empêcher de sourire en articulant à l'excès le mot « normal ». Cela te plaît ?

— Hum… pas trop, grimaça Moon. Il faut sans doute que je m'y habitue. À vrai dire, je supporte difficilement cette pimbêche de directrice du salon. Elle me considère comme une moins que rien. Elle pense faire partie de l'establishment parce qu'elle cure les orteils de ces bourgeoises au teint pâle. Et celles-là, n'en parlons pas !

Moon détestait les clientes du salon, ces femmes de la haute société siamoise, pour la plupart épouses de généraux – Moon avait découvert qu'il y avait vraiment beaucoup de généraux en Thaïlande – toutes plus arrogantes les unes que les autres. Dans un pays pauvre, rien n'était plus fort que le mépris des nantis envers les démunis comme si l'arrogance des riches se voulait proportionnelle à l'inégalité sociale.

— Je pense que je ne suis pas faite pour travailler pour un patron, poursuivit Moon. Au bar, il fallait se battre pour décrocher des clients. Mais au moins, c'étaient mes clients. Ils me payaient bien. Et je n'ai jamais eu de problème. Ils ont tous toujours été corrects avec moi. Bien sûr, ce qui les intéressait c'est de me baiser. Mais je me suis toujours sentie respectée. Ce n'est pas le cas à l'institut. Maintenant je travaille pour un salaire de misère, alors que ma boss gagne plus du double à ne rien faire, sinon à me houspiller toute la journée. Enfin, cela ne sert à rien de me plaindre. Yuki veut que je redevienne une fille normale. Le bar, c'est fini pour moi ! dit Moon avec conviction. À propos, quelles sont les nouvelles de la maison des folles ?

— Toujours le même cirque ! Quelques filles sont bien contentes de t'avoir hors des pattes. Cela leur fait de la concurrence en moins ! La mamasan m'a demandé quand reviendrais-tu. J'ai répondu « jamais ». Mais elle ne m'a pas cru.

Elle m'a répondu avoir l'habitude de voir les filles revenir quand elles ont à nouveau besoin d'argent. Sinon, rien de spécial... Ah, si ! J'oubliais de te dire, j'ai eu un client *Farang*, mon premier !

— Ah bon ? Et ? Moon mima sa question sur la taille du sexe.

— Il faut le temps de s'y habituer. Surtout qu'il est plutôt chaud lapin ! Je l'appelle *RobotCock*, Bee partit pour un grand éclat de rire qui se termina en toux rocailleuse.

— Tu devrais fumer moins, Bee. Pourquoi as-tu recommencé ? Bon, parle-moi un peu de ce fameux *RobotCock* !

— Tu as dû déjà le voir au bar, il vient assez régulièrement. La cinquantaine, assez baraqué. Il m'a dit qu'il tenait un restaurant dans le quartier de Sukhumvit.

— Ah ! Moon pensa instinctivement au patron de la pizzeria, mais préféra ne pas poser de question.

— C'est une bonne personne, généreuse. Il m'a choisie plusieurs fois au bar. Il a l'air de m'apprécier beaucoup. Il m'a dit qu'il voulait devenir mon petit ami ! s'esclaffa Bee en mettant poliment la main devant la bouche. Enfin, on verra bien... Mais j'avoue que les *Farangs* ont quelque chose de différent.

— Affaire à suivre ! dit Moon en souriant. Tiens-moi au courant.

Elle ne pouvait s'empêcher de penser qu'il s'agissait bien du même homme, celui qui, hier, lui avait demandé quand elle travaillait au bar. Ah, les hommes, qu'ils soient Thaïs ou *Farangs*, ils sont tous les mêmes !

— Dis, Moon, j'ai eu la berlue hier ou il me semble avoir aperçu ton frère Pod en rue ?

— C'est possible ! Pod travaille comme mototaximan à Bangkok maintenant. Il a arrêté ses études. Mais quel gâchis !

J'ai tenté en vain de le raisonner. Il m'a rétorqué que j'étais mal placée pour lui donner des leçons. Quel mufle !

— Ah ! La famille, ne m'en parle pas. Bon, faut que je te quitte ! Je dois filer au bar, il est déjà presque dix-neuf heures !

Pensive, Moon regarda Bee s'évanouir dans la nuit illuminée de Bangkok. Bientôt, Bee allait se transformer en Jade, illusion charnelle du désir artificiel. Quant à elle, sa vie normale l'attendait : rentrer dans au studio, allumer la TV, repasser son chemisier, se coucher de bonne heure et demain se lever tôt pour aller travailler au salon. Moon avait rangé Joy au placard de ses souvenirs. Elle était heureuse de n'être plus une femme de mauvaise vie et de pouvoir se fondre anonymement dans la masse des gens qui gagnent honnêtement leur argent. Mais quelque chose en elle lui manquait. Quelque chose d'inavouable. C'était ce frisson quand elle entrait dans le bar, cette appréhension quand elle se maquillait dans le vestiaire, cette palpitation quand elle percevait les premiers regards des clients, cette excitation quand elle gravissait les marches du podium, cette tension quand elle commençait ses premiers pas et cette exaltation quand la magie lubrique de sa danse ensorcelait les hommes. Oui, peut-être que sa vie lui semblait un peu terne maintenant… « Non ! » se dit-elle énergiquement en balayant d'un geste ces pensées honteuses.

« Reprends-toi ! C'est mal. Oublie tout cela ! Tu fais partie de la classe des gens bien maintenant ! »

Le premier voyage de Moon au Japon ne s'était donc pas déroulé selon les plans de Yuki. En tout cas, en ce qui concerne la rencontre avec ses parents. Mais, ni cette cruelle déception ni l'attitude pour le moins réservée de Moon n'eurent pour effet d'altérer les sentiments de la jeune Japonaise. Que du contraire, elle semblait dévorée par une passion grandissante. Moon tentait d'être patiente, se martelant en tête toute sa gratitude envers Yuki. Mais il n'empêche. Les sentiments ne se commandent pas. Yuki pouvait devenir une amie, une amie sincère au fil du temps. Mais Moon ne pourrait jamais donner autre chose que de la tendresse et de l'affection en retour de l'amour et de la passion. Yuki se satisferait-elle de cette relation à géométrie variable ? Jusqu'à présent, cela semblait être le cas, mais comment la situation allait-elle évoluer ? Moon ne devait pas se poser ce genre de question, elle le savait. Elle était en rémission de son péché de jeunesse. Elle sortait à peine la tête des eaux troubles. Elle devait penser à elle. Elle avait vingt-sept ans et pas vraiment toutes les cartes en main. Elle avait déjà perdu pas mal de jokers en chemin. Yuki, quant à elle, était assez grande pour connaître les risques de s'amouracher d'une fille de bar. La vie est une bataille A chacun ses atouts pour remporter la partie !

Dès son retour de Nagoya, Moon fut confrontée de nouveau à la réalité de sa nouvelle vie. Routine, soumission, ennui semblaient être désormais les sésames de son existence. Si elle pouvait s'accommoder – avec peine, il est vrai – du mépris et de l'arrogance des bourgeoises clientes du salon, il n'en allait pas de même avec sa manager, Ploy. Celle-ci avait fait toute sa carrière dans l'entreprise familiale qui détenait plusieurs salons de beauté dans Bangkok. Par mimétisme, elle avait adopté la posture de ses clientes huppées que des chauffeurs déposaient au salon dans des berlines allemandes. Sans doute, avait-elle le sentiment bien illusoire d'appartenir à leur caste supérieure. Cela devait même être sa raison d'être, ce qui la poussait à se lever tous les matins et prendre le métro direction salon. L'espace d'un soin, les clientes se montraient complices, lui confiaient leurs petits secrets futiles, et lui donnaient l'illusion d'être de leur monde. Ploy alors se rengorgeait, paradait, se dandinait dans le salon, toisait Moon avec mépris et lui aboyait ses ordres. Mais à la fin de la journée, le mirage s'évanouissait. Ploy redevenait une servante comme elle, et, son service terminé, elle regagnait en métro son modeste studio dans la banlieue de Bangkok pour avaler son bol de riz, somnolente, les yeux rivés sur les niaiseries de la télévision thaïlandaise. Qu'est-ce que Moon pouvait la haïr, ce petit dictateur régnant sur cent mètres carrés !

Un jour, les choses changèrent. Ploy annonça sa mutation pour un autre salon et présenta la nouvelle manager de l'institut. Moon se dit que c'était sa chance. Sa nouvelle patronne, dénommée Fon, était beaucoup plus jeune, semblait plus avenante, et lui avait même souri lors de leur première rencontre. Moon n'en croyait pas ses yeux. En plus de neuf mois, Ploy n'avait jamais gratifié Moon du moindre sourire. Moon comprit que sa chance était arrivée et demanda à Fon si elle pouvait s'entretenir avec elle. Toujours dans le registre convivial, Fon lui proposa de prendre le lunch ensemble. Fon était la nièce du propriétaire des salons. Elle avait fait des études de management. Après s'être fait la main à la direction d'un institut, elle était destinée à prendre les rênes de l'entreprise familiale. Elles allèrent s'installer dans un petit restaurant dès la pause de midi venue. Après avoir commandé des nouilles, Moon commença à déballer son sac. Elle fit d'abord une description des méthodes managériales dépassées de Ploy. Elle n'avait aucune attention pour son personnel, n'écoutait pas leurs avis, les traitait comme des moins que rien. Fon écouta sans rien dire, la tête plongée dans son bol de nouilles. Moon en vint alors à ce qui lui tenait le plus à cœur. Elle avait des idées pour améliorer le fonctionnement du salon, mais pour ce faire, elle avait besoin de plus d'autonomie dans sa fonction. Elle était heureuse de la venue de Fon, qui, du même âge, comprendrait sûrement ce qu'elle voulait dire. Moon se tut enfin, pas peu fière de son plaidoyer. Fon releva enfin la tête, s'essuya délicatement la bouche, but une gorgée d'eau, et s'exprima enfin :

— Moon, je te remercie d'avoir partagé ton point de vue. Maintenant, écoute-moi bien. Ma mère a ouvert son premier institut de beauté, il y a une vingtaine d'années. Grâce à son travail forcené, elle a pu développer ce salon. Avec le temps, d'autres salons ont pu être ouverts. C'est devenu une entreprise prospère, comptant maintenant une dizaine d'établissements à Bangkok. Le mérite revient à ma famille bien sûr, mais cette réussite, nous la devons aussi à des personnes dévouées, comme Ploy, qui travaillent sans relâche. Tu es sans doute une jeune fille intelligente avec beaucoup de personnalité, mais ce dont notre entreprise a besoin, et particulièrement ce salon, c'est une hôtesse d'accueil, qui fait ce qu'on lui dit de faire sans rechigner et se contente d'apprendre le métier. Tu n'es pas la personne dont nous avons besoin et ce job n'est pas fait pour toi apparemment. Je te donne un petit conseil : trouve-toi un autre travail qui correspond mieux à ta personnalité et à ton esprit d'indépendance.

Sous le choc des paroles de Fon, Moon ne sut que répondre. Elle avait envie de pleurer et de hurler à la fois, mais elle se contint pour ne pas perdre la face. Les deux femmes regagnèrent en silence l'institut. Moon se précipita vers le vestiaire, vida d'une main tremblante son casier, salua les yeux baissés ses collègues et quitta d'un pas saccadé le salon pour attraper le métro.

Arrivée à l'appartement, elle se débarrassa de son tailleur et s'allongea sur le lit. Elle resta ainsi une bonne heure à contempler la photo encadrée de sa remise de diplôme. Elle était étrangement calme. Elle regarda l'heure. Quinze heures trente. Elle avait le temps. Elle se versa une lampée de *Mékong* et l'avala d'une traite. Elle se doucha longuement, gomma la peau, lissa longuement les cheveux, maquilla le visage, glissa quelques délicates gouttes de parfum sur la nuque et s'enduisit enfin le corps d'une poudre scintillante. Le tout avait pris deux bonnes heures. Elle enfila un short en jeans et un débardeur blanc. Après un ultime et minutieux contrôle face au miroir, elle descendit dans la rue. Elle s'arrêta dans un petit restaurant de rue et commanda un *pad see ew*[111] avec du poulet et une bière. Nullement rassasiée, elle dévora ensuite deux cuisses de poulet frit, avec une nouvelle bière. Elle envoya un court message via *Line* à Yuki et éteignit rapidement son smartphone après l'envoi.

À vingt heures trente précises, Moon montait sur la scène et entamait sa première danse. Son regard brillait d'un éclat carnassier. *Showtime* ! *The Sexy Naughty Bitchy* Joy était de retour sur le *dancefloor* ! (©)! À trois heures du matin, elle rentrait chez elle, épuisée, mais avec huit mille bahts en poche. Elle avait gagné plus d'argent en une soirée qu'en deux semaines au salon ! Et qui plus est, sans avoir à coucher avec un client. La soirée avait en effet été plutôt étrange pour un come-back... Après quelques minutes, un Japonais l'avait invitée à prendre un verre en sa compagnie. L'homme, plutôt âgé, avait

---

[111] Le pad see ew est un plat de nouilles larges à la sauce soja légèrement sucrée.

la descente facile. Les verres se succédèrent ainsi pendant deux heures jusqu'au moment où l'homme se décida enfin à l'emmener à son hôtel. C'était présomptueux de sa part, car, ivre mort, il fut dans l'incapacité d'avoir une érection. L'homme, bon prince, estimant qu'il avait passé néanmoins une bonne soirée, dit à Moon qu'elle pouvait garder l'argent de la passe. L'heure n'étant pas encore très avancée, Moon retourna au bar pour continuer sa chasse. Elle avait retrouvé son instinct de guerrière et ses réflexes de chasseuse. Elle reprit sa place dans la meute des filles qui dansaient sur le podium. Elle aperçut Bee et vint la rejoindre. Elles discutèrent ensemble tout en se trémoussant. Moon lui expliqua brièvement les péripéties de la journée. Bee était heureuse de pouvoir retravailler avec son amie. Elles commandèrent deux tequilas et trinquèrent ensemble sans prêter attention aux clients. Au bout d'un moment, Bee fit remarquer à son amie qu'un couple de *Farangs* la fixait intensément. Moon échangea un regard l'homme et la femme et poussa un long soupir. « Ils me font de signe de venir près d'eux. J'espère ne pas répéter la même histoire qu'avec Yuki ! Et des *Farangs* en plus… », soupira-t-elle à l'oreille de Bee. Moon faillit décliner l'invitation, mais elle se ravisa. Il lui revenait d'assumer sa décision de reprendre son travail au bar. Le sourire avenant, elle vint s'asseoir près du couple. L'homme d'une quarantaine d'années se présenta. Il était français et passait ses vacances en Thaïlande avec son épouse. Il trouvait Moon vraiment attrayante et excitante. Il voulait l'amener à leur hôtel. Il prit bien soin d'ajouter, en ponctuant sa phrase d'un clin d'œil, que cela ne posait pas de problème pour son épouse qui n'était pas jalouse. Moon accepta tout en se demandant comme une femme pouvait accepter cela de la part de son mari. Si elle avait un jour un mari, hypothèse hautement improbable, il valait mieux que le gaillard n'aille pas voir si l'herbe était plus verte ailleurs. Elle mit cela sur le compte du relâchement moral des Occidentaux et partit avec le couple. Arrivée dans la chambre du couple, Moon s'assit sur le lit et attendit, ne sachant pas trop quoi faire. La présence de la femme la gênait. Elle l'observait l'homme et la femme discuter, sans comprendre. Mais une chose lui paraissait néanmoins évidente : ils parlaient d'elle. La conversation semblait monter d'un cran. Le ton s'élevait. La femme lançait des regards furieux en sa direction. Moon finit par prendre peur. L'homme semblait sur la défensive tandis que son épouse arpentait la chambre tout en vociférant. Moon se leva pour partir avant que la situation ne dégénérât complètement. Soudainement, le silence s'installa dans la pièce. Moon marcha vers la porte. L'homme lui enjoignit de s'arrêter et bredouilla quelques mots d'excuse. Il sortit son portefeuille et lui donna quatre mille bahts et lui dit de s'en aller. Moon n'attendit pas son reste et fila en courant vers l'ascenseur, de peur que le couple ne change d'avis.

Arrivée chez elle, elle avait rallumé son portable. Avant de partir au bar, elle avait envoyé un court message à Yuki : « Désolée, je ne suis pas faite pour travailler dans une entreprise. Je retourne travailler au bar. Là au moins, les gens me respectent. Je t'expliquerai plus tard ». Yuki avait essayé de l'appeler à huit reprises. Et à chaque fois, elle avait laissé un message vocal. Il y en avait dans toutes les tonalités :

Étonnement : Moon, que se passe-t-il ? Appelle-moi !

Agacement : Moon, peux-tu m'appeler ? Je ne comprends pas ton message !

Colère : Rappelle-moi immédiatement ou bien cela va mal se passer ! Après tout ce que j'ai fait pour toi !

Jalousie : J'espère que tu n'as pas fait cette bêtise, je ne peux pas supporter que tu donnes ton corps à tous ces vicieux.

Haine : Je te hais, tu n'es qu'une petite traînée !

Rage : Je te déteste, je vais expliquer sur Facebook quel genre de fille tu es !

Désespoir : Moon, rappelle-moi, je t'en supplie, je suis désolée pour mes messages… Je ne le pensais pas.

Amour : Je t'aime Moon. Peu importe ce que tu fais, je t'aime et je t'aimerai toujours. J'ai trop besoin de toi.

Moon avait attendu quelques heures avant de la rappeler. La discussion avait été longue. Yuki avait tenté à de multiples reprises de la dissuader, mais Moon lui avait bien fait entendre que sa décision était irrévocable. Yuki devait s'en faire une raison. C'était ainsi que Moon avait repris sa vie au bar. Elle était repartie pour le *business as usual* en apparence, sauf qu'un événement imprévu avait de nouveau bouleversé la donne de sa vie.

« Moon, réveille-toi, tu t'es endormie dans le jacuzzi. Je viens de lire sur *Google* un article. Tout va changer pour nous ! Je suis tellement heureuse ! » Et Yuki de se précipiter dans le jacuzzi pour l'embrasser. Moon sort de sa torpeur. Elle frissonne légèrement. L'eau du jacuzzi s'est refroidie. Le mont Ogato, éclairé par la lune, se dresse majestueusement pour lui rappeler où elle se trouve, dans cette chambre d'hôtel niché dans les alpes japonaises. Yuki est devenue comme folle. Quelle est cette bonne nouvelle qui la transporte de joie ?

« Yuki, que se passe-t-il ? Raconte-moi, mais laisse-moi d'abord sortir du bain avant que je n'attrape une pneumonie ! »

Pendant que Moon s'enveloppe dans un peignoir de bain, Yuki retrouve son calme et d'une voix encore tremblante d'émotion révèle sa grande nouvelle : « Je viens de lire sur internet que le gouvernement thaïlandais envisage de légaliser le mariage homosexuel, comme vient de le faire Taiwan ! T'en rends-tu compte ? Cela va encore prendre un peu de temps sans doute, mais toi et moi, nous allons pouvoir nous marier ! Oui, tu te rends compte Moon que nous allons pouvoir nous marier ! On va vivre ensemble ! Je trouverai facilement un poste dans un hôpital en Thaïlande et nous vivrons heureuses toutes les deux ! »

IX
Le ponton de la rivière Kwai

31 mars 2019

Moon remonte, d'un pas sautillant les pavés morcelés de l'avenue *Sukhumvit*. Elle sent légère, allègre, primesautière. Il est passé dix-neuf heures. Rien ne presse. Ce soir, elle ne travaille pas au bar. Elle a pris son jour de congé mensuel. Tout en marchant, elle se remémore fiévreusement les moments exaltants de son après-midi. Accompagnée de Nam et son mari, elle s'était rendue sur la place *Victory Monument*. Là, ils s'étaient mêlés au flot des étudiants protestataires venus manifester leur opposition au régime du général Prayut. C'était la plus grande manifestation d'opposition organisée depuis des années. C'était Nam qui avait insisté pour s'y rendre. Moon s'était montrée rétive au premier abord, répétant qu'elle ne croyait plus depuis longtemps à la politique. « Justement, avait répondu Nam avec conviction, ici c'est différent, ce sont des étudiants, des jeunes comme nous, qui veulent changer les choses, vivre en démocratie, avec de vraies élections, pas comme celles truquées du week-end dernier ! »

Le verdict de cette élection, la première depuis le coup d'État de 2014, venait de tomber, consacrant la victoire du parti des militaires, les mêmes qui avaient fomenté le putsch cinq années plus tôt. Personne en Thaïlande, sauf la caste de privilégiés qui vivait accrochés aux basques du pouvoir en place, ne pouvait croire à la véracité de ce scrutin. Les soupçons d'irrégularité foisonnaient. Les manifestants de ce dimanche réclamaient d'abord la démission de la commission électorale, soupçonnée de manipulations dans le comptage des votes. Mais les protestataires ne s'arrêtaient pas là. Ils voulaient des réformes radicales. Nam avait expliqué à Moon que le temps était venu de descendre dans la rue pour réclamer un changement de système.

« Il faut changer la constitution qui donne un pouvoir exorbitant à des personnes non démocratiquement élues. Ces personnes siphonnent les caisses de l'état. Il n'y a plus d'argent pour les dépenses sociales, mais bien pour acheter des sous-marins ou des armes ».

Nam était particulièrement remontée. Elle venait de se marier et elle se rendait déjà compte que, malgré deux salaires, le jeune couple peinait à joindre les deux bouts. De surcroît, ils devaient encore rembourser leur bourse d'étudiant et avaient déjà recours à la carte de crédit pour leurs dépenses ordinaires. Moon avait écouté les arguments de Nam sans les contredire. Elle avait déjà été témoin de tant de corruption dans sa jeune vie pour ne pas partager les constats. Cependant, elle se sentait quelque peu étrangère à ces revendications. Elle avait à peu près le même âge que les manifestants et que Nam, mais son métier de fille de bar l'avait rendue différente. Sa vie était réglée par une logique différente, en dehors du monde des gens normaux. Aucune réforme ou révolution ne changerait son futur ou son destin. Pour couronner le tout, Moon n'avait pas la faiblesse de croire que protester changerait d'un iota les choses. L'armée tenait le pays d'une main de fer et n'avait aucune intention de céder une partie de ses juteuses prérogatives. Moon avait néanmoins accepté d'accompagner Nam à la manifestation. C'était une occasion de passer du temps avec la seule amie qui lui restait de sa vie d'avant.

Début d'après-midi, Moon, Nam et son mari avaient donc rejoint la foule sur la place du rond-point de *Victory Monument*. Ils étaient plusieurs milliers, des jeunes pour la plupart. Le choix du lieu était plutôt ironique. Le monument avait été érigé en son temps célébrer la grande victoire de l'armée thaïlandaise. En réalité, il s'agissait d'une guéguerre peu glorieuse. En 1941, le royaume du Siam avait profité de la confusion de la Deuxième Guerre mondiale pour grappiller quelques territoires à l'Indochine française. Il s'agissait de la dernière guerre extérieure menée par l'armée thaïlandaise. Depuis lors, les militaires avaient préféré tourner leurs canons achetés pour des milliards de baths contre leurs propres concitoyens.

Les manifestants assis sur la place pour écouter leurs leaders étaient entourés par trois cercles concentriques. Au premier rang, on trouvait une flopée de marchands ambulants qui avaient amené leurs étals de nourriture pour ravitailler la troupe de manifestants. Il y en avait pour tous les goûts, soupes, brochettes, boulettes, salades… Ensuite s'agglutinaient les reporters, la plupart le smartphone à la main pour relayer en direct sur internet leurs comptes rendus de l'événement. Enfin, la police était massée en nombre. Face à une foule débonnaire, les forces de l'ordre, revêtues de leur équipement antiémeute avaient opté pour la démonstration de force. Des policiers en civil étaient également présents, reconnaissables à coupe de cheveux *904*[112].

Arrivée sur place, Moon fut frappée par l'atmosphère bon enfant qui régnait parmi la foule. On était à des années-lumière du climat de guerre civile enflammant les manifestations des chemises rouges qui avaient précédé le coup d'État du général Prayut. « C'est cool ici ! » dit-elle à Nam. Les jeunes regroupés sur la place étaient assis, mangeaient, riaient, chantaient, scandaient des slogans, le tout dans la bonne humeur... La violence de leur revendication – renverser le régime – était contenue dans un écrin de bonhomie juvénile. Parit Chiwarak, le leader de la contestation estudiantine avait pris la parole pour rappeler les objectifs du mouvement. C'était un petit bonhomme bizarre à la corpulence bien étrange, ressemblant plus à un personnage de dessin animé qu'à un tribun politique. Surnommé *Pingouin*, il était petit, enveloppé et doté d'un menton qui occupait presque la moitié de son visage. Moon trouvait qu'il ressemblait à *Patrick*, le pote de *Bob l'Éponge*. Malgré ce physique ingrat, *Pingouin* parvenait par son charisme à galvaniser son audience. Moon était ébahie. Pour elle qui avait décidé de ne plus croire en la politique, c'était une révélation de voir toute cette jeunesse mobilisée pour un avenir meilleur. Elle se laissa gagner par l'enthousiasme ambiant. *Pingouin* harangua la foule, plaida pour une constitution démocratique et termina par une diatribe exigeant le départ de Tuu[113] saluée par une salve

---

[112] La coupe de cheveux « 904 », requise pour les militaires thaïlandais, se caractérise par les tempes et la nuque rasées. 904 est le nom de code de sécurité désignant le roi Rama IX.

[113] Tuu est le surnom du général Prayut, auteur du coup d'État de 2014 et chef du gouvernement depuis lors.

d'applaudissements[114]. Par solidarité, des artistes de la Thaï Pop participaient également à l'événement. Ammy et les Bottom Blues étaient venus jouer leur hit adolescent *1-2-3-4-5-I love you* (©). À la stupéfaction de Moon, la foule reprit en chœur le refrain en le changeant en *1 2 3 4 5 I here too* qui, au premier abord, sonnait comme du mauvais anglais, mais qui, phonétiquement en Thaïlandais, voulait dire *je t'emmerde Tuu*[115]. Moon se tenait les côtes tant elle riait devant tant d'impertinences dans un pays où la liberté d'expression est un leurre. Mais le meilleur était à venir. La fête allait se terminer en apothéose. Tous les leaders estudiantins sont alors montés sur la scène, accompagnés de musiciens et, ensemble, ils ont interprété le rap *Prathet Goo Mee* (©) du groupe renégat – selon les dires du gouvernement – Rap Against Dictatorship. L'hymne, réquisitoire cinglant contre la nomenklatura thaïlandaise, était scandé par la foule à l'unisson. Moon fut un moment ébranlée par le martèlement rugueux du *beat* et la brutalité inconvenante du *flow*. On était loin de la guimauve mélodique de la Thaï Pop qu'elle chérissait. Mais, emportée dans l'enthousiasme ambiant, elle tendit l'oreille. Moon entendait pour la première fois ce morceau. Et stupeur, ses paroles déclamées par la foule tout entière trouvèrent alors en elle une résonance qui lui donna la chair de poule. Moon voyait sa vie défiler au son de ce rap haletant[116] :

---

[114] Parit Chiwarak, alias Pingouin, a été arrêté en mars 2021 pour crime de lèse-majesté et croupit depuis lors en prison.
[115] Surnom du général Prayut, Premier ministre.
[116] Paroles extraites de Prathet Goo Mee de Rap Against Dictatorship (traduction libre en français par l'auteur).

Ce pays où les juges ont leur maison de campagne dans des parcs nationaux... Ce pays qui est le mien... Ce pays qui est le mien.

Même si c'était excessif et caricatural, Moon ne pouvait s'empêcher de penser au juge qui, il y a près de sept ans, l'avait condamnée sans merci, ce juge qui n'avait pas considéré l'ombre d'une seconde qu'elle ait pu être innocente, simplement parce qu'elle avait eu le malheur d'être là au mauvais moment au mauvais endroit, avec la mauvaise personne... Comment ne pas imaginer que ce juge travaillait, au mépris de la justice, main dans la main avec la police et que, d'une manière ou d'une autre, il était récompensé pour accumuler les condamnations pour fait de drogue ?

Ce pays où personne n'est coupable parce que personne n'est tenu responsable, ce pays où le crime n'est pas un problème si vous avez l'argent, ce pays dont la loi est plus élastique que les bras de Luffy[117]... Ce pays qui est le mien... Ce pays qui est le mien.

Cela la révoltait. Elle avait été condamnée à cinq ans de prison pour des faits mineurs, alors qu'elle était innocente, et ensuite interdite de facto de postuler pour un emploi... Et pendant ce temps-là, le ministre de l'Agriculture du gouvernement Prayut, pourtant déclaré coupable de trafic d'héroïne en Australie, avait été blanchi par la justice thaïe et jugé apte à rester en fonction.

---

[117] Luffy est un personnage de manga célèbre pour ses bras élastiques.

Ce pays où il y a tellement peu de corruption que ça ne vaut même pas la peine d'enquêter... Ce pays qui est le mien... Ce pays qui est le mien.

Les fonctionnaires corrompus, elle connaissait. Elle s'était frottée au colonel et à la directrice, indignes spécimens d'un État dévoyé jusqu'au sein de son institution pénitentiaire. Et comme tout le monde profitait du système ou craignait des représailles, il n'y avait personne pour dénoncer à la *NACC*[118] et donc officiellement la corruption n'existait pas.

Ce pays dont la montre du Premier ministre[119] a l'odeur de cadavre... Ce pays qui est le mien... Ce pays qui est le mien.

Il y a quelques mois, la publication dans la presse d'une photo du Premier ministre Prayut, une montre *Patek Aquanaut* au poignet, avait beaucoup fait jaser, il y a quelques mois. Pour la majorité des Thaïlandais, le coût de cette montre correspondait au salaire d'une vie. Cependant, ce n'était pas la *Patek* de Prayut qui dansait dans les yeux de Moon, c'était celle du colonel, avec la même odeur de soufre.

Ce pays dont le parlement est le terrain de jeu des militaires, ce pays dont la constitution a été écrite pour être piétinée par les bottes de son armée... Ce pays qui est le mien... Ce pays qui est le mien.

---

[118] Agence gouvernementale thaïlandaise de lutte contre la corruption.
[119] Le Premier ministre Prayut « Tuu » est réputé pour sa collection de montres luxueuses (*Rolex, Patek, Seiko*, …).

271

Moon opina de la tête en rythme avec la musique. Elle pensa à ces militaires qui avaient empoisonné sa vie, le colonel bien sûr, mais aussi Toy qui – ce n'était pas un hasard dans son esprit – s'était engagé dans l'armée.

Ce pays où les gens en costume mentent sur ce qu'ils font, ce pays où les pauvres meurent parce qu'ils ne peuvent pas se payer trente baths de soins de santé... Ce pays qui est le mien... Ce pays qui est le mien.

L'image de la pauvre Piw lui apparut. Sa collègue de Yard Lao qui préférait vivre en prison, car dehors, elle n'avait pas quoi se payer de quoi manger et se soigner.

Ce pays dont la population est divisée en deux bords, ce pays dont les gens des deux côtés meurent, ce pays où, des deux côtés, on a peur de l'armée... Ce pays qui est le mien... Ce pays qui est le mien.

Moon pensa à ses parents qui vivaient dans ce monde bicolore : chemises jaunes, loyalistes, versus chemises rouges, populistes. Ses parents avaient choisi leur camp, celui des chemises rouges et n'envisageaient, pour sortir le pays du marasme, qu'une victoire de leur camp sur l'autre. Ils avaient fortement déconseillé à Moon de se rendre à la manifestation. Selon eux, ce mouvement de jeunes contestataires ne faisait pas sérieux et créait même du tort aux vrais opposants au régime, les chemises rouges. Moon sentait que pour la jeune génération ce clivage n'avait plus de sens. Le pays avait besoin d'une troisième voie, d'un souffle nouveau et les jeunes autour d'elle – à commencer par Nam en transe – étaient porteur d'un enthousiasme si communicatif qu'elle éprouva un déclic. Moon se surprit à croire à nouveau dans la politique, à espérer qu'une autre Thaïlande était possible.

La manifestation s'était ensuite disloquée dans le calme. Nam avait proposé à Moon de la reconduire chez elle dans sa *Toyota* achetée à crédit. Moon avait décliné. Elle prendrait le *BTS* et marcherait un peu. Elle avait le temps de rentrer tranquillement chez elle, en fredonnant ce slogan entêtant : *ce pays qui est le mien... Ce pays qui est le mien.*

Moon remonte l'avenue Sukhumvit. Il est près de vingt heures. Le quartier rouge de *Nana* s'ébroue et s'éveille à la nuit. Les néons multicolores s'allument. Les *tuk-tuks* s'ébranlent bruyamment dans le trafic. Les trottoirs se peuplent d'une foule cosmopolite où le marcel côtoie le turban. Les filles comme dévêtues, parfois ambiguës, arpentent le trottoir et hèlent les badauds égrillards. Des bars entrouverts s'échappent les décibels des standards du rock & roll. Les pompes à bière dégorgent leur contenu dans les gosiers avides de mâles en chaleur. Les restaurants de rue prennent possession des moindres recoins de rue. La batterie des mortiers de cuisine est prête à crépiter et les woks à s'enflammer. Les étals de nourriture s'enveloppent d'un halo de fumée de barbecue et de vapeur de bouillon dont le fumet appâte les narines de la faune bigarrée lâchée dans la nuit.

Moon ne résiste pas et s'installe à la terrasse d'un restaurant. Elle commande un *pad prik keng moo*[120] et un thé *chanom*[121].

---

[120] Porc et haricots verts au curry rouge sec.
[121] Thé noir au lait glacé.

Elle envoie un message à Benoît pour lui dire qu'elle rentrera un peu plus tard que prévu. Il ne doit pas s'inquiéter. La manifestation s'est passée dans le calme. Elle l'appellera dès son retour au studio. Quel homme étrange et attachant ce Benoît, pense-t-elle ! Elle l'avait rencontré au bar une première fois début janvier, il y a trois mois. Il était revenu la voir une semaine plus tard à son retour de Koh Lanta. Il lui avait expliqué s'être disputé avec son meilleur ami Mario... à propos de Bee... Moon n'avait pas fait de commentaire. Elle était bien au fait de la relation entre Bee et Mario. Elle ne désirait cependant juger ni l'une ni l'autre. Elle savait que son amie n'était pas prête à s'engager dans une relation et encore moins à laisser tomber ses activités de fille de bar. Mario devrait être capable de comprendre cela et en tirer les conséquences. Et il était mal placé pour se plaindre. Il était bien comme tous les hommes, se disait-elle. Moon était bien placée pour le savoir. Lorsqu'elle avait été manger à sa pizzeria avec Wim, il n'avait pas hésité à lui faire des propositions pour le moins explicites malgré ses sentiments supposés pour Bee. Elle s'était donc tue quand Benoît lui avait narré toute l'histoire de la quête de Bee à Krabi et l'épisode rocambolesque du bateau. Lorsque Benoît était retourné dans son pays – un tout petit pays réputé pour ses bières, son chocolat et ses diamants, Moon se rappelait les paroles de Mario – ils avaient pris l'habitude de s'appeler deux fois par jour, la première quand lui se levait et la seconde quand elle rentrait chez elle le soir après avoir travaillé au bar. Au fil du temps, ces appels vidéo avaient pris une place insoupçonnée dans sa vie. Elle se surprenait à attendre avec impatience leur rendez-vous téléphonique matinal. De même, le soir quand elle rentrait, son premier réflexe était d'appeler Benoît, avant même de se débarrasser. Elle aimait leurs discussions. En fait, c'était surtout elle qui parlait. Elle le bombardait de questions sur sa vie auxquelles il répondait avec parcimonie et pudeur. Et puis, c'était à son tour de parler de tout et de rien. Elle éprouvait le besoin irrésistible de s'ouvrir à lui. Il l'écoutait avec attention et patience. Il l'avait questionnée sur sa cicatrice au cou. Elle lui avait alors raconté toute sa vie n'épargnant aucun détail. Il ne l'avait pas jugée, témoignant même une compassion qui lui parut sincère. Moon avait raconté à Benoît l'histoire de la malédiction du chaman. Cela l'avait fait plutôt rire au grand dam de Moon. Il ne croyait pas du tout aux devins et pas plus à l'interprétation des rêves. Benoît disait qu'elle devait croire en elle. Elle avait déjà surmonté beaucoup d'obstacles grâce à son courage. Grâce à cela, elle avait repris la maîtrise de son destin. Il la complimentait sur sa force de caractère. Elle appréciait cet homme, sa maturité rassurante, ce calme apaisant, mais aussi sa timidité touchante. Ils s'étaient ainsi appelés pendant deux mois avec une régularité métronomique. Et puis un jour, début mars, Benoît lui avait envoyé un message pour l'avertir qu'il ne pouvait l'appeler. Il était malade et avait de la fièvre, avait-il écrit. Et cela avait été la même chose le lendemain. Au début, Moon avait pensé que Benoît ne lui disait pas la vérité et elle soupçonnait qu'il y avait une femme qui se cachait derrière son mutisme. Benoît lui avait assuré être célibataire, n'avoir pas de petite amie et vivre seul. Mais comment Moon pouvait-elle en être sûre à dix mille kilomètres de là ? Peut-être que Benoît lui avait menti et vivait avec une autre femme. Cela l'avait mise de fort mauvaise humeur. Elle avait passé la journée à ruminer sur les hommes et leur infidélité atavique. Benoît était bien comme les autres. Elle était déçue et furieuse. Le lendemain, toujours sans nouvelles de lui, elle avait commencé à considérer un autre scénario. Et si Benoît était vraiment malade ? Il n'était plus tout jeune et il aimait boire de la bière sans modération, avait-elle remarqué, il devrait faire attention à son âge. Il était peut-être en mauvaise santé. Elle envisageait à présent le pire. Sans doute était-il tombé gravement malade. Et si elle ne le revoyait plus jamais ? Cela lui ferait quelque chose. Elle ne pouvait le nier. Cet homme lui apportait ce que personne n'avait pu lui offrir jusqu'ici, la sérénité. Elle serait triste de le perdre... Les idées noires plein la tête, elle avait pris ce soir-là le chemin du travail. Et arrivée devant la porte du bar, ce fut le choc ! Sur le moment, elle ne crut pas ses yeux. Elle pensa faire face à un sosie de Benoît. Mais c'était bien lui qui l'attendait devant le bar. Il l'avait serré dans ses bras. Elle s'était laissé faire.

— Joy, désolé de t'avoir menti. Je voulais te faire la surprise de venir, dit Benoît en lui caressant affectueusement la nuque.
— Ah, pour une surprise, c'est une surprise ! Je te croyais mourant... ou avec une autre femme, répondit Moon qui ne put réfréner une moue réprobatrice à cette pensée. Mais que fais-tu ici à Bangkok ?
— Je suis venu pour quelques heures à peine. J'avais trop envie de te revoir en vrai.

Benoît n'avait pipé mot à Mario de son voyage en Thaïlande. Les deux hommes étaient restés en froid depuis le coup de chaud de Koh Lanta. Benoît n'était resté sur place qu'à peine septante-deux heures. Assez pour convaincre Moon que cet homme pouvait se révéler un peu fou – vingt-quatre heures d'avion pour septante-deux heures de séjour quand même – sous des dehors placides. Et qu'il avait des sentiments pour elle. Ils avaient passé une nuit dans un petit hôtel flottant sur la rivière Kwaï, à Kantchanaburi. Le soir, sur le ponton mollement balancé par les remous de la rivière, ils avaient conversé à la lueur de la pleine lune. Cette fois, c'était Benoît, le verre de *Mékong-Sprite* à la main, qui avait monopolisé la parole. Il avait, au cours d'un long monologue, raconté par le menu son parcours de vie en terminant par son désert amoureux. S'en était suivie une longue pause. Après le passage d'un *party-boat* qui tanguait gaillardement en musique sur les flots (©), Benoît avait susurré à voix basse :

— Je t'aime bien, Joy.

— Pourquoi moi, il y a tellement de filles très jolies en Thaïlande ? avait-elle demandé sans fausse naïveté.

— Jolies, oui sans doute. Mais ce que j'aime chez toi, c'est ta personnalité. Et il t'en a fallu du courage pour surmonter toutes ces épreuves. Tu es une fameuse petite bonne femme, Joy ! Respect !

— Merci. Tu peux m'appeler Moon. Joy, c'est mon nom de « scène ». Mes amis m'appellent Moon. Et tu es mon ami à présent.

— Et si je voulais être plus qu'un ami ? s'était hasardé à demander Benoît, s'enhardissant sous l'effet de l'alcool.

— Pour cela, il me faut du temps. Tu dois m'apprivoiser pour gagner ma confiance. J'ai tellement été déçue et trahie par les hommes…

Moon s'était étonnée elle-même d'indiquer ainsi le chemin de son cœur à un quasi-inconnu. Peut-être s'était-elle laissé envoûter par l'aura du moment. Le ponton semblait baigner dans une quiétude propice, à peine troublée par le clapotis de l'eau et le halo vacillant de la lanterne à huile. Après le retour de Benoît en Belgique, ils avaient repris leurs rendez-vous à distance. Mais quelque chose avait changé : ces trois jours passés ensemble, et surtout cette douce nuit sur le ponton, les avaient considérablement rapprochés. Ils s'y étaient tout dit. Enfin, presque : à un moment, Moon avait envisagé de parler de Yuki. Mais elle s'était abstenue, craignant la réaction de Benoît.

Moon termine son *chanom* et s'apprête à quitter le restaurant quand soudain elle reconnaît la silhouette filiforme de Poor marchant d'un pas décidé sur le trottoir. Elle la hèle et celle-ci vient s'asseoir à sa table.

— Alors Moon, tu te la coules douce ? Tu ne travailles pas aujourd'hui ? Tu prends une bière avec moi ? Je reviens de chez un client. Il m'a prise dès l'ouverture du bar ! Un rapide, celui-là. J'ai le temps de papoter un peu avec toi et puis j'y retourne. Et donc toi ?
— J'ai pris congé ce soir. Je suis allée à la manifestation à Victory Monument, dit Moon fièrement.
Elle raconte son après-midi : « C'était fantastique ! Tous ces jeunes rassemblés pour la démocratie. Cela m'a redonné espoir. J'en ai la chair de poule rien que d'en parler ».
Moon commence à chantonner *Prathet Goo Mee*, *Prathet Goo Mee*, ce pays qui est le mien, ce pays qui est le mien.
— Moins fort ! Il y a des flics partout ici ! s'exclame Poor. Tu veux nous faire retourner à Yard Lao ? les deux filles s'esclaffent.

Elles recommandent des bières. Elles évoquent leur vie à la prison et leur travail au bar. Inévitablement, elles parlent de leur compagne d'infortune Bee.

— Elle m'inquiète, dit Moon. Au début, je pensais que la maternité allait la changer, la rendre plus positive. Mais c'est

278

tout le contraire qui se passe. Je ne comprends pas. Elle a la chance que sa mère s'occupe beaucoup de l'enfant. Et elle a trouvé un *Farang,* bien généreux, qui l'aide financièrement.

— Le gars de la pizzeria ?

— Oui, Mario, c'est son nom. Malgré cela, elle continue à se stresser. Tous ces médicaments qu'elle prend la rendent dépressive à mon avis.

— Oui, j'ai remarqué aussi. Elle n'arrête pas de se plaindre. Elle m'a dit un jour qu'elle était maudite. Elle m'a raconté la malédiction du chaman.

— Ce sont des conneries, tout cela ! Moon hausse les épaules et sourit à l'idée qu'elle s'est rangée à l'opinion de Benoît sur le sujet.

— Peut-être… Enfin, je me demande bien ce que Bee fait avec tout cet argent ! Tu sais toi ? Ce Mario et tous les autres clients sur le côté, cela doit faire un petit paquet !

— Non, répond Moon laconiquement en baissant les yeux. Poor ignore que Bee est mère d'un petit garçon de deux ans. Seule Moon connaît ce secret bien gardé. Heureusement, Poor n'insiste pas pour en savoir plus.

— Et toi Moon, tu n'es pas stressée par l'avenir ? Tu comptes travailler au bar encore longtemps ? Tu te rappelles notre conversation à Yard Lao, quand je te disais que je t'imaginais plus en femme d'affaires qu'en fille de bar ?

— C'est drôle que tu me poses la question parce que cet après-midi, pendant la manifestation, il m'est venu une idée. Mais c'est trop tôt pour en parler. Il faut encore que j'y réfléchisse encore, répond Moon, l'air énigmatique.

— OK, princesse. Tiens-moi au courant ! Je dois retourner au bar maintenant. Il est passé minuit. Avec un peu de chance, je pourrai encore décrocher un client d'ici la fermeture.

— *Wai djer gan* ! *Chok Dee Na* !¹²²

Moon prend congé de Poor et reprend son chemin vers le studio. Elle se sent un peu saoule après toutes ces bières. Tout en marchant, elle consulte ses messages. Il en y avait déjà cinq non lus de Yuki. La Japonaise prévoit de venir en Thaïlande prochainement. Il faut bien que Moon se décide à lui répondre. Elle ne peut réprimer une moue de gêne profonde lorsqu'elle pense à la Japonaise. Elle revoit ce moment où, il y a un an, dans les alpes nipponnes, Yuki lui avait fait part de son envie de la marier. Sur le moment, Moon avait été décontenancée par le dessein de la jeune femme. L'idée du mariage ne l'avait jamais effleurée et encore moins avec Yuki. C'était inimaginable. À cette époque-là, elle était peut-être disposée à passer sa vie avec Yuki, parce que celle-ci l'avait aidée à payer sa dette et parce qu'elle était une bonne personne. Mais, au grand jamais, elle ne voudrait consacrer cette union, tout simplement, car les sentiments qu'elle éprouvait pour Yuki n'étaient pas de l'amour. C'était une infinie reconnaissance matinée d'affection, rien de plus. Heureusement, le temps avait joué pour elle. Le processus de reconnaissance du mariage homosexuel allait prendre du temps en Thaïlande. Elle avait joué la montre. Elle tempérait les ardeurs de Yuki et restait évasive sur la question du mariage. Surtout à présent que Benoît était entré dans la danse…

Moon insère la clef dans la serrure de la porte de son appartement quand, soudain, elle discerne une silhouette dans son dos, tapie dans l'ombre du palier. Sur le qui-vive, elle s'empresse d'ouvrir la porte. Elle n'a pas le temps de s'engouffrer dans la pièce qu'elle sent une main ferme agripper son bras. Moon se retourne. Elle le voit. Elle est glacée d'effroi.

---

¹²² À bientôt ! Bonne chance !

X
Une nuit décoiffante

1ᵉʳ avril 2019

Benoît regarde à nouveau sa montre. Il est minuit trente à Bruxelles, soit cinq heures trente du matin à Bangkok et toujours pas de nouvelles de Moon. Il a essayé de l'appeler à plusieurs reprises, mais en vain. Il se ronge les sangs. Pour la nième fois, il récapitule la chronologie de la journée d'hier. Au cours de l'après-midi, Moon avait participé à une manifestation contre le régime organisée par les étudiants. Benoît avait tenté de la dissuader. Il pensait que ce n'était pas une bonne idée. La Thaïlande affichait un lourd historique en matière de répression violente des manifestations. Il avait encore en mémoire l'article du *Bangkok Post* relatant le carnage du 6 octobre 1976. Ce jour-là, l'armée thaïlandaise avait tiré des roquettes – Benoît avait dû relire plusieurs fois l'article pour bien être certain de comprendre – sur les étudiants retranchés dans l'université de Thammasat. Ce fut un véritable carnage. Mais Moon l'avait rassuré. Si les choses tournaient mal, elle ne prendrait pas de risque et s'enfuirait très vite. Benoît n'avait pas insisté. C'était le droit le plus strict de Moon de s'engager pour le bien de son pays. Et au fond de lui, il admirait cette audace dont il n'avait eu jamais l'utilité, lui, vautré dans le confort des démocraties occidentales. Il avait repensé à ce journaliste rencontré à Bangkok lors de sa première visite. Il lui avait brossé un sombre portrait de la Thaïlande, bien éloigné de l'image traditionnelle de carte postale idyllique. Le journaliste devait maintenant apprécier à sa juste valeur le mouvement de contestation estudiantine et l'espoir qu'il portait pour les générations futures. Benoît regrettait à présent d'avoir été plutôt sec avec l'homme et d'avoir coupé court à leur conversation. Après avoir écouté l'histoire de Moon, Benoît voyait les choses d'un œil différent et comprenait ce que le journaliste avait voulu dire en parlant de monarchie bananière. Moon s'était donc rendue à la manifestation à la place Victory Monument. Elle lui avait envoyé des selfies et une vidéo où on la voyait, elle et son amie, scander avec enthousiasme *Prathet Goo Mee* avec la foule. Elle lui avait expliqué le malicieux jeu de mots de la chanson *1 2 3 4 5 I here too.* Heureusement, tout s'était bien passé et la manifestation s'était dispersée pacifiquement. Moon avait prévenu qu'elle rentrerait plus tard. Elle s'était arrêtée dans un petit restaurant de Sukhumvit. Poor, une collègue du bar l'avait rejointe et elles avaient bu quelques bières ensemble. Depuis lors plus de nouvelles. Moon n'avait plus envoyé de message. Benoît avait tenté de la joindre, mais son *Messenger* avait affiché hors-ligne à partir de minuit trente. Benoît essayait de comprendre ce qui avait pu se passer. Peut-être, à son arrivée au studio s'était-elle écroulée de fatigue sur son lit et elle se serait ainsi endormie. Mais cela ne lui ressemblait pas. Elle aurait sûrement pris le temps de lui envoyer un message. Benoît ne pouvait écarter une hypothèse qui avait tout pour lui déplaire. Et si d'aventure, Moon lui avait menti et qu'elle avait rendez-vous avec un client ? Benoît ne pouvait y croire. Pourquoi lui cacherait-elle la vérité ? Il n'ignorait pas la nature de son métier. Elle n'avait aucune raison de lui mentir. Bien sûr, Benoît n'appréciait guère que Moon continuât à travailler au bar. Il aurait préféré qu'elle arrête et choisisse un métier normal. Bien que l'envie ne lui en manqua pas, il s'était toujours abstenu d'évoquer ce sujet au cours de leurs conversations. Il ne se sentait pas en droit d'exiger quoi que ce soit. C'était à Moon de faire ses choix. Mais qu'elle travaille en cachette et lui mente, c'était par contre insupportable. Il pense à Bee qui ne se privait pas de mentir à Mario. Son ami lui avait également rapporté les propos abrupts de Yohan sur les filles de bar. Ne jamais leur faire confiance et les fuir comme la peste ! Serait-il assez naïf pour croire que Moon était différente ? Benoît rumine ces idées noires dans son lit, n'arrivant pas à trouver le sommeil. Il était trois heures du matin et huit heures à Bangkok. Le *Messenger* de Moon est toujours hors-ligne. De guerre lasse, Benoît abandonne son combat contre l'insomnie perdu d'avance et se rend dans la cuisine. Avec détermination, il ouvre une cannette de bière dans le frigo et allume la chaîne hi-fi. Devant la baie vitrée, se tenant face au sud-est, il écoute à plein volume au milieu de la nuit – tant pis pour les voisins – *Should I Stay or Should I Go* (©). Il a toujours cru à la vertu catalysatrice de la musique ou, selon les circonstances, à sa puissance cathartique. Dans sa vie, les moments importants ont souvent été rythmés par des hymnes choisis à dessein. Il se rappelle le jour où il a pris la décision de changer de job à la suite d'un différend avec son patron. Ce soir-là, il avait forgé sa résolution en écoutant en boucle *Fuck You* d'Archive. Un autre jour, il avait forgé son courage pour annoncer une rupture au son de *Ain't Talking about Love* de Van Haelen.

Et ce soir, tout en chantant et en mimant le riff de guitare de Joe Strummer, il tente de conjurer le doute qui l'assaille au sujet du silence de Moon. Il est tourmenté à l'idée qu'elle lui mente. Il s'en rend bien compte : sans confiance, une liaison à distance se condamne au néant assurément. Il ne sait quelle attitude prendre. L'option réaliste ? Et donc dresser le constat d'échec de cette relation impossible ? Ou l'option accommodante ? Accepter les choses comme elles sont, garder ses distances affectives et ne pas s'investir outre mesure dans une relation sans réel avenir. Était-ce vraiment cela qu'il désirait ? À tout le moins, une franche explication avec Moon s'imposait ! Au fur et à mesure de sa réflexion débridée au rythme de la musique, il sent la colère monter en lui. Et soudain fait irruption un sentiment inédit, la jalousie, qu'il ignorait jusqu'à présent. Dans sa tête, une voix méchante ricane : « Haha… Mais c'est trop drôle ! Monsieur sort avec une fille de bar et monsieur est jaloux ? Mais comment peut-on être si bête ? »

La voix devient plus sarcastique encore : « Tu n'as sûrement pas oublié… Qu'est-ce qu'elle peut être excitante quand elle danse nue sur la scène du bar, ta petite copine, quand elle se déhanche lascivement, quand les hommes la dévorent du regard… avant de l'emmener dans leur lit ! Non, tu n'as certainement pas oublié ! »

Benoît tente de se raisonner. Il doit faire taire cette petite musique perverse dans sa tête. Il faut que Moon l'appelle, sinon, il va devenir fou ! Sur le coup, il met rageusement *Call Me* (©) sur la platine fort, très fort. Il hurle de concert avec Blondie. Combien de temps gesticule-t-il ainsi comme un pantin détraqué ? Il l'ignore jusqu'au moment où il se rend compte dans le déluge sonore ambiant que son smartphone sur le divan tremble et s'illumine désespérément. Benoît coupe le son et décroche son téléphone dans un silence subit.

— Allo, Benoît ? Enfin, tu réponds !
— Allo, Moon, enfin tu appelles ! répond Benoît la voix éraillée.

Il est estomaqué par le ton de reproche de la jeune femme.

— Je suis désolée, Benoît… Il m'est arrivé une histoire horrible… J'ai eu très peur… Mais ce dont j'avais le plus peur, c'est que tu sois fâché et que tu ne me répondes pas.

La voix de Moon était troublée. Son visage était fermé. Elle avait les yeux cernés.

— Qu'est-ce qui est arrivé ? demande Benoît d'un ton où la méfiance se disputait à l'anxiété.

— Attends, je rentre au studio et je vais t'expliquer, mais ne raccroche pas. Reste en ligne, s'il te plaît. J'ai trop peur de rentrer toute seule.

— Mais peur de quoi Moon ? Et où es-tu d'abord ? Benoît ne peut cacher son exaspération devant tant de mystère.

— Ne t'énerve pas s'il te plaît. Je sors de *Terminal 21*, le centre commercial. Dès que j'arrive dans la chambre, je te raconte tout.

Benoît avait donc patienté fiévreusement. Elle avait laissé son smartphone ouvert et Benoît avait donc accompagné Moon en vidéo jusqu'à son studio. Il avait vu défiler, en arrière-plan, le décor familier de Sukhumvit : le centre commercial encore désert, les files de voitures s'agglutinant devant les feux de circulation, les motos slalomant entre les véhicules, les piliers massifs soutenant le métro aérien et d'innombrables étals de nourriture et de vendeurs de rue chargés de rassasier au moins pour quelques heures les employés en chemin vers leur bureau.

— C'était horrible hier soir… Je n'en peux plus… J'ai pris une décision… Il faut que je t'en parle… C'est important… Je dois mettre fin à ce cauchemar… J'ai eu très peur… Je dois arrêter tout, commence Moon, assise sur son lit.

Benoît remarque qu'elle tremble. Son discours est décousu. Benoît ne veut pas la brusquer malgré son désir irrésistible de connaître la vérité. Moon éclate en sanglots. S'en suivent de longues minutes pendant lesquelles elle pleure le visage entre les mains.

— Moon, tu devrais essayer de te calmer. Si tu n'es pas capable de parler maintenant, ce n'est pas grave. Tu peux rappeler plus tard quand cela ira mieux.

— Non, non, non ! Je veux tout te raconter maintenant, s'exclame Moon en ponctuant chaque mot d'un profond reniflement. Tu es la seule personne à qui je peux parler. Tu es la seule personne à qui je veux tout dire…

À ces mots, le visage de Benoît s'éclaircit. Il s'est radouci. Il ne connaît pas encore le fin mot de l'histoire, mais il a retrouvé un peu de sérénité. Il y quinze minutes à peine, il en était à douter de la sincérité de Moon et était sur le point de mettre fin à leur relation. Maintenant que Moon, le ton hésitant, commence à raconter son histoire, il est prêt à la croire. Tous ses doutes ne sont pas encore balayés, mais il sent que Moon lui dit la vérité.

« Voilà, donc hier soir, il était minuit passé, je suis rentrée seule au studio après avoir bu quelques verres avec Poor. J'ai ouvert la porte quand, soudain, j'ai senti que quelqu'un m'agrippait le bras. Je me suis retournée et je l'ai vu lui, le colonel ! Tu te rappelles qui c'est ? Je t'avais parlé de cet homme qui dirigeait la prison où j'étais. Il s'appelle Wim ».

— Mais comment a-t-il pu te retrouver après toutes ces années ? demande Benoît candidement.

— Pour un haut gradé de la police, rien n'est impossible en Thaïlande, répond Moon, gênée aux entournures.

Elle n'avait pas raconté toute l'histoire à Benoît. Elle avait omis de dire que le colonel l'avait retrouvé au bar et qu'il était devenu un client régulier. Elle s'était également abstenue de mentionner l'altercation qui les avait mis aux prises dans la pizzeria de Mario, il y a un an et demi, quand elle avait refusé sa demande en mariage. Cela s'était passé quelques mois avant qu'elle ne rencontre Benoît d'ailleurs. Et elle pensait que cela ne méritait pas d'être raconté. D'autant que depuis l'esclandre du restaurant de Mario, elle n'avait plus rencontré Wim. Cependant, le Sino-Thaï n'avait eu de cesse de la harceler. Il lui avait envoyé régulièrement des messages, la suppliant de lui accorder un rendez-vous, lui déclarant à nouveau sa flamme, l'exhortant à reconsidérer sa demande en mariage, et terminant finalement par des menaces à peine voilées. Moon s'était abstenue de répondre, de crainte d'aviver son courroux. Elle comptait ainsi glacer, et les espoirs, et les ardeurs de Wim. Après quelques mois, la situation avait semblé en effet s'apaiser. Les messages du colonel s'étaient espacés au point de devenir rares. Il l'oubliait enfin, pensait-elle.

« Pour être honnête avec toi, Benoît, le colonel avait retrouvé ma trace au bar et il était devenu un client, ajoute Moon honteuse. Mais rien qu'un client que je faisais payer au prix fort. C'était ma vengeance. Mais il a voulu devenir plus qu'un client. Et cela, il n'en était pas question. Je voudrais juste qu'il crève, surtout après ce qui s'est passé hier soir ! » Moon avait retrouvé de la vigueur dans sa voix.

— Mais que s'est-il passé dans le studio ? demande Benoît anxieusement.

— Il m'a poussée à l'intérieur tout en me tenant. « Ah, comme on se retrouve… Tu pensais être quitte de moi, petite garce », a-t-il ricané. Il savait tout de moi. Il m'avait épiée depuis la manifestation, avait attendu dans un bar en face du restaurant et enfin m'avait suivi jusqu'au studio… Il parlait fort. Il était en colère et semblait déjà très éméché. J'ai tenté de le calmer. Je lui ai proposé de s'asseoir à la table et de boire un verre ensemble. Il y avait une bouteille de *Mékong* entamée dans le studio. Ce n'était peut-être pas une très bonne idée, mais j'essayais de gagner du temps. Il a pris la bouteille et a bu au goulot. Il commença à hurler, à dire que je n'étais qu'une petite pute et qu'il allait me baiser comme une chienne. J'avais très peur, mais bête comme je suis, j'étais encore plus gênée que les voisins entendent les grossièretés que le colonel éructait, Moon rit d'elle-même.

Elle va mieux, sourit Benoît.

— Et après ? demande-t-il.

— J'ai essayé de gagner du temps. Je lui ai dit de venir le lendemain soir au bar et que je danserais pour lui.

Benoît fronce les sourcils à cette idée.

« Mais c'était juste pour le calmer, poursuit Moon. Je n'avais aucune intention de la faire. »

« Non, maintenant, a-t-il hurlé, je vais te baiser maintenant ! » et il m'a retournée et m'a agrippée les fesses. Je lui ai demandé de me lâcher. J'ai commencé à prendre vraiment peur.

« Ah, oui, j'oubliais, il faut que je paie d'abord », a-t-il persiflé. Il m'a lâchée. Il a sorti trois billets de mille baths et les a jetés par terre. J'ai alors fait mine de prendre les billets et de les mettre dans mon sac. J'ai ainsi profité pour prendre mon téléphone. Je me suis dit que, si j'arrivais à détourner l'attention du colonel pendant quelques instants, je pourrais envoyer un message à l'aide. J'ai donc prétexté que je devais prendre la boîte de préservatifs dans une caisse en dessous de mon lit. J'ai contourné le lit et je me suis baissée et j'ai fait semblant de chercher dans la caisse. J'avais vite fait le tour de la question de savoir qui prévenir. Toi, Benoît, tu étais un peu loin pour intervenir... Moon esquisse un sourire. La police, on oublie. Mes amies, Bee, Poor, Nam ? Non, il fallait un homme. Et là, je n'avais pas l'embarras du choix. Mon frère Pod. Il travaille maintenant comme mototaximan à Bangkok. Il était peut-être encore debout et pouvait venir vite. Mes relations avec lui ne se sont pas améliorées, mais je me disais quand même qu'il passerait outre notre différend pour se précipiter à la rescousse de sa sœur. Je me fais sans doute des illusions. Peut-être qu'il me déteste tellement qu'il préférerait me voir mourir ? Eh bien, je ne le saurai jamais ! Car ce taré de colonel avait flairé le coup. Il s'est jeté sur moi avant que je n'aie le temps d'ouvrir *Line* ! Il m'a arraché le téléphone des mains et l'a projeté avec force en l'air. J'ai vu avec frayeur mon smartphone heurter le mur, rebondir et se fracasser sur le sol ! Tu ne me croiras pas, Benoît, mais ma première pensée a été que je ne pourrais pas t'appeler avec mon téléphone dans cet état.

Benoît n'a pas le temps de profiter de cette confidence que Moon poursuit : « Le colonel était comme fou furieux. Il m'a saisie par les hanches tout en vociférant "pas besoin de capote, tu vas mieux me sentir". J'étais terrorisée. Je voulais crier, mais je n'y arrivais pas. Aucun son ne sortait de ma bouche. Alors, il m'a agrippée par les hanches et d'un coup, il a brutalement descendu mon jeans et là, sous le choc, j'ai hurlé de toutes mes forces "au secours, à l'aide !" » Moon s'arrête de parler. Ses yeux sont exorbités, grand ouverts dans le vide. Épouvantée, elle semble revivre la scène une nouvelle fois. Benoît ne sait que dire. Il laisse le silence s'installer. Après quelques instants, Moon reprend ses esprits.

— Je… Je suis désolé pour toi, Moon, bredouille Benoît. Je voudrais tellement te prendre dans les bras pour te consoler…

Benoît s'en veut intérieurement d'avoir eu tant de mauvaises pensées quelques minutes auparavant.

— Moi aussi Benoît…

Elle mime un baiser. Puis, elle poursuit son récit :

— J'essayais de me débattre, mais il me tenait d'une poigne de fer.

— C'est horrible, Moon. Je m'en veux de n'avoir pas été là auprès de toi pour te protéger…

— Tu n'y peux rien, Benoît, c'est comme cela, c'est mon karma, je crois. C'était comme une plongée dans l'enfer et je me préparais mentalement à l'horreur. J'essayais d'anesthésier mes sens, de me couper de mon corps, de m'évanouir. Je me disais qu'en me concentrant très fort, je pourrais y arriver. Je voulais être morte le temps du viol et me réveiller en ayant tout oublié. J'avais les yeux fermés quand tout à coup, j'ai entendu un bruit. J'ai ouvert les yeux et j'ai vu la porte du studio qui s'ouvrait. Un homme s'est rué dans la chambre. Il m'a fallu quelques secondes pour le reconnaître tellement tout s'est passé très vite. L'homme s'est précipité sur le colonel et lui a asséné un violent coup dans la poitrine. Le colonel n'a pas eu le temps de réagir qu'il en recevait un second en plein visage. Il était déjà plié en deux qu'un troisième l'atteignait dans l'entrejambe ! Puis, l'homme a saisi le colonel par le cou et l'a traîné jusqu'en dehors du studio. Il faisait peine à voir le colonel. Il hoquetait pour retrouver son souffle. Son visage était maculé de sang. Sa fine moustache était devenue rouge luisant. L'homme lui a hurlé de foutre le camp et vite ou il l'achevait. Le colonel n'a pas attendu longtemps. Il s'est péniblement relevé et est parti sans demander son reste.

— Et qui était ce sauveur ? demande Benoît rasséréné par l'issue favorable du drame de la veille.

— Tu ne me croiras pas ! C'était Toy !

— Toy ? C'est qui ? demande Benoît qui s'y perd souvent dans les surnoms thaïlandais.

— Mon ancien petit ami, répond Moon, un peu gênée. Tu sais, celui par qui tout est arrivé…

— Ah oui, Toy… Mais qu'est-ce qu'il foutait là derrière ta porte ? Benoît ne peut cacher son irritation devant l'irruption soudaine de l'ex de Moon dans cette histoire.

Moon lui avait pourtant dit qu'elle n'avait plus revu son ancien amoureux depuis des années. Elle avait répété à maintes reprises qu'elle l'avait rayé de sa vie à tout jamais. Et là, subitement, le gars réapparaissait en chevalier blanc. C'était difficile à avaler. Moon lui avait-elle menti ? Voyait-elle encore son ex à son insu ? À nouveau, sa confiance en Moon s'effritait. Et sa jalousie remontait d'un cran.

— À peine remise de ma surprise, je me suis posé la même question ! Mais qu'est-ce que Toy foutait là ? Mais avant de lui demander, j'avais besoin de me remettre de mes émotions. Tout s'était passé tellement vite. J'étais sous le choc de ce déferlement de violence et de l'intervention éclair de Toy. Je ne tenais pas sur mes jambes. Je me suis assise à la table et je me suis servi un verre de *Mékong*. Je parvenais à peine à tenir mon verre de ma main tremblante.

— Et Toy est resté avec toi ? demande Benoît bien qu'il se fasse peu d'illusion sur la réponse.

— Oui, je ne pouvais pas le mettre dehors après qu'il m'ait sauvé quand même. J'ai réalisé pourquoi je ne l'avais pas reconnu tout de suite. Toy a tellement changé. L'armée l'a transfiguré. Il était mince et fluet quand je l'avais connu. Maintenant, il est imposant, le torse bombé et les bras musclés. Quelle métamorphose ! Un autre homme !

— Mais comment se fait-il qu'il était posté derrière ta porte ? coupe Benoît nerveusement. Il commence à perdre patience. Et cette description pour le moins flatteuse de Toy a le don de l'irriter.

— Ne t'énerve pas, s'il te plaît. La nuit a été assez compliquée comme cela. Il a attendu que j'aie retrouvé mon calme avant de tout m'expliquer. Cela faisait longtemps qu'il essayait de me revoir. Mais jusqu'ici, il ne connaissait pas mon adresse à Bangkok. Ce n'est que la semaine dernière qu'il a appris par l'entremise d'une amie de Nam que je me rendais hier à la manifestation. Il m'a suivie et m'a épiée toute la soirée comme le colonel ! Il est arrivé à mon immeuble juste au moment où le colonel entrait dans le studio avec moi. Sur le moment, il a cru que le colonel et moi étions ensemble. Mais il avait quand même un doute et il est resté dans le couloir. Il a entendu du bruit et finalement, il s'est décidé à intervenir quand j'ai hurlé à l'aide. Heureusement que la porte n'était pas verrouillée !

— Je suis très heureux que Toy t'ait sauvée, mais n'oublie pas que, lui aussi, c'est un harceleur ! Il te suivait, tu t'en rends compte ?

— Je n'oublie pas, Benoît et je n'oublierai jamais qu'il a ruiné ma vie. Mais bon, je ne pouvais pas le mettre dehors comme cela. Donc, je ne l'ai pas chassé. Il est resté un peu de temps pour parler. Je me suis dit que je lui devais bien cela. Mais ce n'était pas une bonne idée...

— Moon, tu as encore des sentiments pour lui ?

— Pourquoi ? C'est important pour toi ? demande Moon avec candeur.

— Oui, c'est important, parce que moi, j'ai des sentiments pour toi. Et toi ?

— Tu penses que si ce n'était pas le cas, j'aurais mis Toy à la porte et fait le pied de grue devant le magasin en attendant l'ouverture pour pouvoir acheter un nouveau téléphone et ainsi pouvoir t'appeler ?

— Oui OK, je te crois. Excuse-moi. Tu as mis Toy dehors ?

— Oui, et pas sans mal ! Eh bien ça, c'est la deuxième partie de ma soirée de merde... répond Moon, le sourire sarcastique aux lèvres.

Moon lui narre alors l'acte deux de sa nuit d'effroi. Au début, Moon et Toy avaient devisé amicalement. Il l'avait questionnée sur sa vie. Elle avait répondu évasivement. Elle avait menti, indiquant qu'elle travaillait toujours dans un salon de beauté. Elle avait expliqué qu'elle avait connu le colonel en prison et que depuis lors il ne cessait pas de la harceler. Toy avait raconté sa vie à l'armée. Il s'y sentait bien. Il aimait la routine qui l'empêchait de trop gamberger. Il était devenu un garçon stable, disait-il. Il faisait beaucoup de musculation, ce qui expliquait sa métamorphose, et il s'était pris une passion pour les armes et... les arts martiaux. Moon avait pu se rendre de l'efficacité de son entraînement. La rapidité avec laquelle il avait fait valser le colonel, pourtant pas un gringalet, dehors était plus qu'édifiante. Il lui apprit que son régiment était basé à Korat dans la région d'Issan, soit à quelque trois cents kilomètres de Bangkok, au grand soulagement de Moon. Ensuite, la discussion avait malheureusement pris un tour plus personnel. Toy avait suggéré que, maintenant qu'il lui avait sauvé la vie, peut-être pouvait-elle lui pardonner le mal qu'il lui avait fait. Lui, en tout cas, l'aimait toujours. Il voulait une seconde chance. Moon avait tenté de l'éconduire poliment. Elle avait tourné la page, leur relation appartenait au passé, on peut être ami, mais pas plus, lui avait-elle dit. Rien n'y faisait. Toy s'accrochait. Il maintenait que leur amour n'était pas mort et que la flamme pouvait être rallumée. Moon commençait à s'impatienter. Comment lui faire comprendre sans le brusquer que c'était irrémédiable, qu'elle ne l'aimait plus et qu'au mieux elle pouvait essayer de ne plus le détester ? Elle devait marcher sur des œufs, car elle ne souhaitait pas provoquer une nouvelle crise. Elle avait eu sa dose pour aujourd'hui. Toy continuait de geindre, ce qui avait le don de l'exaspérer. Elle s'efforçait néanmoins de le regarder avec bienveillance et garder un ton amène. Toy interpréta mal cette sollicitude et tout d'un coup se leva et tenta de l'embrasser. Passé l'effet de surprise, Moon avait senti la colère monter en elle. Elle s'était raidie et lui avait face. Mais comment osait-il ? Cela ne lui suffisait donc pas d'avoir détruit sa vie ? Il la suivait jusque chez elle et maintenant, il tentait de l'embrasser de force ! « Mais pars, casse-toi, je ne veux plus te revoir ! Je ne t'aime plus. Et si tu veux tout savoir, je suis avec quelqu'un ! » Elle lui avait hurlé ces mots, le fixant froidement dans les yeux, nullement impressionnée par la stature imposante de Toy. Et il était parti ainsi, les lèvres pincées et le visage écarlate en claquant violemment la porte du studio.

— Voilà, après, j'ai retiré la carte *Sim* dans l'épave de mon téléphone et je suis partie en acheter un nouveau au centre commercial. Et je t'ai appelé, sourit Moon. Je pense qu'il faut que je trouve un nouveau studio rapidement.

— Oui, et je serais plus rassuré si entretemps, tu dormais ailleurs, Benoît est encore sous le choc du récit de Moon. Tu penses qu'ils vont te laisser en paix à présent ?

— Eh bien, il semblerait que non. Quand j'ai allumé mon nouveau téléphone, il y avait déjà deux messages. Le premier du colonel : « Tu vas me le payer, sale pute ! » Et le second de Toy : « je ne peux pas vivre sans toi… Je ne peux pas t'imaginer avec un autre homme… Si tu ne me reviens pas, je vais faire des conneries… » Cela promet !

Moon prend un air embêté. C'est qu'elle avait reçu bien trois et non deux messages. Et le troisième était de Yuki… Jusqu'ici, Moon n'a jamais évoqué l'existence de la Japonaise à Benoît. Elle se sent coupable de s'être tue jusqu'à présent. C'est le moment ou jamais de réparer son erreur et d'être franche avec lui, pense-t-elle. Benoît mérite la vérité.

— Benoît, il faut que je te dise quelque chose…

— Oui, je t'écoute. À quel sujet ?

Benoît commence à ressentir la fatigue. Il est bientôt six heures du matin. Et toutes ces émotions en cascade l'ont épuisé.

— Rien de grave, j'espère ? dit-il d'une voix un peu lasse. Qu'allait-il encore apprendre ?

— Tu ne vas pas être fâché ?

— Je n'en ai plus la force… Vas-y, je t'en prie !

Moon prend une profonde inspiration et se lance dans l'histoire de sa rencontre avec Yuki. Elle raconte comment la jeune Japonaise l'a aidée financièrement et lui a demandé d'arrêter de travailler au bar. Elle termine dans un soupir par le projet de mariage de Yuki. Moon s'interrompt avant de s'aventurer plus loin et inquiète, guette la réaction de Benoît. Celui-ci l'a écoutée avec attention, hochant la tête régulièrement et ponctuant de temps à autre le récit de Moon de « je comprends » bienveillants.

— Tu ne m'en veux pas alors ? De ne t'avoir rien dit plus tôt ?

— Non ! Benoît hésite et lâche enfin la question qui lui brûle les lèvres : « Mais… est-ce que tu envisages de te marier avec elle ? »

— Jamais de la vie ! Yuki a fait beaucoup pour moi et je lui en suis reconnaissante, mais je n'ai pas de sentiments pour elle. Et d'ailleurs, je ne me marierai jamais. Je t'ai déjà parlé de mon rêve de mariage qui se termine dans le sang sur la plage. C'est un signe.

— Tu sais ce que je pense de vos rêves, superstitions et fantômes thaïlandais… coupe Benoît d'un ton péremptoire.

Moon choisit de ne pas réagir. À quoi bon ? C'est peine perdue. Les *Farangs* ne comprennent rien au monde de l'au-delà et aux rêves prémonitoires.

— Yuki souhaite venir me rendre visite dans un mois. Je ne peux pas refuser. Je vais lui parler sincèrement et lui dire la vérité, dit Moon, déjà anxieuse rien qu'à l'idée d'imaginer la réaction de Yuki.

— Moon, je vais devoir filer prendre ma douche avant de partir au travail, dit Benoît, jetant un œil à sa montre. Mais avant cela, au début de notre conversation, tu as dit que tu avais pris une décision et que tu devais m'en parler…

— Tu as encore un peu de temps ?

— Si c'est important, oui. Il faut que je décommande une réunion, pense Benoît.

— C'est très important ! assène Moon, plus sérieuse que jamais.

Benoît frémit. Qu'est-ce que Moon lui réserve encore comme nouvelle ? se demande-t-il avec appréhension. Moon ne lui laisse pas le temps de conjecturer. Elle repart dans un nouveau long monologue. Mais cette fois, le ton est passionné. Elle semble possédée par une ardeur que Benoît ne lui connaissait pas. Ses yeux brillent d'excitation. Elle raconte alors comment lors de la manifestation elle a eu cette prise de conscience. Entourée de tous ces jeunes, elle s'est sentie en phase avec eux. Elle a éprouvé le désir d'une nouvelle vie. Une vie normale, pas celle de fille de bar. Elle a envie d'avoir un vrai métier qui force le respect des autres. Si vendre son corps lui procure l'indépendance et le confort financiers qu'elle chérit, ce métier devient chaque soir plus pénible à supporter moralement. La manifestation a été un déclic. Il est temps pour elle de changer de vie. Et sur le chemin du retour, et quand elle s'est arrêtée au restaurant, elle n'a cessé d'y penser. Quand elle est venue s'asseoir à sa table, Poor lui incidemment parlé de quelque chose d'a priori banal. « Tu ne crois pas au destin, Benoît, figure-toi, qu'elle m'annonce que notre salon de coiffure favori, situé pas très loin du bar, est à remettre ! Le même salon de coiffure où Bee l'avait amenée pour sa première au bar ». Pour Moon, c'était un signe ! Tout en marchant vers son studio, elle a réfléchi intensément. Son cerveau était en ébullition. Reprendre ce salon, était-ce une bonne idée ? Cela risquait de coûter cher ! Moon avait mis un peu d'argent sur le côté, mais sans doute, ce ne serait pas suffisant. Et la coiffure l'avait toujours intéressée.

Ses amies avaient coutume de lui demander son avis quand elles souhaitaient changer de coupe. Elle avait bon goût, disaient-elles. Soit, mais elle n'avait aucune pratique en la matière, mis à part son passage au salon de coiffure de Yard Lao, mais cela ne comptait pas vraiment. Et puis, travailler dans une entreprise... Le souvenir de son expérience désastreuse au salon de beauté trottait toujours dans sa tête. Elle gambergeait encore ferme quand elle est arrivée au studio où le colonel l'attendait...

— Et là, je me suis dit que si je m'en sortais saine et sauve, alors c'était décidé !

— Et donc c'est décidé ? réagit Benoît.

Il peine à le croire. Moon le surprendra toujours, tellement elle est pleine de ressources. Benoît la regarde, admiratif.

— Oui ! Je vais déjà regarder sur internet les formations en coiffure. J'ai déjà un peu fait les calculs. J'ai mis pas mal d'argent de côté. Cela ne suffira sans doute pas pour payer la totalité du pas de porte, mais pour le reste, j'emprunterai. Je suis tellement excitée, tu ne peux pas savoir !

Moon s'interrompt quelques secondes et puis demande :

— Et toi, Benoît, dis-moi ce que tu en penses ? Ton avis est important pour moi.

— Eh bien, je trouve que c'est... une excellente idée ! Je suis ravi pour toi. Si tu veux, je peux t'aider pour faire le plan financier.

— Merci. Hum...

— Quoi ?

— Je ferais bien l'acte trois de cette nuit avec toi. Mais cette fois avec plein de câlins et de bisous...

— Moi aussi... Je t'aime beaucoup Moon...

— Je ne te crois pas ! Prouve-le !

— Comment ?

— Réserve un vol et viens me voir le plus vite possible ! J'ai
envie de m'entraîner avec mes ciseaux sur ta chevelure ! ils
éclatent de rire tous les deux.

Ce matin-là, Benoît est arrivé très en retard au bureau. Il a dû
endurer les regards réprobateurs de ses collègues qu'il avait
oublié de prévenir de son arrivée tardive. Mais peu lui importait.
Il avait mis à fond dans la voiture *Can't Help Falling in Love
with You* (C) et il avait l'impression qu'il était devenu sourd à ce
que les autres pensaient ou voulaient. Seuls, le rire, le sourire,
les soupirs, le désir de Moon comptaient dorénavant pour lui.

XI
L'union consacrée

9 février 2020

Moon s'est levée à l'aube. Le soleil inonde déjà la mer d'une lumière crue. La longue plage de Pran Buri, au bord du golfe de Thaïlande, est balayée paresseusement par une légère brise matinale. Au loin, ronronne le moteur d'une petite embarcation sur le retour d'une nuit de pêche. La journée s'annonce longue, mais Moon a tenu à se lever aux aurores. Debout, à la fenêtre de la chambre d'hôtel, elle contemple les scintillements du soleil sur la mer. Elle veut jouir de chaque seconde de cette journée qui s'annonce comme la plus belle de sa vie. Dans quelques heures, elle revêtira sa robe blanche et son père l'accompagnera vers l'autel posé sur le sable, face à la mer. Elle prononcera ses vœux sous le voile en organza de soie.

Dans la chambre voisine, Mario somnole encore. Il émerge à peine d'une mauvaise nuit. À ses côtés, Jade – par habitude, il persiste à l'appeler Jade et non Bee, son vrai surnom – tousse à nouveau. Elle l'a réveillé à de nombreuses reprises cette nuit par ses toussotements. En dépit de ses exhortations répétées, la jeune femme persiste à toujours fumer autant. De jour en jour, sa toux prend un tour plus caverneux. Bee n'en fait toujours qu'à sa tête. Mario la regarde pensivement. Sa relation avec elle a changé. S'il se forçait à voir les choses positivement, il se dirait qu'il accepte Bee maintenant comme elle est (et c'est sans doute ce qu'elle doit se dire probablement). Mais Mario se mentirait de penser ainsi. Il s'est plutôt mis à distance de ses sentiments. Il a compris, tardivement sans doute, que Bee ne lui apporterait jamais l'amour tant souhaité. Elle resterait cet être refermé dans sa carapace de secrets et de mystères. Il l'avait rencontrée, il y a presque trois ans à présent, et il ne la connaissait toujours pas. Le mystère restait entier. Une part mystérieuse d'elle demeurait cachée à jamais. Elle semblait hantée par l'angoisse de son avenir. Elle voulait amasser le plus d'argent possible tant qu'elle était jeune pour pouvoir ensuite se retirer du monde. Et dans ce scénario, il n'y avait pas de place prévue pour Mario. Bee pouvait se montrer charmante, attentionnée, câline, mais Mario avait compris que tout cela n'était qu'un vernis. Bee ne l'aimait pas. Il lui était simplement utile pour le moment. Ce constat, Mario l'avait fait et accepté. Il n'en restait pas moins qu'il ne pouvait contrôler totalement ses sentiments amoureux. Il pouvait mettre en sourdine la part d'espoir tournée vers le futur, mais pas les émotions du passé et le plaisir du présent. Cela lui était impossible. Une rupture serait insupportable. Il avait donc décidé de vivre sa relation avec Bee au fil de l'eau. Bien que cela lui brûlait les lèvres, il ne posait plus de question quand elle s'absentait pour plusieurs jours. Stoïque, il s'efforçait de se satisfaire de la joie de son retour. Combien de temps allait-il pouvoir tenir dans cette posture ? Il l'ignorait, mais pour l'instant, il ne voyait d'autre issue. Il envie son ami Benoît qui a trouvé le bonheur réciproque avec Moon, l'ex-numéro 69 qui l'avait tant fait fantasmer lors de son premier séjour en

Thaïlande. Il se redresse dans le lit et pose son regard sur Bee qui s'agite dans son sommeil. Il lui caresse doucement les cheveux et passe délicatement sa main sur son visage et la retire aussitôt avec effroi. Elle est brûlante !

Bee marche dans la forêt de bananiers éclairée par la pleine lune. Il y règne une chaleur étouffante. Elle étouffe dans son corset et son costume traditionnel thaïlandais de couleur verte. Elle n'a qu'une obsession en tête, retrouver son bébé qui a disparu. Elle n'en a parlé à personne, surtout pas à Mario qui ignore l'existence de cet enfant. Pourquoi lui a-t-elle toujours caché cette vérité ? Elle s'en veut à présent. Mario aurait sûrement fait preuve de compréhension. Il a toujours été bon avec elle. Elle regrette de ne pas lui avoir apporté l'amour qu'il méritait. Elle continue à marcher péniblement dans la forêt. Sa robe en fuseau rend sa progression malaisée. Soudain, elle aperçoit devant elle la silhouette d'une femme enveloppée dans un halo de brume. Malgré sa peur, elle s'avance pour mieux voir. En écartant les longues feuilles pendantes des bananiers, elle distingue alors une jeune femme aux longs cheveux noirs habillée d'une robe rouge. Il y a quelque chose de particulier dans sa posture. Elle semble marcher sur la pointe des pieds, mais ses pieds ne touchent pas le sol, comme en lévitation. Bee l'a reconnue immédiatement. *Mae Nak*[123]. Mais il y a plus important : *Mae Nak* porte quelque chose dans ses bras, enveloppés dans un drap blanc. Elle sait que c'est son bébé que

---

[123] L'histoire de Mae Nak, fantôme féminin, est bien connue des Thaïlandais. Pendant que son mari est parti à la guerre, Mae Nak perd la vie en accouchant de son bébé qui décède également. Quand le mari revient de la guerre, il met du temps à se rendre compte que sa femme et son bébé sont devenus des fantômes. Mae Nak terrorise son mari et les habitants de son village. Ceux-ci la chassent et elle finit, après avoir été exorcisée dans une jarre jetée dans la rivière.

Mae Nak cache. Soudain, dans la pénombre de la plantation, Mario apparaît à ses côtés. Dans un premier temps, elle exulte. Il va devoir se rendre à l'évidence que les fantômes existent bel et bien ! Il ne se moquera plus d'elle à l'avenir ! D'un coup, son humeur change. Elle se rend compte que Mario va comprendre ce qu'elle lui a toujours caché, qu'elle a un bébé, un fils, celui-là même que *Mae Nak* tient dans ses bras. Elle a peur de sa réaction. Mais Mario ne semble pas apercevoir le bébé. Il ne dit rien. Il lui caresse les cheveux et descend sa main sur ses épaules. Il la retire brusquement. Elle se demande pourquoi. Elle regarde son bras et tout d'un coup, elle comprend la réaction de Mario. Ses bras, ses mains, tout son corps sont devenus verdâtres. L'horreur glace son sang. Elle prend conscience d'être devenue elle-même aussi un fantôme, la fameuse *Nang Tani*, ce personnage de la mythologie siamoise qui hante les nuits de pleine lune. Bee entrouvre les yeux. Elle est allongée sur le lit dans la chambre d'hôtel. Elle frissonne. Elle se rappelle que Moon se marie aujourd'hui. Assis dans le lit à côté d'elle, Mario la regarde, les yeux hagards.

Benoît peine à ouvrir les yeux. La lumière entre à grands flots par la baie vitrée de la chambre. Il aperçoit Moon. Le soleil découpe sa silhouette enveloppée dans une serviette de bain. Sa longue chevelure encore humide perle de gouttelettes scintillantes. Benoît s'éveille avec le goût du bonheur dans la bouche. Il la trouve tellement jolie. Il aime la regarder encore et encore. Il est éperdu de ce petit bout de femme. Comme beaucoup d'autres hommes auparavant, il a été au début charmé par son regard et attiré par ses formes. Il se rappelle leur première rencontre, il y a un peu plus de deux ans déjà, lorsque Mario l'avait envoyé à la maison des folles à la recherche d'informations sur Bee. À l'époque, elle était Miss 69 ou Joy. Dès cette première rencontre, l'image de Moon était devenue obsédante. Il avait désiré la revoir. Plus il la voyait, plus il la désirait. Avec le temps, il avait appris à la connaître. Son histoire l'avait ému. Elle avait gagné son admiration pour avoir tenu tête à ce monde dominé par les hommes et leurs envies. Et puis, Moon ne cessait de l'étonner tous les jours. Comme décidé, il y avait un peu moins d'un an, lors de cette dramatique nuit, elle avait cessé de travailler au bar et avait repris le salon de coiffure. Elle menait son affaire de main de maître et le salon connaissait un franc succès. Là, encore Moon l'épatait. Sous une vaporeuse apparence se cachait une personnalité résiliente. Benoît était heureux d'avoir apprivoisé son caractère farouche. Il avait compris qu'elle barricadait son cœur. Il avait été patient. Pouce par pouce, elle a alors entrebâillé la porte de ses sentiments. Il sentait qu'elle luttait contre elle-même, de peur d'afficher sa vulnérabilité. Étonnant, pensait-il comme il lui était plus aisé de danser nue que de déshabiller son cœur. Moon a fini par s'abandonner et lâcher prise.

Tout au long de la quête du cœur de Moon, Benoît s'est senti revivre. Il a redécouvert des gisements d'énergie enfouie en lui sous les strates d'apathie. Son tableau de bord émotionnel s'est rallumé. Il s'était retrouvé une sensibilité d'adolescent. Il n'est pas rare quand Moon arme son regard que les larmes lui viennent sans crier gare. Mais surtout, il a refait des plans d'avenir. Plus fort encore, il a imaginé un rêve fou, lui offrir le plus beau cadeau, un cadeau qui leur ressemblera. Le mariage s'est alors imposé comme évidence.

Benoît a aussi envie de consacrer leur union aux yeux de tous et des sceptiques. Beaucoup parmi ses connaissances l'avaient mis en garde sur les risques liés à différence de culture et surtout d'âge. Certains se contentaient de poser des questions faussement innocentes. Incidemment, on lui relatait une histoire de mariage avec une Thaïe qui avait tourné court. Son ex-femme n'avait même pas hésité à lui lancer que tout ce qui l'intéressait dans cette histoire était le sexe en définitive[124]. Benoît ne pouvait nier qu'il désirait ardemment Moon, ses bras et ses jambes, et ses cuisses et ses reins, *polis comme de l'huile, onduleux comme un cygne*[125]... sans en éprouver la moindre honte. Tant que son propre corps le permettrait, il se plongerait, insatiable et sans vergogne, dans les délices de sa chair. D'autres personnes, enfin, ne se gênaient pas pour dire tout haut qu'il s'agissait d'abord d'une question d'argent. Peu lui importait. Il croit avec son cœur que Moon l'aime sincèrement. L'espérance d'une vie confortable pèse sûrement dans la balance. Il n'est pas naïf. Moon a toujours été franche sur le sujet. Peu de filles dans ce pays pauvre peuvent faire l'économie de penser en priorité à leurs besoins matériels. Cela n'exclut pas de nourrir de vrais sentiments. Benoît est certain de ne pas se tromper sur leur authenticité.

De toute façon, la messe était dite ! Il l'aimait. Les moments les plus simples passés en sa compagnie s'avéraient les plus délicieux. Il l'adorait la voir revenir vers lui après son shopping de rue, simplement habillée d'un short en jean et d'un t-shirt, trottant les tongs au pied, avec, dans ses mains, une multitude

---

[124] Pour être honnête, ses mots exacts avaient été : « Benoît, tu as une bite à la place du cerveau ! »
[125] Extrait de *Les Bijoux* de Baudelaire.

de petits sacs plastiques scellés par un élastique, remplis de thé glacé, de riz gluant, de poulet frit et de salade de papaye et d'herbes diverses et l'entendre annoncer fièrement : « Voilà le festin du jour, cent bahts ! »

Aujourd'hui, ce mariage sur la plage résonnera comme un conte de fées insolite et exotique, auquel il croira avec l'innocence retrouvée d'un adolescent. Benoît se réjouit de pouvoir compter Mario à ses côtés lors de la cérémonie. Les deux hommes ont fait la paix. Le coup de poing sur le bateau n'est plus qu'un lointain et surréel souvenir. Benoît avait présenté ses excuses avec sincérité. Mario a eu tôt fait de lui pardonner son geste. Il n'était pas de nature rancunière. Il s'était lui-même longuement excusé sur ses propres paroles dénigrantes. Peut-être que ce pays et ses femmes rendaient fous les hommes au visage pâle ? Benoît resta longtemps meurtri, tenaillé par cette question : comment lui, de nature si calme, avait-il pu sortir si violemment de ses gonds ? Jamais auparavant il n'avait porté la main sur autrui et il a fallu que ce soit sur son meilleur ami ! Benoît avait longtemps cherché une explication à ce geste de folie au fond de lui-même. La vérité pourtant toute simple lui apparut plus tard. À présent éclairé par le bonheur qu'il éprouvait désormais aux côtés de Moon, il comprit combien il était malheureux à cette époque. Le désenchantement avait progressivement envahi sa vie professionnelle et affective. Ce coup de poing donné à son meilleur ami était en réalité un coup de semonce que son âme lui avait donné. Il devait changer profondément, se remettre en question, retrouver un ordre de marche pour le bonheur. Ce qu'il fit, puisant dans son amour pour Moon une nouvelle énergie et retrouvant ainsi le goût de la vie.

Et puis, maintenant, Benoît comprend mieux Mario... Car, lui aussi a fini par succomber au sortilège siamois. Il s'était mis à aimer ce pays baignant dans une naïve douceur de vivre et aussi ce surprenant côté drôlement kitsch de la culture thaïlandaise. Le kitsch était partout en Thaïlande, des temples surchargés de dorures gardés par les *yakshas*, ces statues géantes aux airs de Minotaures rococos, aux comédies romantiques parsemées d'emojis intempestifs ou aux fantômes légendaires qu'on croirait tout droit sortis d'un film gore, en passant par les desserts comme le *ruam mit* constellé de perles multicolores de tapioca et de nouilles vert fluo ou encore le durian, ce fruit au goût étrange de camembert. Oui, il aimait ce pays et comptait s'y établir à terme avec Moon. Un moment, Moon et lui avaient envisagé le scénario inverse. Moon viendrait vivre en Belgique.

— Il y a des montagnes en Belgique comme en Suisse ? avait-elle demandé, pleine d'espoir.

— C'est-à-dire que... Benoît avait hésité à lui parler de la Baraque de Fraiture, le point le plus haut de Belgique qui culminait modestement à six cent cinquante-deux mètres... Non en fait.

— Ah... avait-elle soupiré, déçue. Mais j'ai vu sur une carte qu'il y avait la mer, n'est-ce pas ?

— Mais, c'est-à-dire que ce n'est pas comme en Thaïlande. La mer est plutôt grise. Et froide... Mais on a la plus belle place du monde à Bruxelles !

— Ah oui et une statue d'un petit bonhomme qui montre son zizi !

Moon haussa les yeux au ciel en se disant : « Ah, ces *Farangs* quand même, c'est un peuple étrange... »

— Et je suppose qu'il fait très froid en hiver ? Enfin, avec le temps, ça doit être possible de s'y habituer, avait-elle murmuré, à moitié convaincue. Et donc, je pourrais ouvrir un salon de coiffure à Bruxelles ?

Benoît avait alors dû expliquer que ce ne serait sans doute pas si simple. Il faudrait d'abord faire un visa et faire reconnaître leur mariage en Belgique. Cela pouvait prendre du temps. Et, puis, on ne pouvait pas ouvrir un salon de coiffure comme cela en Belgique. Il fallait des autorisations. Elle devait apporter la preuve qu'elle pouvait gérer une entreprise et surtout qu'elle avait une expérience en coiffure. Bref, cela allait prendre du temps et le résultat n'était pas couru d'avance. Moon n'avait pas réfléchi très longtemps avant de lâcher : « Bon, on va faire comme on avait pensé au début. Je vais reprendre ce salon ici à Bangkok et, mon amour, tu me rejoins dès que tu peux ! OK ? » Benoît avait opiné. Il viendrait s'installer dès que possible en Thaïlande. Il n'avait pas encore d'idée très précise de ce qu'il y ferait. Il comptait en parler à Mario. Peut-être pourraient-ils investir dans un petit restaurant à deux ?

Côté cœur, Benoît s'estime plus chanceux que son ami. Moon est tellement différente de Bee ou Jade comme s'entête à l'appeler Mario. Il lui paraît évident que Bee est trop instable pour construire un avenir commun et trop insensible pour vivre l'amour. Mario est sans doute arrivé au même triste constat. Lui, le séducteur volatil est pris à son propre piège. Il fait mine de s'en accommoder tant bien que mal. Ou bien, n'a-t-il tout simplement pas la force de tirer la conclusion qui s'impose tristement à lui ?

Moon détourne les yeux de la plage et jette un regard vers le lit. Son homme est là, étendu, encore endormi. Elle pensait avoir verrouillé son cœur à tout jamais, cependant la vie lui avait, une fois encore, joué un tour. Les dés avaient à nouveau roulé et, cette fois, la roue avait tourné du bon côté. Elle remercie Bouddha tous les jours d'avoir mis Benoît sur la route de sa vie. Il lui apporte tout ce dont elle a besoin, amour, tendresse, attention, passion, réconfort, confort… Il a su être patient avec elle. Au début, il n'était qu'un client. Sa personnalité lui plaisait, mais pas autant que son portefeuille. Au fil de l'eau, elle s'est rendu compte que Benoît possédait cette faculté de l'écouter, de la comprendre et de lui apporter le calme et la sérénité dont elle manquait dans sa vie chaotique.

Avec le temps, ils avaient construit leur relation, malgré la distance. Elle avait pris conscience des sentiments qu'elle éprouvait pour Benoît il y a un peu moins d'un an. C'était au mois de mai, quelques semaines après sa fameuse nuit mouvementée. Benoît avait alors passé trois semaines en Thaïlande. Ils ne s'étaient pas quittés d'une seconde tout au long du séjour. Le dernier soir, Benoît l'avait invitée à dîner à la terrasse du *Moon bar*, un luxueux restaurant en plein ciel. Là, les lumières de Bangkok à leurs pieds, il lui avait déclaré sa flamme. Il lui avait parlé comme jamais auparavant un homme ne lui avait parlé. Ses paroles, sincères, l'avaient touchée. Elle avait ressenti un torrent d'émotions, jaillissant en elle. La vague était trop forte et avait emporté la digue protectrice qui entourait son cœur. Elle en avait oublié son ressentiment pour les hommes, son désir de les dominer. Ce soir-là, elle n'avait pas vendu son corps, mais elle en avait fait don à Benoît. Et pour la première fois de sa vie, elle avait ressenti l'énergie de l'orgasme qui électrifiait son corps. Cela avait été une véritable révélation. Elle, la travailleuse du sexe avait découvert qu'elle ne connaissait rien jusque-là au plaisir charnel. Quand Benoît était reparti en Belgique, Moon s'était découverte triste et seule. Elle se languissait en attendant l'heure de leurs rendez-vous téléphoniques journaliers, décomptait les jours avant sa prochaine visite, rêvait de leur prochaine rencontre, imaginait leurs futures étreintes. Le manque resserrait leurs liens. La distance les rapprochait. Elle s'était assemblée à lui, malgré la différence d'âge, de culture et de langue. Et quand il l'a demandé en mariage, elle n'a pas hésité l'esquisse d'une seconde à consentir à sa requête. Pour être honnête, c'était loin d'être une surprise. Elle s'y était longuement préparée. Elle avait bien pris en considération tout ce que cette union aurait de singulier. Plusieurs de ses amies l'avaient mise en garde. Elles avaient lu sur internet des histoires de *Farangs* qui se mariaient en Thaïlande tout en vivant en Europe avec une autre femme. Et elle devait réfléchir à l'avenir, lui disaient-elles. Ne regretterait-elle pas sa décision dans quelques années, Benoît vieillissant, alors qu'elle serait toujours en pleine effervescence ? Tout cela ne lui faisait pas peur, en vérité. Elle avait confiance en Benoît, elle l'aimait et elle resterait à ses côtés, même dans les moments difficiles. Les choses étaient claires pour elle. Quand elle a annoncé la nouvelle de ses fiançailles, ses parents ont pleuré de joie. Son père ne cachait pas son soulagement de pouvoir tourner la page de la jeunesse troublée de Moon. Il était heureux de voir sa fille abandonner ses activités nocturnes à Bangkok – bien qu'il n'ait pas une idée précise de sa profession – et se permettre l'espérance d'une vie normale et confortable. Sa mère avait pleuré de joie à l'annonce des fiançailles.

« Je suis si heureuse pour toi, ma fille. Tu as été forte et courageuse pendant ces années difficiles. Tu mérites tellement ce bonheur ! » lui avait-elle dit.

Moon lui avait longuement vanté les qualités de Benoît. Elle s'imaginait déjà grand-mère d'un ravissant bébé *luk krung*[126]. Un mâle de préférence, sans hésitation, c'était moins hasardeux en Thaïlande. Moon était bien placée pour savoir le sort peu enviable qui guettait les jeunes siamoises dès la puberté venue.

Moon avait mis fin à son travail au bar. Une nouvelle vie avait commencé. La reprise du salon de coiffure était d'ores et déjà un succès. Moon avait développé avec succès tout un arsenal d'actions de marketing : coupons de réduction sur les réseaux sociaux, cartes de fidélité, tour des bars pour faire la promotion du salon auprès des filles, publicités dans les toilettes féminines des clubs et discothèques... Le succès avait été vite au rendez-vous. Le salon ne désemplissait pas. Les clientes l'appréciaient et lui demandaient conseil. Moon possédait ce don de visualiser rapidement la coupe qui mettait le visage de sa cliente en valeur. Son avis était prisé. L'art de la séduction féminine n'avait pas de secret pour Moon. Elle vendait également des produits de beauté et des parfums, ce qui lui procurait des revenus complémentaires. Moon avait été rapidement contrainte de renforcer son équipe. Elle était exigeante avec son staff de coiffeuses, mais s'efforçait d'être juste dans ses décisions et son comportement. Après toutes ces années, la chose qu'elle détestait le plus était bien l'injustice. Il lui incombait maintenant de donner l'exemple dans sa nouvelle

---

[126] Un luk krung est un enfant métis, dont un parent est Thaïlandais et l'autre non asiatique. Les luk krung sont particulièrement appréciés en Thaïlande par la jeunesse. Bon nombre de stars de cinéma et du show-biz sont ainsi des luk krung. Le plus célèbre d'entre eux est le golfeur Tiger Woods.

vie de patronne. Loin d'être grisée par les débuts prometteurs du salon, Moon restait vigilante. Elle ne pouvait se défaire totalement de l'idée que le mauvais sort attendait son moment pour la frapper à nouveau. Mais elle se sentait forte à présent et capable de rendre coup pour coup. Son attitude avait changé. Elle avait troqué ses habits de victime pour ceux de gagnante. Plus rien ne lui ferait peur. Plus rien ne se mettrait en travers de son chemin. Ainsi, il y a un mois, quand elle avait appris que le colonel briguait le poste de commissaire en chef du district huit de Bangkok, celui-là même où se trouvait son salon de coiffure, elle était restée imperturbable. Bien sûr, la menace était claire et le risque évident. Le colonel avait de grandes chances de décrocher le poste. Officiellement, les nominations de chefs de polices se faisaient au mérite. Dans la réalité, elles se vendaient au plus offrant des candidats. Le poste de chef du district huit de Bangkok était particulièrement prisé, car il emportait la supervision des quartiers touristiques de Sukhumvit et ses innombrables bars et restaurants. Autant d'enseignes que la police s'engageait à protéger conformément à la loi, et même un peu plus moyennant compensation financière. Véritable paradis de la prébende policière, le district huit pouvait ainsi rapporter gros au commissaire à sa tête, mais pour cela il fallait mettre beaucoup d'argent sur la table pour obtenir le poste. Moon savait que le colonel disposait des fonds suffisants pour décrocher le job. La menace était donc bien réelle. À la tête de la police, le colonel disposerait d'un pouvoir de nuisance sans limites ou presque. Il n'hésiterait pas à en user et abuser pour étancher sa soif de revanche après la correction infligée par Toy. Il pouvait, outre la rançonner, bien sûr, ordonner des descentes dans le salon pour une raison quelconque, inventer des motifs d'infraction, imposer une fermeture à titre préventif, intimider

313

le personnel ou les clientes, la faire chanter, bref lui faire vivre l'enfer avec ce sens inné de la perversité qui le caractérise. Une perspective peu réjouissante. Le plus effrayé était Benoît, horrifié de découvrir cet aspect de la réalité thaïlandaise. Il avait même évoqué l'éventualité de tout plaquer là et de fuir avec Moon en Belgique ! Moon avait paru décontenancée quelques jours et puis, un soir, elle avait confié à Benoît sur le ton du mystère : « Mon amour, ne t'inquiète pas. J'ai trouvé une solution. Je ne veux pas te mêler à cela. Ce serait trop dangereux pour un *Farang*. Mais sache que le colonel ne sera bientôt plus un problème… »

Benoît avait bien tenté d'en savoir plus, mais Moon avait demandé un peu de patience. Le temps viendrait où il comprendrait.

Tout était donc parfait. Enfin presque. Il y avait quand même quelques nuages bien noirs dans le ciel du bonheur de Moon. Elle s'efforçait de ne pas y penser, s'octroyant le droit d'être égoïste en ce beau jour. Mais en vain. Une question n'avait de cesse de la tarauder. Pourquoi Pod, son frère, ne l'avait-il pas félicitée ? Pourquoi ne se décidait-il pas à tourner la page et faire fi du passé ? Quand elle lui avait annoncé la nouvelle de ses fiançailles, il avait détourné la tête et était parti sans mot dire. Elle l'avait rattrapé. Elle ne lui permettrait pas de filer ainsi :

— Pod, mais qu'est-ce que je t'ai fait pour que tu me détestes à ce point ? Allez ! Vide ton sac !

Moon s'était plantée à dix centimètres de son visage, bien décidée à ne pas laisser fuir son regard.

— Comme si tu ne savais pas ! s'était-il exclamé d'un air bravache. Tu as la mémoire courte apparemment ! Notre famille a été la honte du village à cause de toi. À l'école on me montrait du doigt parce que j'étais le frère d'une condamnée. Et malgré tout, tu restais la préférée de maman. Après tout ce que tu avais fait !

— Tu sais très bien que j'étais innocente. Mon seul tort avait été d'être avec Toy à ce moment-là. Et j'ai payé chèrement cette erreur.

— Oui et notre famille aussi. Tu nous as ruinés ! Je me souviens avoir pleuré tous les jours quand nous avons dû vendre la maison pour ton petit confort en prison. Mais le pire était d'entendre maman continuer à te plaindre.

— J'ai aussi pleuré quand j'ai appris cela. J'étais mal. Je me suis juré de réparer le mal que j'avais fait. J'ai tout remboursé aux parents. J'ai travaillé dur pour y arriver.

— Danser nue ? Tu appelles cela, travailler dur ? J'ai honte pour toi quand j'y pense.

Les paroles cruelles de Pod s'enfoncèrent comme une lame tranchante dans le cœur de Moon. Elle était sur le point de fondre en larmes. Mais elle tint bon. Elle respira profondément et contint son émotion. Elle aspirait tellement à l'apaisement avec son frère qu'elle parvint à articuler d'une voix à peine altérée.

— J'ai arrêté, Pod. J'avais besoin d'argent. Je n'avais pas d'autre choix. Il faut oublier cela. Pardonne-moi pour le mal que j'ai fait à toi et à notre famille. Je vais me marier et j'aimerais tant faire la paix avec toi, mon frère. Je t'en prie, fais un effort.

Pod n'avait pas réagi à sa supplication. Il s'était contenté d'une timide grimace en guise de réponse et était parti sans rien dire. Moon avait été profondément affectée par cette conversation inachevée. Elle avait espéré que son frère puisse mettre fin à son ressentiment et tout simplement partager le bonheur de sa sœur. L'annonce de son mariage semblait semer la joie autour d'elle et réjouir son entourage, sauf son propre frère. Son frère la détestait donc. C'était le constat bien amer auquel elle était arrivée.

Il y avait une autre personne à qui son mariage ne plaisait guère. C'était, bien sûr, Yuki. Moon ne pouvait réprimer un sentiment de gêne profonde lorsqu'elle pensait à la Japonaise. Moon avait revu Yuki pour la dernière fois, il y a moins d'un an, peu de temps après la nuit de l'agression du colonel. C'était avec des pieds de plomb qu'elle avait accueilli Yuki à l'aéroport. Son humeur maussade, son manque d'entrain, ses réponses laconiques avaient alerté rapidement Yuki. Celle-ci, désemparée, avait pressé Moon de questions, voulant connaître l'objet de sa morosité. Cela avait eu le don d'irriter encore plus Moon. Elles avaient passé ensemble une semaine à Krabi dans le sud. Quand elle s'isolait pour téléphoner à Benoît, Moon évoquait un généreux client, à qui elle se devait de donner régulièrement des nouvelles pour ne pas le perdre. Yuki devait suspecter quelque chose, mais elle n'avait pas fait de remarques. Tout au long de cette semaine à Krabi, Moon avait longuement réfléchi à sa relation avec Yuki. Bien sûr, elle lui était reconnaissante, et le resterait à jamais. Elle pouvait s'accommoder de rencontres épisodiques, espacées et pas trop longues. À ce moment-là, Moon ne soupçonnait pas encore que sa relation avec Benoît déboucherait sur un mariage. Après un jour d'intimité avec Yuki, elle étouffait déjà, se languissant de retrouver son studio. Et pendant ce temps, Yuki parlait de revenir travailler en Thaïlande et de s'y établir. Moon frémissait en silence à cette perspective. Le deuxième soir, n'y tenant plus, elle lui avoua avoir une relation avec un homme. Yuki prit mal

316

cette révélation et démarra une salve d'interrogations. Pourquoi ne lui avoir rien dit plus tôt ? Comment pouvait-elle encore faire confiance à un homme ? Quels sentiments éprouvait-elle pour lui et pour elle ? Elle allait devoir choisir entre cet homme et elle ! Moon répondit assez sèchement. Si cela ne lui plaisait à Yuki, eh bien, rien ne la retenait. « *Up to you* ! » lui lança-t-elle. Moon regretta aussitôt ses paroles. Mais le mal était fait et le reste du séjour de Yuki s'était passé dans un climat pesant.

Au moment des adieux à l'aéroport, Yuki l'avait prise dans ses bras et lui avait glissé dans l'oreille : « Je t'aime Moon, ne me laisse pas tomber ».

Moon n'avait rien répondu. Assise sur la banquette du train qui la ramenait à Bangkok, Moon avait éclaté en sanglots. Sa décision était prise. C'était la dernière fois qu'elle voyait Yuki. C'était mieux ainsi pour toutes les deux. Il aurait été malhonnête d'entretenir les espoirs de Yuki. Les deux femmes restèrent en contact par la suite, mais leurs échanges dégénérèrent crescendo jusqu'à atteindre le paroxysme quand Moon avait annoncé ses fiançailles avec Benoît. Yuki était devenue comme folle, avait raccroché, puis rappelé encore et encore pour lui cracher toute sa rage et sa rancœur. Elle était allée jusqu'à la menacer de publier ses photos nues dans le jacuzzi du mont Ogato. Heureusement, elle ne passa jamais à l'acte. Moon avait espéré qu'avec le temps, Yuki revienne au calme. Mais en vain. Elle avait fini par la bloquer sur les différents réseaux sociaux. Moon avait imaginé que Yuki, après avoir fait le deuil de ses sentiments, puisse rester une amie. C'était une douce illusion. Son amour se tarissait pour se muer en haine.

Il est midi déjà. Les préparatifs pour le mariage vont bon train. Dans une chambre de l'hôtel, une nuée de coiffeuses, de maquilleuses et d'esthéticiennes bourdonne autour de Moon. Deux photographes prennent des clichés de la préparation de la mariée. Tout ce petit monde s'affaire tout en jetant un œil effaré à la télévision. Un journaliste vient d'annoncer qu'une tuerie est en cours à Korat, dans le nord-est du pays. Un militaire est sorti de sa caserne avec un véritable arsenal de guerre sème la mort et la désolation dans un centre commercial tuant hommes, femmes et enfants[127]. Des images terrifiantes de victimes qui fuient sous les balles apparaissent à l'écran. Le soldat est toujours retranché, sans doute avec des otages, dans le centre commercial. Moon sursaute. Son sang ne fait qu'un tour. Korat, militaire, armes… Elle pense immédiatement à Toy qui est caserné dans cette ville. Depuis la fameuse nuit où elle l'avait éconduit, elle n'a plus eu de nouvelles de lui. Si c'était lui le forcené ? Si, pris de désespoir, il avait commis l'irréparable ? Et symboliquement, il aurait choisi le jour du mariage de Moon pour perpétrer ces atrocités. Pour l'instant, la télévision ne communique pas l'identité de l'assaillant, sans doute sur ordre de la police. Moon ne tient plus. Il faut qu'elle sache si c'est bien Toy. Elle se sent coupable. Sans être certaine que cela soit une bonne idée, elle décide néanmoins de lui envoyer un message.

— Où es-tu ?

Si c'est bien Toy, peut-être qu'elle peut encore le convaincre de se rendre. Elle attend avec angoisse qu'il lui réponde. Cela prend quelques longues minutes insupportables avant qu'il ne réponde enfin.

— Qu'est-ce que tu veux ? La future mariée s'embête ?

---

[127] Les 9 février 2020 a eu lieu la tuerie de Korat. Un soldat de l'armée royale thaïlandaise a tout d'abord tué son commandant et la mère de celui-ci avant de semer la terreur dans le centre commercial Terminal 21 de la ville de Korat. Le carnage a fait au total trente morts.

— Tu as vu ce qui se passe à Korat ? J'avais peur que ce soit toi.

— 555[128]. Et pourquoi j'irais tuer des personnes innocentes ?

— Mais où es-tu ? insiste Moon, peu rassurée par le ton agressif de Toy.

— Je me repose à la mer. J'ai pris quelques jours de congé.

— OK. Prends soin de toi s'il te plaît.

— T'inquiète pas pour moi. On se reverra, j'en suis sûr.

Les mots de Toy sonnent comme une menace. Moon ne préfère pas répondre.

Pendant ce temps, la télévision continue de diffuser en boucle les images dramatiques qui tiennent le pays en haleine. Quelques minutes, plus tard, la photo du meurtrier apparaît à l'écran. Moon est définitivement rassurée. Ce n'est pas Toy. Mais elle ne peut s'empêcher de penser que, décidément, son pays l'inquiète. Comment imaginer une telle folie meurtrière dans un royaume bercé par l'enseignement pacifique de Bouddha ? Comment expliquer qu'un protecteur de la nation retourne rageusement ses armes contre ses concitoyens ? Le pays du sourire deviendrait-il celui du rictus haineux ? *Prathet Goo Mee... Prathet Goo Mee* lui revient en tête. Faut-il y voir un signe du destin ? Moon balaie ce mauvais augure. Ce soir de pleine lune, elle va conjurer le sort et braver la malédiction du chaman. Après moult hésitations, elle a choisi de se marier sur la plage comme dans son merveilleux souvenir de gamine... mais aussi comme dans les rêves tragiques qui hantent parfois ses nuits. Mais ce soir de mariage, l'amour, l'allégresse et l'enchantement triompheront, elle s'en est convaincue. Et pour

---

[128] 5 en Thaï se prononce ha. 555 (hahaha) est utilisé dans les messages pour exprimer un rire.

en être encore plus sûre, elle s'est assurée à bonne source que le colonel est bien à Chiang Mai, à près de neuf cents kilomètres de là.

Seize heures. Les invités commencent à affluer sur la plage devant l'hôtel. Nam et Poor, les amies de Moon sont présentes. Bee est encore dans sa chambre. Il y a aussi, en invitée surprise, Som, la directrice de Yard Lao. Celle-ci est devenue une habituée du salon de coiffure. Au grand étonnement de Benoît, Moon avait repris contact avec elle. Leur haine commune pour le colonel semblait les avoir rapprochées. Ces derniers temps, elles avaient passé beaucoup de temps ensemble, ce qui n'avait pas manqué d'intriguer Benoît. Moon était restée évasive en réponse à ses questions. Benoît ne savait que penser de ces cachotteries. Moon avait insisté pour qu'elle soit présente au mariage. Elle avait même prévu une surprise pour elle. Elle avait demandé au DJ de mettre son morceau préféré lors de la soirée dansante, cette vieille rengaine sur laquelle elle se dandinait dans le dortoir de Yard Lao…

Benoît avait bien pensé à inviter aussi Yohan à la cérémonie. Non pas que sa présence lui aurait fait plaisir, mais il s'était dit que peut-être Mario aurait apprécié la compagnie de son ami Yohan durant les festivités. Mario avait rejeté la suggestion tout net au grand étonnement de Benoît. « Ah non, celui-là, je ne peux plus l'encaisser ! Quel hypocrite ! Figure-toi que je l'ai surpris à Bangkok au bras d'une fille de bar, lui ce donneur de leçons de morale, est le premier à s'encanailler dès que sa femme a le dos tourné… » Voilà qui n'étonne pas vraiment Benoît. Il s'est toujours méfié des beaux parleurs, prêcheurs de bonne vertu… pour autrui.

Benoît reste allongé sur le lit, dans la chambre, profitant, pour quelques minutes encore, de la fraîcheur de la climatisation, retardant le moment d'enfiler son costume trois-pièces de marié. Il se sourit à lui-même, l'air béat. Un tapotement nerveux contre le chambranle de la porte vient troubler son extase. Benoît se lève et ouvre pour découvrir Mario devant lui haletant, la sueur dégoulinant de son front. Sans laisser le temps à Benoît de l'inviter à entrer, Mario lâche d'une traite : « Bee est brûlante de fièvre. Je vais la conduire à l'hôpital. J'espère que ce n'est pas trop grave. On va manquer la cérémonie, mais on espère bien être de retour à temps pour la fête ce soir ! Bee et moi, on ne voudrait pas manquer cela pour tout l'or du monde ! »

Benoît bredouille quelques mots rassurants, mais Mario a déjà filé sans prendre le temps de l'écouter.

Dix-sept heures. Le grand moment est venu. Moon est prête à quitter la chambre et à faire son entrée sur la plage. Elle jette un dernier coup d'œil au petit promontoire en bois où Benoît l'attend aux côtés du maître de cérémonie. Il est beau mon homme dans son costume blanc, pense-t-elle. Elle peut deviner les gouttelettes de sueur perler sur son front. Les nombreux invités sont debout et patientent avec, en fond musical mêlé au bruit des vagues, Elton John qui chante *Now she's in me/Always with me/Tiny Dancer in my hand* (©). Moon sourit. Benoît a choisi cette chanson pour elle, la petite danseuse, pour toujours avec lui. Moon préférerait encore attendre un peu, espérant que Bee et Mario aient le temps de rentrer de l'hôpital. Mais elle ne peut attendre indéfiniment. Il est temps pour elle de faire son entrée. Dommage que son amie ne soit pas là. Peut-être, se dit-elle sans trop y croire, que cela lui aurait donné des idées de mariage.

Au bras de son père, Moon s'apprête à parcourir le chemin en traverses de bois, jonché de fleurs bleues, qui la sépare de son futur mari. Elle rayonne dans sa robe blanche. Tous les regards sont braqués sur elle. Elle aperçoit son frère. Elle n'en croit pas ses yeux quand celui-ci lui adresse un sourire affectueux. L'émotion la gagne. Son bonheur l'attend là sur la plage. Le brouhaha de la foule s'amplifie. Les photographes s'approchent. Les pétales de fleurs s'envolent. Les notes de musique de la chanson qu'elle a choisie s'élèvent : « *Cause all of me/Loves all of you/Love your curves and all your edges/All your perfect imperfections/Give your all to me/I'll give my all to you/You're my end and my beginning* »[129] (©). Moon entame ses premiers pas sur l'allée qui l'amène à son futur mari.

Soudain, un hurlement d'effroi déchire l'air. Des cris de terreur fusent. Moon s'immobilise, atterrée. Elle voit des convives s'encourir en panique, les visages défigurés par la peur. Tout se passe à la fulgurance de l'éclair. Et pourtant, pour Moon, c'est comme si le temps se ralentissait. Elle est incapable d'esquisser le moindre mouvement, paralysée par une force fatale. Elle aperçoit enfin une silhouette musculeuse qui marche déterminée vers elle. Elle le reconnaît. C'est Toy, armé d'un fusil, comme on en voit dans les jeux vidéo se dit-elle, c'est absurde. Il s'avance, l'arme pointée vers elle. Il a un rictus mauvais. Elle perçoit la folie hideuse qui déforme son visage. Toy se tient maintenant à cinq mètres d'elle. Il tend son arme. Le père de Moon, à ses côtés, tente de la tirer au loin, mais, silencieuse, Moon demeure immobile dans sa robe immaculée. Tout geste, toute parole lui semble inutile et futile désormais. Elle entrevoit au loin Benoît qui court vers elle en hurlant.

---

[129] All of me – John Legend.

Moon, résignée, attend son destin, quand soudain une silhouette surgit tout à coup de l'ombre. Elle voit alors son frère jaillir et se précipiter vers Toy. Une détonation éclate. Son frère s'écroule. Toy s'approche encore. Elle perçoit à peine le bruit du coup de feu. Elle a juste le temps d'entendre cette voix en elle qui lui dit : *tu as vu, Moon ? Ton frère, il s'est jeté pour te protéger, toi, sa sœur... son amour pour toi, il le cachait bien au fond de lui... Ton frère t'aime, Moon... Repose en paix avec cette pensée, petite Moon. Tu retrouveras Benoît dans une autre vie, qu'il y croie ou non !*

« Maudit chaman, je te hais ! » hurle-t-elle sans que personne ne puisse l'entendre désormais.

Extrait du Bangkok Post
Édition du 11 février 2020

DRAME DE HUA HIN
L'EX PETIT AMI TUE LA MARIÉE ET SON FRÈRE !

Hua Hin – Ce dimanche en fin de journée, un homme armé a abattu deux personnes lors d'une fête de mariage qui se tenait sur la plage de Pran Buri, à vingt kilomètres de la station balnéaire de Hua Hin (Province de Prachuap Khiri Khan). Le meurtrier s'est ensuite donné la mort. Il s'agirait d'un drame passionnel selon la police

On en sait maintenant plus sur les circonstances exactes du drame horrible de Hua Hin après la conférence de presse du chef adjoint de la police provinciale, le capitaine Damrongsak Thongngamkrokal. Ce dimanche 9 février se tenait sur la plage de l'hôtel Aleenta à Pran Buri (Prachuap Khiri Khan) la cérémonie de mariage de Mlle Jutharan Pornthip, surnommée Moon, de nationalité thaïlandaise, avec M. Benoît Grivois, ressortissant belge. Vers 17 heures, un individu du nom de Nithithorn Chintakon, surnommé Toy, a fait irruption sur la plage au moment où la cérémonie débutait. Il a d'abord tiré trois coups de feu qui n'ont pas fait de victime. Il s'est ensuite dirigé vers la future mariée qui s'apprêtait à descendre les marches menant vers la plage pour rejoindre son futur époux. Le frère de la future mariée, Mr Charnsak Pornthip, surnommé Pod, s'est alors précipité au-devant de sa sœur pour la protéger. Il a malheureusement été abattu par l'agresseur avec une mitraillette FN P90. Le tueur a ensuite tiré trois balles sur Mlle Jutharan Pornthip à bout portant. Il s'est ensuite tiré une balle dans la tête avec un révolver Glock 17. La future mariée, âgée de 29 ans, ainsi que son frère, âgé de 26 ans, sont morts sur le coup. Les services de secours arrivés rapidement sur les lieux n'ont pu que constater les décès. Le tueur, également décédé, a agi seul. Le meurtrier, âgé de 29 ans, n'a laissé aucun écrit ou témoignage pouvant expliquer la motivation de son acte. Il n'a également prononcé aucune parole lors des faits. Cependant, selon le capitaine Damrongsak Thongngamkrokal, tout porte à croire qu'il s'agit là d'un crime passionnel. En effet, Nithithorn Chintakon avait entretenu une relation amoureuse avec Mlle Jutharan Pornthip, il y a dix ans. Après la rupture, il semblerait qu'il ait vainement tenté à plusieurs reprises de renouer avec sa future victime. Il n'aurait pas supporté l'idée de voir son ancienne petite amie se marier avec un autre homme. M. Nithithorn Chintakon, adjudant de la royale armée de l'air thaïlandaise, était caserné à Korat. Ses états de service étaient excellents selon ses supérieurs que nous avons contactés. Avant son entrée à l'armée, M. Nithithorn Chintakon avait purgé une peine de trois années de prison pour fait de drogue. Selon les analyses effectuées, il n'aurait pas été sous l'emprise de la drogue au moment de commettre les faits de ce dimanche. La famille des deux victimes ainsi que M. Benoît Grivois, encore sous le choc, n'ont fait aucune déclaration.

XII
Bruxelles, morgue pleine

5 juillet 2020

Benoît est assis seul à une table du *Moeder Lambic*. Devant lui, un verre de gueuze *Cantillon*[130], acide en diable comme son âme. Comme désormais tous les soirs de pleine lune, dans l'indifférence générale, il sort un papier froissé de son portefeuille, le déplie, l'étend sur la table et murmure les mots manuscrits :

Khun Benoît,

Tu découvriras ce petit mot quand tu te réveilleras ce matin. En ce beau jour, nous allons nous marier. Dans quelques heures, je serai trop émue pour pouvoir te dire ces mots. Alors je te les ai écrits. Je les ai glissés dans une enveloppe… avec une merveilleuse surprise. Je voudrais d'abord te remercier pour tout le bonheur que tu m'apportes. Ton soutien, ta patience

---

[130] La gueuze de la brasserie Cantillon a un goût inimitable dû à la bactérie brettanomyces bruxellensis présente dans l'air de la capitale belge qui intervient dans le processus de fermentation.

et ton affection m'ont donné la force dont j'avais besoin pour changer de vie. Merci pour tout cela, mon amour.

Et puis, je voudrais te dire que je serai là toujours pour toi, même quand tu seras vieux. Je prendrai soin de toi et resterai à tes côtés. Tu seras toujours jeune dans mon cœur. Le jour où tu disparaîtras, je sais que ton esprit restera près de moi et m'accompagnera. Notre amour ne mourra jamais.

Dans l'enveloppe, Moon avait glissé un testeur de grossesse. Benoît se souvient, comme si cela était hier, de l'émotion qui l'avait submergé quand il avait ouvert l'enveloppe.

Et puis, il y a la surprise. Je te laisse la découvrir. On aura bientôt un mini Benoît ou une mini Moon ! Un ou une luk krung[131] qui aura tes yeux, ton nez, ta bouche et peau blanche !

Moon,
Ta femme qui t'aime pour toujours

Dehors, il y a toujours les mêmes étudiants en art aspirants à un monde postcorona. Son monde à lui s'est écroulé sur la plage de Hua-Hin. La désolation est devenue son unique compagne. Il vit désormais avec les stigmates endémiques de sa douleur, la gorge nouée et les yeux embués. Les images du carnage hantent son esprit à jamais. La robe blanche maculée de sang de Moon, son corps gisant sur le sable non loin de son frère, mort pour avoir tenté de la protéger, Toy se faisant exploser la cervelle pour ajouter à l'horreur… L'horizon de ses rêves est bouché, plombé par la chape du deuil. Moon partie rejoindre le monde

---

[131] Métis Farang-Thaï.

des esprits, que lui reste-t-il ? Aboulique, il a arrêté de travailler. Les médecins lui ont diagnostiqué une dépression profonde.

Benoît continue de recevoir tous les jours son exemplaire du *Bangkok Post*. Il n'a pas eu le courage de résilier son abonnement. Il y a un mois, il avait ainsi découvert un article relatant avec beaucoup d'emphase un coup de filet important opéré par la *NACC*, l'agence thaïlandaise de lutte contre la corruption. On pouvait y lire qu'un haut gradé de la police pénitentiaire à Chiang Mai avait été arrêté pour des faits de corruption. Le gouvernement se félicitait du succès de sa lutte sans relâche contre ce fléau. L'article l'avait fait tiquer. Benoît avait fait des recherches dans les affaires de Moon et avait fini par retrouver le numéro de téléphone de la directrice. Il l'avait donc contactée. La communication avait été malaisée, car elle ne parlait pas l'anglais. Mais il a fini par comprendre toute l'histoire. Le haut gradé arrêté par la *NACC* était bien le fameux colonel. La directrice avait expliqué toute l'histoire. Quand elle avait appris que le colonel devait être nommé commissaire du district 8, Moon avait repris contact avec elle. Elle lui avait dit qu'elle voulait dénoncer le colonel à la *NACC*, mais que sa plainte avait peu de chance d'être entendue. Le témoignage d'une ex-détenue, sans preuve, aurait vite fait long feu. Le colonel avait des amis bien placés pour étouffer une affaire aussi peu étayée. Moon avait besoin du témoignage de la directrice et aussi d'éléments matériels probants. La directrice avait longtemps hésité, mais avait fini par se laisser convaincre par Moon. Elle avait été révoltée par l'agression que Moon lui avait racontée. Et aussi, elle éprouvait aussi le besoin de soulager sa propre conscience. Elle avait donc fourni, à l'appui de la dénonciation à la *NACC*, des copies des fausses factures et extraits de compte et avait accepté de témoigner à charge du colonel. En échange, elle avait habilement réussi à négocier une immunité des poursuites envers elle. Moon aurait été heureuse d'apprendre que pour une fois, justice avait été rendue, avait confié la directrice à Benoît. C'était une consolation bien dérisoire.

Benoît a aussi perdu le goût de l'amitié. Mario et lui s'envoient des messages de temps à autre, mais sans plus. Mario vit désormais à Koh Lanta de petits boulots que son ex-ami Yohan lui procure. Il vivote, selon ses dires. Il a vendu son restaurant. Il n'a pas fait une bonne affaire, les prix ayant chuté à la suite de la fermeture du pays aux touristes. Mais il ne pouvait supporter de rester plus longtemps à Bangkok. Il est brisé sans rémission. Après son admission à l'hôpital de Hua Hin, Bee avait dû sur-le-champ être mise sous assistance respiratoire. Mario n'a pas même eu le temps de lui dire au revoir. Une infirmière lui avait simplement dit que dans son délire, Bee n'avait de cesse de s'écrier : « Maudit chaman, je te hais ! » Bee est décédée du coronavirus trois jours plus tard. Plus tard, Mario avait appris avec stupéfaction que Bee avait un fils qu'elle cachait auprès de sa famille et qu'elle s'était acheté une petite maison en Issan, loin de tout. Bee était morte comme elle vivait, sous le sceau du secret. « Je ne sais pas quel sentiment est le plus fort en moi, avait-il confié à Benoît. La rancœur devant tant de mensonges ou le désespoir de sa disparition ».

Pendant que, du haut-parleur haut perché, *En Visant la Lune* (©) s'égrène en notes mélancoliques, Benoît retient ses larmes. La douleur de ne plus serrer Moon dans ses bras… à tout jamais… enfle chaque jour un peu plus comme une plaie ouverte dans son cœur. Il la revoit, sa longue chevelure, ses grands yeux noirs, son corps ambré et cambré. Il imagine son sourire qui désarmait son esprit parfois trop grave. Il se rappelle les moments intenses de joie et de plaisir vécus ensemble, ces quelques mois radieux avant de sombrer sans retour dans l'obscurité. Moon aura été une étoile filante de bonheur dans sa vie qui tend désormais au crépuscule.

Un éclair… et puis, la nuit ! Fugitive beauté
Dont le regard m'a fait soudainement renaître,
Ne te verrai-je plus que dans l'éternité ?[132]

Ce soir, c'est la pleine lune que Moon aimait tant contempler.

---

[132] Charles Baudelaire – À une passante.

Bande originale

Le décor musical de la Lune siamoise est disponible à l'écoute sur :

 Playlist Spotify « Lune Siamoise »

 Recherche sur YouTube « Patrick Lune Siamoise »

64	Takkatan Chollada	ไม่ใช่แฟนทำแทนไม่ได้	ชุดที่ 2 ถนนคืนฝัน
68	ปรีชา บุญญเกียรติ	ใต้ร่มเชอรี่ เชื่อใจบ้างไหม	แม่ไม้เพลงไทย ชุด อยู่เพื่อคอยเธอ
115	Faith No More	Midlife Crisis	Angel Dust
115	Robbie Williams	Millennium	I've Been Expecting You
116	2Pac Roger Dr. Dre	California Love	Greatest Hits
116	Brad	The Day Brings	Interiors
120	The Cranberries	Zombie	No Need To Argue
121	Loso	ชมซาน	Sek Loso The Collection
149	DJGRVPH	ถึงจะไม่ใช่สายเปย์ แต่สายเยนี่แน่นอน	ถึงจะไม่ใช่สายเปย์ แต่สายเยนี่แน่นอน
158	Maxzy	เด้ง	เด้ง
183	สุรพล สมบัติเจริญ	ลืมไม่ลง (สุรชัย)	สาวสวนแตง
188	เพชร สหรัตน์	ปล่อยน้ำใส่นาน้อง	หมัดเด็ด เพชร สหรัตน์
194	Marc Morgan	Notre Mystère Nos Retrouvailles	Un Cygne Sur L'Orenoque
200	Soprano Lili Poe	Amour siamois (feat. Lili Poe)	L'Everest
200	Rammstein	Deutschland	Rammstein
200	Electric Light Orchestra	Roll Over Beethoven	ELO 2
200	Goran Bregović	Gas Gas	Karmen (With A Happy End)
200	Enrico Macias	L'Oriental	Remixed By Grand Popo Football Club Experience
200	Led Zeppelin	Kashmir	Physical Graffiti
201	George Harrison	Bangla Desh	Living In The Material World
202	Sakarin Boonpit	Kotmorn Yoop Yap (All Shook Up)	Thai Beat A Go-Go Vol. 2
202	Thaitanium; Da Endrofhine	Mahanakorn	Still Resisting
204	Oasis	Wonderwall	(What's The Story) Morning Glory?

204	Max Gazzè	Mentre Dormi	Quindi?
207	Vinylshakerz	One Night in Bangkok	One Night In Bangkok
207	Village People	YMCA	YMCA
209	Dizzy Gillespie	Caravan (DJ Smash's Smashish Remix)	Re Bop: The Savoy Remixes
211	Petch Daddy	สายเปย์ไม่เทแน่นอน	เพลงที่มีงูออกมา สายย่อ แดนซ์ฮิต
221	Richard Clapton	Girls On The Avenue	80 From Australia
222	The Angels	We Gotta Get Out Of This Place	Howling
228	Takkatan Chollada	บ่งึดจักเม็ด	บ่งึดจักเม็ด
230	Neil Diamond	Be	Jonathan Livingston Seagull
233	Chasing Mirrors	Hanami	Hanami
239	Takkatan Chollada	ไหง่ง่อง	ไหง่ง่อง
251	Luciano Macchia crooner	Basilicata on My Mind (Live)	Live in Milano
260	Tata Young	Sexy Naughty Bitchy	I Believe
269	เวียร์ ศุกลวัฒน์; เคน ภูภูมิ; ฌเดชน์ คูกิมิยะ; มาริโอ้ เมาเร่อ; เจมส์ มาร์	1 2 3 4 5 I Love You	Give me 5
269	Rap Against Dictatorship	ประเทศกูมี	ประเทศกูมี
277	สรวง สันติ	900 โรงจำนำ	900 โรงจำนำ
283	The Clash	Should I Stay or Should I Go	Combat Rock
284	Blondie	Call Me	Atomic/Atomix
299	Elvis Presley	Can't Help Falling in Love	Blue Hawaii
321	Elton John	Tiny Dancer	Madman Across The Water
322	John Legend	All of Me	Love In The Future
330	Delta	En visant la lune	A ciel ouvert

Imprimé en Allemagne
Achevé d'imprimer en avril 2022
Dépôt légal : avril 2022

Pour

Le Lys Bleu Éditions
40, rue du Louvre
75001 Paris